LE MONDE
DE MICHEL TREMBLAY
TOME I : THÉÂTRE

Sous la direction de
Gilbert DAVID et Pierre LAVOIE

LE MONDE
DE MICHEL TREMBLAY
TOME I : THÉÂTRE

AVEC LA COLLABORATION DE

Micheline CAMBRON, Lorraine CAMERLAIN, Jacques CARDINAL, Jean-François CHASSAY, Gilbert DAVID, Jean Cléo GODIN, Madeleine GREFFARD, Yves JUBINVILLE, Rachel KILLICK, Jérôme LANGEVIN, Jean-Marc LARRUE, Pierre LAVOIE, Alexandre LAZARIDÈS, Paul LEFEBVRE, Stéphane LÉPINE, Laurent MAILHOT, Joseph MELANÇON, Jean-Pierre RYNGAERT, Louise VIGEANT

Éditions Lansman
2003

Coordination de l'édition :
Pierre LAVOIE

Révision des textes et
préparation du manuscrit final :
Gilbert DAVID et Pierre LAVOIE

Éditique et mise en pages :
Paul FORCIER

Correction d'épreuves :
Gilbert DAVID et Pierre LAVOIE

Graphisme (couverture) :
Mathilde HÉBERT

Couverture recto :
Fantaisie sur un thème pascal
Lithographie rehaussée de
Jean-Pierre LANGLAIS

Couverture verso :
Michel Tremblay
Photo : LES PAPARAZZI

ÉDITIONS LANSMAN

Rue Ferrer, 6
B-7141 Carnières (Morlanwelz)
Communauté française de Belgique

Téléphone : (32) 64 44 28 60
Télécopieur : (32) 64 44 31 02
Courriel : contact@lansman.org
http://www.lansman.org

DISTRIBUTION

Amérique du Nord :

Dimedia
539, boul. Lebeau
Ville Saint-Laurent (Québec)
Canada H4N 1S2

Téléphone : (514) 336-3941
Télécopieur : (514) 331-3916

Europe :

Éditions Lansman
Rue Royale, 63
B-7141 Carnières (Morlanwelz)
Communauté française de Belgique

Téléphone : (32) 64 44 75 11
Télécopieur : (32) 64 44 31 02
Courriel : contact@lansman.org

Dépôt légal : troisième trimestre 2003
Bibliothèque nationale du Québec
Bibliothèque nationale du Canada
D/2003/5438/408

ISBN : 2-87282-407-3

TABLE DES MATIÈRES

AVANT-PROPOS DE LA DEUXIÈME ÉDITION, REVUE ET AUGMENTÉE

Publié en 1993, vingt-cinq ans après la création des *Belles-Sœurs*, *le Monde de Michel Tremblay* est encore maintenant le seul ouvrage de sa catégorie sur les textes du dramaturge et écrivain montréalais, né en 1942. L'ouvrage collectif, qui a rassemblé les études et les essais de quelque vingt-cinq collaborateurs, a mérité en 1994 le Prix Ann Saddlemeyer de l'Association de la recherche théâtrale au Canada/Association for Canadian Theatre Research.

Après avoir constaté que le tirage de la première édition était épuisé depuis longtemps, les deux responsables de l'ouvrage ont souhaité lui donner une seconde vie, cette fois en format de poche. En plus d'inviter les collaborateurs à revoir éventuellement leur texte en vue d'une nouvelle édition, la question de savoir s'il fallait ajouter ou non des articles à la table des matières s'est posée aussitôt, puisque l'œuvre de Tremblay s'est enrichi de nombreux textes depuis dix ans. Les éditeurs ont rapidement conclu à la nécessité d'accueillir de nouvelles études, mais il est alors devenu évident que les ajouts allaient entraîner la redistribution des textes anciens et nouveaux sur deux volumes : le premier consacré aux textes de théâtre et le second aux œuvres narratives ainsi qu'aux études qui embrassent l'œuvre de Tremblay dans son ensemble. Toutefois, l'objectif principal qui, au départ, avait guidé les responsables dans la composition de l'ouvrage est demeuré le même : privilégier le « noyau dur » de l'univers fictionnel de l'auteur, constitué par les personnages des trois familles qui ont partagé le logement de la rue Fabre, au cœur du Plateau Mont-Royal, dans les années quarante. Véritable « chronotope » (Mikhaïl Bakhtine), associant un lieu et un temps des origines, d'où a surgi l'univers dramaturgique et romanesque de l'auteur, le microcosme de l'appartement de la rue Fabre permet en effet d'isoler le fil conducteur d'un roman familial en expansion, auquel se rattachent aisément les recueils de récits autobiographiques de l'auteur et même une bonne partie de ses romans axés sur la condition homosexuelle, tant la figure de Nana en imprègne l'énonciation. Et c'est de nouveau cette Muse maternelle qui est l'interlocutrice du Narrateur dans *Encore une fois, si vous permettez*, l'une de ses plus récentes pièces.

Dans le prolongement de l'édition princeps, dans laquelle on trouvait un article pour chacune des pièces principales de l'auteur, les éditeurs ont invité deux nouveaux collaborateurs, Jacques Cardinal et Rachel Killick, à écrire respectivement sur *Messe solennelle pour une pleine lune d'été* (1996) et *Encore une fois, si vous permettez* (1998). En plus de l'«Introduction», d'un essai sur André Brassard, le metteur en scène attitré du théâtre de Tremblay, et de la mise à jour de la «Chronologie de la vie et de l'œuvre de Michel Tremblay» qui s'étend maintenant jusqu'en 2003, le Tome I propose ainsi dix-neuf articles – ce qui représente une véritable plongée dans la dramaturgie de l'auteur.

Le Tome II, pour sa part, rassemble des études sur le cycle des «Chroniques du Plateau Mont-Royal» et sur des problématiques transversales touchant aussi bien le théâtre que l'univers romanesque. Pour la présente réédition, Pierre Popovic a bien voulu revoir son essai, «La rue *fable*», afin de tenir compte de la parution tardive d'*Un objet de beauté* (1997), le sixième tome des *Chroniques*. De même, dans la section «Chemins d'une écriture» qui comprend quatre études, Dominique Lafon a revu de fond en comble son étude sur la «Généalogie des univers dramatique et romanesque» de manière à y intégrer les œuvres qui ont paru depuis 1993. Deux nouvelles études s'ajoutent à cet ensemble; la première, intitulée «Récits homophones en stéréo», de Gilles Dupuis, se penche sur les quatre romans centrés sur la condition homosexuelle: *le Cœur découvert* (1986), *le Cœur éclaté* (1993), *la Nuit des princes charmants* (1995) et *Quarante-Quatre Minutes, quarante-quatre secondes* (1997); la seconde, intitulée «Le petit garçon avec un livre sur le cœur» par Élisabeth Nardout-Lafarge, s'intéresse aux trois premiers recueils de récits autobiographiques: *les Vues animées* (1990), *Douze Coups de théâtre* (1992) et *Un ange cornu avec des ailes de tôle* (1994). À la fin du tome II, une autre nouvelle collaboratrice, Sylvie Beaupré, s'est chargée pour sa part de l'établissement d'une «Bibliographie» qui sera d'une grande utilité aux chercheurs, aux enseignants et aux étudiants.

Dans cette entreprise éditoriale, notre objectif a toujours été de présenter au lecteur des interprétations originales de la plupart des textes de Michel Tremblay, à travers une approche résolument critique, c'est-à-dire suivant des orientations qui cherchent à cerner les effets et les enjeux d'une écriture singulière, en évitant ainsi de céder à la tentation de «monumentaliser» un auteur pour lequel nous éprouvons par ailleurs, il va sans dire, la plus grande estime. Michel Tremblay, qui vient de franchir le seuil de la soixantaine, a derrière lui une trajectoire à nulle autre pareille au Québec. Son théâtre n'a de cesse d'être joué un peu partout dans le monde et son œuvre romanesque – dont la valeur est jugée moins éclatante par certains – grouille de personnages attachants et, par-dessus tout, elle fait remonter à la surface les figures discordantes d'une humanité très démunie et, pour évoquer un titre de Tremblay lui-même, poursuivie plus souvent qu'autrement par des chiens.

Gilbert DAVID
Pierre LAVOIE
Février 2003

INTRODUCTION

GILBERT DAVID
PIERRE LAVOIE

UNE ÉCRITURE QUÉBÉCOISE INATTENDUE

> Je décris le seul milieu que j'ai[e] jamais
> connu, le milieu que j'aime, le milieu d'où je
> viens. [...] On était trois familles dans la
> même maison : 13 dans sept pièces. Je
> veux me rendre le plus loin possible et
> continuer à décrire les gens tels qu'ils sont,
> qu'on aime ça ou qu'on n'aime pas ça.
> Michel Tremblay[1]

> L'œuvre de Tremblay n'est pas une œuvre
> marginale, dont on peut disposer en l'asso-
> ciant à quelque courant minoritaire ; elle est
> au contraire centrale, à la fois dans notre
> théâtre et dans notre société. C'est une
> œuvre « miroir », dans laquelle se reconnaît
> un peuple, en même temps qu'une œuvre
> « modèle », qui a entraîné derrière elle des
> dizaines d'auteurs, s'imposant comme une
> façon très particulière de concevoir le théâ-
> tre. Si d'autres styles se sont développés au
> Québec depuis vingt ans, aucun n'a encore
> eu un impact aussi grand sur le public et sur
> la dramaturgie.
> Carole Fréchette[2]

Né le 25 juin 1942 à Montréal, rue Fabre, dans un quartier ouvrier, le Plateau Mont-Royal, Michel Tremblay a, selon
ses dires, eu une enfance heureuse, entourée de nombreuses femmes. Le destin de l'auteur, dont l'œuvre a nourri la
réflexion des signataires du présent ouvrage, apparaît d'emblée comme indissociable de son ancrage géographique,
familial et culturel singulier. Il faut notamment tenir compte
des origines modestes et de l'identité homosexuelle de
Tremblay. Il n'est que de penser, par ailleurs, à la rue Fabre

et à la fameuse *Main* montréalaise qui allaient ainsi devenir un espace de référence privilégié de l'écriture dramatique et romanesque de Tremblay, et offrir une ample métaphore de la réalité socioculturelle du Québec, aux résonances universelles.

Ce fils cadet d'un simple ouvrier et d'une femme du peuple, au verbe coloré, a déjà donné – et sans préjuger de la suite d'une œuvre qui se déploie à un rythme soutenu – un corpus substantiel qu'il était temps, croyons-nous, de relire dans sa globalité, pour tenter d'en dégager les lignes de force. Premier ouvrage du genre à voir le jour, *le Monde de Michel Tremblay* se propose donc de faire le point sur la trajectoire exceptionnelle de l'un des écrivains majeurs du Québec contemporain, et de contribuer à en reconnaître la profondeur de vue, l'originalité et la vigueur stylistique et formelle.

L'œuvre de Tremblay occupe une place considérable dans le paysage culturel québécois, et bien au-delà de ses frontières, car il a ce don inimitable de faire entendre aussi bien les voix contradictoires et polyphoniques d'une multitude de personnages aux dimensions archétypales que la grandeur et les petitesses de toute une collectivité, longtemps marquée par ses atavismes de peuple défait et inférioriser... Peu d'écrivains ont, dans l'histoire de notre littérature, réussi en effet comme Tremblay une telle symbiose entre l'humus populaire, les interrogations les plus actuelles et les arcanes intérieurs de leur propre existence, en y consacrant toute leur énergie, en devenant – chose assez rare dans nos parages – écrivain à temps plein.

Les premiers pas dans la vie de cet auteur, que son milieu modeste ne conduit pas naturellement vers l'écriture, sont à ce titre significatifs d'une nature combative et d'un caractère d'exception, et ce dès la prime adolescence. Ainsi, en 1955, Michel Tremblay mérite une bourse d'études de la Province de Québec qui lui permet d'entreprendre un «cours classique», offert par la Commission des écoles catholiques de Montréal; mais, après seulement trois mois, rebelle à l'élitisme que lui semblent manifester ses professeurs, il se tourne vers l'école régulière et y obtient son diplôme de niveau secondaire. Fils d'un pressier, il choisit alors lui-même le métier de linotypiste, voué à disparaître... Il exerce ce travail durant trois ans, de 1963 à 1966, puis il est magasinier au département des costumes de la Société Radio-Canada, avant de se consacrer entièrement et une fois pour toutes à l'écriture.

À seize ans, il noircit ses premiers cahiers et il y va d'un premier «roman», intitulé *Les loups se mangent entre eux*. Sa première pièce, *le Train*, écrite dès 1959, lui vaut le premier prix du Concours des jeunes auteurs de Radio-Canada, auquel il ne participe qu'en 1964. Il commence la rédaction des *Belles-Sœurs* en 1965, frappé qu'il est par une affiche d'un concours publicitaire qui promettait mer et monde à qui découvrirait le nombre exact de vaches dans une photo d'un immense troupeau de bovins; l'année suivante, la pièce est refusée par le jury régional du Festival d'art dramatique. Toujours en 1966, Tremblay publie son premier livre, *Contes pour buveurs attardés,* et André Brassard, qu'il a rencontré en 1964 et qui sera le metteur en scène attitré de la quasi-totalité de ses pièces[3], monte sous le titre de *Cinq* une première version de ce qui deviendra *En pièces détachées* en 1969.

Le 4 mars 1968 a lieu une lecture publique des *Belles-Sœurs*, organisée par le Centre d'essai des auteurs dramatiques[4] et qui fait sensation auprès du milieu théâtral qui y assiste; après des tentatives infructueuses pour convaincre un producteur, la pièce est finalement créée le 28 août 1968 au Théâtre du Rideau Vert à Montréal, à la suite de l'infatigable travail de persuasion de la comédienne Denise Filiatrault; la création fait événement en soulevant la controverse sur la langue parlée, le joual, un idiome populaire typiquement montréalais qui fait s'entrechoquer sacres, jurons et expressions vulgaires, dans un français fortement anglicisé; en dépit, justement, de certaines accusations de vulgarité[5], cette pièce incantatoire qui, dans une veine tragicomique poussée jusqu'à l'absurde, lève le voile sur l'aliénation d'une quinzaine de femmes de la classe populaire, impose aussitôt Tremblay comme auteur dramatique important... et inattendu[6].

Depuis cette date, il y a maintenant trente-cinq ans, Michel Tremblay n'a fait que confirmer son statut d'écrivain majeur : d'une part, par l'abondance et la qualité de sa production de dramaturge (plus de trente pièces) et de traducteur-adaptateur (Aristophane, Paul Zindel, Dario Fo, Tennessee Williams, Nicolas Gogol, Anton Tchekhov…), de conteur et de romancier (dont les six volets de ses «Chroniques du Plateau Mont-Royal»), de scénariste, de parolier et de librettiste ; d'autre part, par le rayonnement national et international de son œuvre : à partir de leur création, la grande majorité de ses pièces sont jouées régulièrement au Québec, et on ne compte plus aujourd'hui les traductions et les productions de celles-ci au Canada anglais et à l'étranger[7].

Imposante par sa richesse thématique et formelle, l'œuvre de Tremblay n'avait curieusement pas encore été l'objet, au Québec, d'un ouvrage qui tenterait d'en cerner les grands axes et les problématiques essentielles. Non pas qu'il y ait eu une carence d'écrits sur l'auteur de *la Maison suspendue*. Nous sommes en présence de l'un de ces paradoxes où une œuvre d'envergure s'accompagne forcément d'une abondance de commentaires, de toute provenance et de toute teneur, notamment d'origine journalistique, sans que, pour autant, on puisse vraiment y déceler une vision d'ensemble et un fil conducteur… Un tel émiettement du discours critique et analytique s'explique en partie par la proximité et l'ampleur du corpus en cause, et du fait même que cette œuvre n'est pas close. Il n'empêche qu'on peut s'étonner à bon droit qu'il ait fallu attendre si longtemps pour voir se mettre en branle un projet comme le nôtre[8]. Quelques exceptions[9] montrent bien, s'il en était besoin, que notre projet n'a rien de prématuré.

Par ailleurs, Michel Tremblay lui-même n'a pas été avare de réflexions sur sa vie et son œuvre. Les entrevues et entretiens qu'il a accordés depuis la création des *Belles-Sœurs*, dont la liste couvrirait facilement une bonne dizaine de pages, le montrent toujours soucieux d'orienter fermement la réception de ses œuvres[10], sans parler de sa présence régulière au petit écran et à la radio. Au Québec, la figure de l'auteur et homosexuel déclaré qu'est Michel Tremblay est hypermédiatisée. Ce n'est pas le lieu ici d'examiner d'un peu plus près la stratégie d'un «écrivain par lui-même» au sein de l'institution littéraire (et théâtrale) québécoise. Il s'agit là d'un chantier qui ne demande qu'à être investi, et qui permettrait d'éclairer, par exemple, les rapports qu'entretient Tremblay à l'égard de la culture française, et de l'élite québécoise dite cultivée (non sans qu'il ait, parfois, versé dans un certain populisme…[11]).

Aussi, y a-t-il en permanence, chez Tremblay, l'expression du désir d'un rapport sans médiation avec «son» public. Il revendique avec fierté – et non sans raisons – son statut d'auteur populaire – gagné, il est vrai, de haute lutte – et il veille avec un soin jaloux à départager auprès du large public qui est le sien ce qu'il estime recommandable ou non dans les nombreuses évaluations de son œuvre, qui n'ont pas manqué de se manifester au fil des années, compte tenu également de son talent, qui en fait l'un des écrivains les plus prolifiques du Québec, que ce soit avant ou après la Révolution tranquille. Pour certains puristes de la Grande Littérature, la faconde de l'auteur de *La grosse femme d'à côté est enceinte,* jumelée à son aura d'écrivain régulièrement célébré par les médias, est en soi un signe suspect. Ce n'est pas, on s'en doute, notre opinion.

En revanche, notre démarche n'a surtout pas visé à répéter ce que Tremblay lui-même, malgré toute la persuasion dont il est capable, avance volontiers comme éléments interprétatifs de son œuvre. Là n'était pas notre but – accréditer les explications fournies par l'auteur –, sans non plus, bien entendu, les exclure *a priori.* Une œuvre, croyons-nous, une fois en circulation dans le circuit des biens culturels, appartient au patrimoine commun, dans sa symbolique et son articulation propres. Le destin de cette œuvre, pour le meilleur et, parfois il est vrai, pour le pire[12] – mais qu'y faire? –, est collectif. Nul ne saurait se soustraire à cette dynamique de l'appropriation. De sorte que la vie même des œuvres littéraires se nourrit de couches sédimentaires successives, faites de cet ensemble disparate de discours dits secondaires, qui ont fonction d'en examiner, sans complaisance et avec la plus grande compétence possible, les différents réseaux expressifs qui les constituent.

Tout cela pour dire que notre projet a eu pour moteur la volonté de traverser une œuvre d'envergure en cherchant à lui rendre justice et à lui donner sens, à même un outillage analytique qui emprunte à divers savoirs (esthétique, histoire du théâtre, sémiologie, sociocritique, anthropologie, rhétorique, psychanalyse, histoire des mentalités, narratologie, etc.). Certes, il n'a jamais été dans notre intention, dans un ouvrage (maintenant en deux tomes) qui est le résultat de choix éditoriaux difficiles face à l'abondante matière à notre disposition, de produire une Somme, et pas davantage un florilège ou un livre d'hommages. Préparés de longue date – depuis 1989, ce qui a permis, les délais d'une telle entreprise collective aidant, d'intégrer des œuvres plus récentes qui éclairent sous un jour nouveau le monde de l'auteur –, les recueils d'essais que nous présentons se veulent une première exploration de l'écriture de Michel Tremblay, centrée sur la «cosmogonie» originale qui s'est peu à peu mise en place et structurée à travers, d'une part, le Cycle des *Belles-Sœurs* et, d'autre part, les «Chroniques du Plateau Mont-Royal».

À ce corpus central s'est greffée une analyse des pièces qui ne pouvaient, selon nous, figurer au sens strict dans le Cycle en tant que tel, mais que le souci de présenter la quasi-totalité de la dramaturgie de l'auteur justifiait amplement. Même si l'œuvre dramatique a été ici privilégiée au départ, nous n'avons pas négligé pour autant la part la plus importante de l'œuvre romanesque, en fonction des échanges intertextuels que l'auteur n'a eu de cesse d'effectuer entre son théâtre et sa prose narrative. Cela a eu, par ailleurs, quelques conséquences en forme d'exclusions. Ont été ainsi écartées les possibilités d'étudier les courtes proses de *Contes pour buveurs attardés*, le roman fantastique *la Cité dans l'œuf*, les textes de chansons, les scénarios de films, ainsi que les textes (dramatiques ou narratifs), parus après 1998. De même, il a fallu renoncer à étudier le travail significatif de Tremblay dans le champ de la traduction et de l'adaptation de textes dramatiques étrangers.

Même s'il nous a fallu ainsi renoncer à prendre en compte une part non négligeable de la production de l'auteur, pour des raisons d'orientation éditoriale tout autant que pour satisfaire à des contraintes matérielles, il nous semble néanmoins que *le Monde de Michel Tremblay* propose une lecture pertinente de ce qui constitue le noyau dur de l'œuvre, au moment où, d'une part, l'auteur vient de franchir le cap de la soixantaine et que, d'autre part, sa pièce-bombe, *les Belles-Sœurs,* créée voilà trente-cinq ans, invite à prendre la mesure du chemin parcouru.

Notre souci constant, en tant que maîtres d'œuvre de la structuration de l'ouvrage, a été d'offrir au lectorat le plus large possible l'occasion d'une reconnaissance de la trajectoire d'une écriture qui, pour paraître familière à force d'occuper à demeure le paysage culturel du Québec, n'en recèle pas moins des dimensions méconnues, des points aveugles et des ambiguïtés génératives, comme autant d'invitations à y aller voir de plus près. Nous avons ainsi voulu rassembler des contributions qui se risquent à des interprétations nouvelles, qui soumettent à la réflexion des interrogations originales, et qui ouvrent sur une meilleure connaissance de l'univers complexe et vibrant de Michel Tremblay.

Entre la rue Fabre et la *Main*: une écriture autre (*postmoderne?*)

Bien que tous les collaborateurs et collaboratrices du *Monde de Michel Tremblay* aient été laissés tout à fait libres dans leur manière d'aborder, chacun, leur objet, il nous revient d'esquisser ce qui nous semble traverser, tel un fil invisible, l'ensemble des textes qui en forment la matière. Il ne s'agit pas, bien entendu, de chercher à imposer dans l'après-coup une interprétation surplombante, encore moins de laisser entendre que nous avions, au départ, un programme heuristique dont il revenait à chaque contribution de remplir l'un des «trous».

Forte de la diversité des points de vue de trente collaborateurs – où se retrouvent les noms d'universitaires et d'essayistes reconnus, de même que ceux de quelques recrues de la génération montante –, les deux tomes portent, d'une part, sur le théâtre (tome I) et, d'autre part, sur les œuvres narratives, en plus de proposer des études générales (tome II). L'ensemble de ces essais[13] ainsi que leurs sources documentaires permettront, selon nous, de saisir l'arrière-plan socioculturel et de décrire, de manière toujours analytique, les tenants et aboutissants d'une œuvre sans pareille, étonnante par son registre et l'ampleur de ses préoccupations, et ce en dépit des coupes auxquelles il a fallu se résoudre au départ.

Tentons maintenant de tirer de l'exercice forcément composite d'un tel ouvrage collectif quelques indications sur ce qui en constitue la portée et les implications herméneutiques. Notre intention est ici de faire valoir que l'œuvre de Michel Tremblay est exemplaire du passage de la culture québécoise traditionnelle à une socialité postmoderne, avec ce que cela a pu engendrer de crises, de conflits et de remises en question des valeurs collectives et individuelles. Et pour tout dire, l'écriture elle-même de l'auteur montréalais contribue selon nous, de manière souvent éblouissante, à exacerber les tensions engendrées par une telle mutation, décriée par les uns, célébrée par les autres. En ce sens, Michel Tremblay ne serait ni un auteur « réaliste » ni un écrivain « moderne », il serait un polygraphe postmoderne – et, à ce titre, un phénomène sans équivalent dans la culture québécoise contemporaine.

Il y a un avant et un après *les Belles-Sœurs,* on ne le répétera jamais assez. L'année 1968 est également importante, sur le plan politique et social, qui, au Québec mais aussi en France et aux États-Unis, annonce un point de non-retour. Le vent nouveau qui soufflait sur le Québec depuis 1960 avait entraîné dans son sillage des changements profonds tant dans les structures économiques et étatiques que dans les mentalités. La modernisation de l'État québécois, affirmée par une série d'actions majeures (loi sur l'assurance-hospitalisation, création des ministères de la Famille et du Bien-être social, des Richesses naturelles, des Affaires culturelles, nationalisation de l'électricité, création du ministère de l'Éducation, etc.), n'allait pas sans créer de vives tensions, aussi bien à l'intérieur de la société québécoise que dans les rapports entre la province de Québec et le gouvernement canadien, rapports envenimés par les manifestations indépendantistes qui ne cessaient de prendre de l'ampleur.

Ces changements, associés à un climat permanent d'incertitude politique (crise d'Octobre 1970, élection du Parti québécois, d'obédience souverainiste, en 1976, victoire du Non au référendum de 1980 sur la souveraineté, etc.), allaient servir de toile de fond à une œuvre qui s'édifiait, d'une certaine manière, en réaction à une double perte : celle de la sécurisante Famille traditionnelle, enveloppante, aimante quoique étouffante, et celle d'un Idéal collectif, homogène et porteur d'espoir. Parallèlement à la modernisation de l'appareil étatique, et à une vitesse foudroyante, la société québécoise s'atomise et elle vit intensément des expériences diversement heureuses, associées à la prétendue libération sexuelle et au consumérisme effréné qui accompagne la société occidentale dite d'abondance. Voilà, on peut le croire, un terreau propice à l'expérimentation de nouvelles tensions entre l'individu et la collectivité, l'être, le paraître et l'avoir, la liberté et la nécessité.

Ce terreau rencontre en la personne de Michel Tremblay, et compte tenu du prisme de son histoire personnelle, un auteur qui se saisit de ces données culturelles en mouvance en même temps qu'il est traversé par des questions proprement existentielles. Il en résulte une écriture significativement *autre* qui puise à toutes les ressources conscientes/inconscientes de l'hétérogène, que ce soit à travers les matériaux langagiers ou dans les formes et dans les différentes structures topiques du monde de Tremblay. Aussi, verrons-nous peu à peu s'élaborer une œuvre où va se déployer un imaginaire littéralement aimanté par l'expression des *différences,* aussi bien intimes que collectives.

Ainsi, pour s'en tenir ici au seul aspect topographique, repérable dans le « Cycle » dramatique comme dans les « Chroniques », Tremblay départage géographiquement et symboliquement son univers entre la rue Fabre et la *Main.* Cette dernière, le boulevard central de Montréal, constitue la frontière entre l'Est (francophone) et l'Ouest (anglophone), et elle est un véritable lieu-limite, infernal et destructeur mais rempli d'êtres de séduction (prostituées, travestis, chanteuses et danseuses, etc.) et de plaisirs interdits par la bonne société. À l'autre extrême, en plein cœur du Plateau Mont-Royal, la rue Fabre représente le haut-lieu de la Sainte Famille, sous la surveillance des divinités maternantes que sont Florence et ses filles, Rose, Mauve et Violette.

Ces deux blocs, monolithiques en apparence, forment plutôt l'envers et l'endroit d'une même réalité: celle d'une société divisée entre sa nostalgie des valeurs tutélaires et la fascination pour la délinquance, la rébellion contre l'autorité, la transgression des tabous sociaux. Mais, en même temps, la rue Fabre se décompose en «cellules de tu-seul» et la *Main* n'en finit plus d'assassiner ses rêveuses et ses duchesses. Ce monde n'est jamais, il faut le remarquer, banalement manichéen, comme chez tant d'autres auteurs, moins préoccupés de la complexité du réel et des exigences de l'écriture... Toujours, chez Tremblay, attraction et répulsion, le «Haut» et le «Bas», la culture du pauvre et les citations «savantes» se font face et s'entremêlent. Si bien que son œuvre reste éminemment accessible, tout en convoquant, l'air de rien, un vaste ensemble de référents qui, en creux, construisent un discours inhabituel, très révélateur d'une société en crise.

Ne faut-il pas, dans les circonstances, appeler un chat un chat – pour ne pas dire un Duplessis, Duplessis – et parler carrément d'un discours postmoderne? Le terme agace. Il fait «à la mode», alors qu'il pointe, en fait et malgré qu'on en ait, quelque chose d'inéluctable. Car c'est notre perception que le Projet moderne s'est déglingué, celui des Lendemains qui chanteront comme celui du Progrès continu et sans fin. Mais ce n'est ni le lieu ni la place pour discuter en profondeur de la légitimité d'une appellation qui, malgré notre profonde conviction quant à sa pertinence ici, n'est pas, sinon en sous-main, le propos principal des textes de cet ouvrage. Il importe davantage ici de dire ce qui fait l'originalité d'une écriture, et en quoi elle participe de ce que nous désignons comme postmoderne, sinon comme lieu manifeste de différences.

Sanctificateur et trivial, grotesque et sublime, tragique et farcesque, sordide et onirique, réaliste et surnaturel, instinctif et pragmatique, le monde de Michel Tremblay affectionne l'impur, les mélanges et les hybridations. Si l'impact de sa dramaturgie et de sa prose narrative tient en partie à une forte identification des spectateurs et des lecteurs aux personnages que Tremblay a su non seulement créer mais également faire vivre pendant trente-cinq ans, il tient encore plus à la maîtrise de son écriture consciente d'elle-même et distanciée par un constant regard critique, à l'habileté avec laquelle l'auteur a su adapter les structures et les schémas classiques du théâtre de l'Antiquité grecque, à cette musicalité qu'il a su tirer du joual, au rythme intense qu'il a su donner à chacune de ses pièces et de ses romans, à son talent pour les monologueries, à la vivacité et au caractère percutant de ses dialogues, finalement à un humour ravageur, cynique, lucide, qui transfigure les moments les plus noirs, les plus désâmants de l'existence de ses créatures.

Souvent qualifiée de misérabiliste, de noire, de naturaliste, son œuvre, au contraire, *se joue* toujours du réalisme, le travestit, le désamorce en faisant éclater toute tentation de psychologisme et en utilisant constamment des procédés anti-réalistes : chœurs, monologues, retours en arrière, démultiplication des personnages et des situations, mise en abyme, transposition de structures musicales, etc. Michel Tremblay possède au premier chef l'art du réalisme hyperbolique, décomposé, *déréalisé*, hypertrophié. C'est en quoi son œuvre est unique.

Mais il y a plus encore. Dans cette œuvre dédiée à l'homme-sans-qualités québécois, l'existence des personnages est sous-tendue par la décomposition des valeurs communautaires qu'une collectivité étroite et «fatiquée», comme intoxiquée par ses idées reçues et ses propres mythes, ne réussit plus à régénérer. «Pour le bonheur, contre la société», c'est ainsi que le dramaturge aime à résumer sa position critique globale, en dévoilant implicitement son orientation tragique : le bonheur de l'individu, sa liberté même, n'est jamais qu'un moment vite menacé par les forces aveugles du conditionnement social et, au-delà, par la force nivelante d'une causalité mystérieuse qui asservit le passionné à sa passion jusqu'à l'annihiler, comme c'est le cas pour Manon et Sandra, cette figure de Janus qui est au cœur du Cycle.

L'auteur cherche ainsi, pensons-nous, à faire éclore un questionnement qui ait prise sur notre temps, plutôt que d'asséner un message univoque. Par exemple, le joual, dans sa vulgarité même, est une mutilation que l'auteur parvient parfaitement à transcender en en secouant rageusement la vacuité, tout en en assumant l'origine jubilatoire et venge-resse, ce qui déclenche un rire libérateur. Partant d'un constat impitoyable et d'une langue «diminuée», Tremblay a pu aller très loin sur le thème de la méconnaissance de soi, de l'alié-nation collective et de l'incommunicabilité accablante, jusqu'à morceler, par exemple, son matériau dramatique en fragments épars, incisifs, qu'il monte ensuite en microséquences sacca-dées.

C'est pourtant le monologisme qui structure fondamen-talement cette écriture (y compris dans le roman): narrateur ou personnage soliloquant, chacun est investi de son idée fixe; le dynamisme émotif de la situation se développe par coulées monologiques successives, qui s'interpénètrent et engendrent un dialogue de sourds, essentiellement polé-mique en assurant le locuteur d'une position défensive à l'égard des autres. Au théâtre, notamment, la lutte est à qui fera taire l'autre, ou à qui réussira à annuler cette parole «étrangère»; cependant, le personnage n'est jamais aussi lucide et aussi franc que lorsqu'il est le seul à parler: sa rumination, souvent hargneuse, le *constitue* en sujet, en même temps qu'elle le vide, l'exténue. Le seul espace libre est fait de cette intériorité blessée qui agit comme un rempart et sert d'ultime refuge contre la platitude et la méchanceté du monde. Le monde de Michel Tremblay est ainsi celui d'une blessure irréparable, d'un vide immense que rien, sinon le plaisir de continuer de parler, ne saurait combler.

Parler/ne pas parler, ce dilemme du théâtre racinien, selon Barthes, trouve un écho imprévisible dans la drama-turgie violemment implosive et provocante de Michel Tremblay: ses personnages multiplient les stratégies de diversion, fuient longtemps leur vérité, se débattent avec leurs aliénations. C'est leur combat avec la destinée, avec l'opacité de leur être propre, qui nous émeut et nous renvoie à notre condition humaine, faillible et dévastée. Dans le théâtre et le roman dramatisé de l'impureté et de la souillure (par la langue estropiée, par la fausseté sociale et fami-liale), émerge le scandale de la perte irrémédiable de l'uni-cité de l'être, irréconciliable avec le monde figé des conventions et des apparences. C'est finalement à cette tragédie universelle de l'être-au-monde que l'écriture de Michel Tremblay, par ailleurs si indissociable de la contemporanéité québécoise, nous convie.

* * *

Nos remerciements les plus vifs vont à l'auteur, Michel Tremblay, qui a accueilli avec sympathie notre démarche éditoriale et a bien voulu répondre à nos demandes de renseignements. Nous tenons aussi à marquer toute notre reconnaissance à Mesdames Camille et Nathalie Goodwin, agentes de l'auteur, qui nous ont donné accès à une documentation factuelle qui a contribué à clarifier de nombreux points de détail sur la carrière de l'auteur. Nous remercions également Monsieur Pierre Filion, codirecteur de Leméac Éditeur où la totalité de l'œuvre de l'auteur est publiée, qui nous a accordé sa confiance en nous permettant de puiser au corpus de l'auteur, selon l'usage, toutes les citations nécessaires à une analyse rigoureuse. Par ailleurs, nous voulons remercier tous et chacun des signataires du présent ouvrage, qui ont vu s'étirer les délais de publication, en nous manifestant leur appui d'une manière constante. Que ceux et celles, enfin, qui ont à un moment ou à un autre de notre travail répondu à nos questions ou apporté un soutien concret à notre entreprise de longue haleine, se sentent ici l'objet de toute notre gratitude.

1993 et 2003[14]

NOTES

1. «Mon Dieu que je les aime, ces gens-là», entrevue par Claude Gingras, *La Presse*, 16 août 1969, p. 26.

2. «Les femmes de Tremblay et l'amour des hommes», *Cahiers de théâtre Jeu*, nᵒ 47, Montréal, 1988.2, p. 93.

3. Dès 1965, André Brassard avait utilisé quelques-uns des récits fantastiques de Tremblay, pour un spectacle intitulé *Messe noire*, dans une production du Mouvement Contemporain, sa compagnie de l'époque.

4. Cet important organisme de soutien à la dramaturgie de création a été fondé en 1965. À partir de 1991, il s'est amputé du

terme «essai» et est dorénavant appelé le Centre des auteurs dramatiques (CEAD).

5. Le critique Martial Dassylva, dans *La Presse*, émet de sérieuses réserves à cet effet, alors que son confrère du *Devoir*, Jean Basile, n'a que des éloges pour le fond et la forme des *Belles-Sœurs*.

6. La tradition théâtrale et la dramaturgie de création sont, en 1968, encore fort jeunes. La pratique professionnelle franco-phone au Québec ne remonte en fait qu'à la toute fin du XIXᵉ siècle. Du côté de la création dramatique, il faut attendre les années quarante, avec *les Fridolinades* puis *Tit-Coq* (1948) de Gratien Gélinas, pour que s'impose le premier dramaturge doté d'un style propre, annonçant une veine populaire qui n'allait pas se démentir jusqu'à nos jours et qui n'est pas entièrement absente de l'écriture, par ailleurs nettement plus moderniste, de Tremblay. À la suite de Gélinas, il faudrait mentionner les noms des deux principaux dramaturges à avoir précédé l'auteur des *Belles-Sœurs*, soit Claude Gauvreau (1925-1971), très lié au mouvement automatiste et auteur de plusieurs pièces poétiques d'une grande puissance libertaire mais dont l'œuvre ne commencera à être mieux connue que tardivement dans les années soixante-dix, et Marcel Dubé (né en 1930) dont l'œuvre, d'inspiration réaliste, marque particulièrement les années soixante. Tout cela pour suggérer que l'apparition de Tremblay est l'équivalent d'un coup de tonnerre dans un ciel dramatur-gique plutôt tranquille... comme la Révolution du même nom qui le précède.

7. Les différentes pièces de l'auteur ont en effet été traduites en plus de vingt langues (dont l'allemand, le finlandais, le turc, le japonais, le «scots», le yiddish...) et jouées un peu partout à travers le monde, y compris en Europe francophone, dans leur version originale ou dans une légère adaptation.

8. Pour ne pas alourdir indûment un ouvrage qui fait déjà son poids de données et d'analyses, nous avons dû renoncer à produire un Index qui aurait probablement ravi les chercheurs, mais qui aurait accentué l'impression d'avoir affaire à un ouvrage destiné aux seuls spécialistes, ce qui n'était pas notre priorité. Plus urgemment et modestement, nous avons souhaité faire œuvre utile, en réunissant un ensemble d'études qui inci-teraient à aller au-delà d'une appréciation de surface et de la simple synthèse des analyses passées, sans croire avoir ainsi «épuisé» le sujet et en espérant ouvrir de nouvelles pistes de réflexion, dans un domaine qui, s'il n'est pas vierge, est resté peu fréquenté.

9. Rappelons parmi les premières études significatives de l'œuvre de notre auteur, celles de Michel Bélair, dans son petit livre intitulé *Michel Tremblay* (Montréal, Presses de l'Université du Québec, coll. «Studio», 1972, 95 p.), et dans le chapitre 3 (p. 109-127) de son ouvrage consacré au *Nouveau Théâtre québécois* (Montréal, Leméac, coll. «Dossiers», 1973, 205 p.). Yolande Villemaire a signé une analyse éclairante du «premier» Cycle des *Belles-Sœurs*, sous le titre: «Il était une fois dans l'Est: l'empire des mots» (*Cahiers de théâtre Jeu,* n° 8, Montréal, Quinze, printemps 1978, p. 61-75). Signalons également l'étude consacrée au dramaturge par Jean Cléo Godin, «Tremblay: marginaux en chœur» (dans *Théâtre québécois II, Nouveaux auteurs, autres spectacles,* de Jean Cléo Godin et Laurent Mailhot, Montréal, Hurtubise HMH, 1980, p. 165-188). Enfin, un important dossier, «Michel Tremblay: Délégués du Panthéon au plateau Mont-Royal», a été publié par la revue *Voix & Images,* vol. VII, n° 2, Presses de l'Université du Québec, hiver 1982, p. 213-326 (on y trouvera une substantielle «Bibliographie commentée», par Pierre Lavoie et Lorraine Camerlain, p. 225-306). L'universitaire canadienne Renate Usmiani a, par ailleurs, fait paraître en anglais deux ouvrages: *Michel Tremblay* (Vancouver, Douglas & McIntyre, 1982, 177 p.) et *The Theatre of Frustration. Super Realism in the Dramatic Work of F.X. Kroetz and Michel Tremblay* (New York & Londres, Garland Publishing, coll. «Comparative Literature», 1990, 215 p.). Parmi les études et les ouvrages intéressants qui ont paru au Québec et à l'étranger au cours des dix dernières années (voir la «Bibliographie» substantielle préparée par Sylvie Beaupré, que le lecteur trouvera à la fin du Tome II de notre ouvrage), il faut souligner la parution de *l'Univers de Michel Tremblay. Dictionnaire des personnages* par Jean-Marc Barrette (Les Presses de l'Université de Montréal, 1996, 544 p.). Plus récemment, le critique André Brochu a publié un essai remarquable intitulé *Rêver la lune. L'imaginaire de Michel Tremblay dans les Chroniques du Plateau Mont-Royal* (Montréal, HMH, coll. «Cahiers du Québec/collection littérature», 2002, 239 p.).

10. Signalons l'entretien que Tremblay a accordé en 1988 à Pierre Lavoie, à l'occasion du vingtième anniversaire de la création des *Belles-Sœurs*: «Par la porte d'en avant...» (*Cahiers de théâtre Jeu,* n° 47, Montréal, 1988.2, p. 57-74). Au début du nouveau millénaire, le journaliste et critique de théâtre à l'hebdomadaire *Voir* (Montréal), Luc Boulanger, s'est longuement entretenu avec l'auteur des *Belles-Sœurs*, dans un ouvrage intitulé *Pièces à conviction. Entretiens avec Michel Tremblay* (Montréal, Leméac, coll. «Théâtre», 2001, 179 p.).

LISTE DES ABRÉVIATIONS DES TITRES DES ŒUVRES DE MICHEL TREMBLAY

AC	:	Un ange cornu avec des ailes de tôle		
ACT	:	Albertine, en cinq temps		
AN	:	Au tour de Nana		
AO	:	les Anciennes Odeurs		
AT	:	À toi, pour toujours, ta Marie-Lou		
AU	:	Au pays du dragon		
B	:	Berthe		
BA	:	Bonbons assortis		
BLB	:	Bonjour, là, bonjour		
BS	:	les Belles-Sœurs		
CD	:	le Cœur découvert		
CE	:	le Cœur éclaté		
CI	:	Cinq		
CO	:	la Cité dans l'œuf		
COB	:	Contes pour buveurs attardés		
CR	:	Camino Real		
DCT	:	Douze Coups de théâtre		
DL	:	la Duchesse de Langeais		
DM	:	Demain matin, Montréal m'attend		
DR	:	la Duchesse et le Roturier		
DS	:	Damnée Manon, Sacrée Sandra		
EC	:	En circuit fermé		
EF	:	l'Effet des rayons gamma sur les vieux-garçons		
EL	:	l'État des lieux		
EPD	:	En pièces détachées		
EUF	:	Encore une fois, si vous permettez		
EX	:	l'Ex-Femme de ma vie		
FD	:	Françoise Durocher, waitress		
GF	:	La grosse femme d'à côté est enceinte		
GG	:	Grace et Gloria		
GJ	:	le Grand Jour		
GQ	:	le Gars de Québec		
GS	:	Gloria Star		
GV	:	les Grandes Vacances		
HB	:	Hôtel Bristol New York, N.Y.		
HE	:	les Héros de mon enfance		
HO	:	Hosanna		
HQ	:	L'homme qui entendait siffler une bouilloire		
IL	:	Il était une fois dans l'Est		
IMP	:	Impératif présent		
IO	:	l'Impromptu d'Outremont		
IP	:	l'Impromptu des deux «Presse»		
JM	:	Johnny Mangano and His Astonishing Dogs		
JR	:	J'ramasse mes p'tits pis j'pars en tournée		
LC	:	C't'à ton tour, Laura Cadieux		
LL	:	Les loups se mangent entre eux		
LM	:	les Leçons de Maria Callas		
LY	:	Lysistrata		
MA	:	...Et Mademoiselle Roberge boit un peu...		
MB	:	Mistero Buffo		
MI	:	Mambo Italiano		
MM	:	Mademoiselle Marguerite		
MN	:	Messe noire		
MP	:	Marcel poursuivi par les chiens		
MS	:	la Maison suspendue		
MSP	:	Messe solennelle pour une pleine lune d'été		

I

LE CYCLE DES *BELLES-SŒURS*

PREMIER ET DEUXIÈME TEMPS,

ÉTUDES DE PIÈCES

LES BELLES-SŒURS

MADELEINE GREFFARD

LE TRIOMPHE DE LA TRIBU

On se souvient de l'émoi provoqué par les *Belles-Sœurs* à leur apparition sur la scène du Rideau Vert en août 1968. Des réticences, des protestations, des condamnations. De l'enthousiasme aussi. «*Les Belles-Sœurs*, c'était ça[1]!» Brandie comme un étendard par les uns, pour les autres, objet honteux qui souillait la scène et l'image publique de la société québécoise, la pièce du jeune Michel Tremblay agit comme un catalyseur pour la société montréalaise et québécoise des années soixante-dix[2]. Querelle du joual, refus de subventions à l'exportation : le milieu culturel se divisa. Pendant ce temps, l'auteur poursuivait son œuvre et réussissait ce tour de force d'imposer sa propre vision du monde comme une représentation authentifiée de la société québécoise.

Les Belles-Sœurs, faut-il le rappeler, sont avant tout une œuvre, c'est-à-dire une structure composée d'éléments qui ne trouvent justification et sens que par leur place et leurs relations dans ce système. En dehors de toutes interprétations ou considérations sociologiques (prolétariat urbain, joual) ou esthétiques (réalisme, naturalisme, théâtralité[3]), le texte qui suit cherchera à établir le système des valeurs qui sous-tend la pièce.

Univers polarisé

Fondamentalement, *les Belles-Sœurs* parlent de jouissance et de frustration[4] ; c'est par rapport à la vie pulsionnelle que le système qui constitue la pièce s'organise[5]. Par jouissance, il faut entendre ici le plaisir engendré par la conjonction du sujet avec l'objet de son désir, qu'il s'agisse de l'objet propre de la pulsion, d'un objet substitutif ou compensatoire, de pulsions libidinales ou de pulsions du moi. Par contraste, la frustration s'entend comme le sentiment de déplaisir consécutif à l'absence de l'objet, par perte, interdiction ou incapacité de l'atteindre. Tous les personnages se définissent par rapport à cet axe : les actions secondaires, comme l'action principale, ont pour but et souvent pour effet de déplacer les principaux personnages d'un côté à l'autre de cet axe. Germaine Lauzon passera de la jouissance que lui procure la possession anticipée de tous les objets du catalogue à la frustration consécutive à sa dépossession. Pierrette, qui vient chez sa sœur dans l'espoir d'être réintégrée dans la famille, verra son exclusion maintenue. Angéline Sauvé, découverte, devra renoncer à la satisfaction secrète de fréquenter le club une fois par semaine pour y trouver chaleur humaine et plaisir de rire. Lise Paquette, entravée dans son désir de «s'en sortir» par l'abandon de son chum au moment même où elle est enceinte, verra cet obstacle levé grâce à Pierrette. Quant aux voleuses de timbres, elles passent du déplaisir que leur cause le bonheur de Germaine à la satisfaction de l'en avoir privée.

Le sens de l'action principale

L'action qui structure la pièce est menée par un sujet collectif, les femmes : sœurs, belle-sœur, voisines de Germaine. Poussées par l'envie, elles détruisent son rêve : remplacer tout ce qu'elle possède par les objets du catalogue. Mais le million de timbres-primes volés, puis disputés entre elles, ne constitue plus le même objet ; partagé, il ne peut donner la même satisfaction ni singulariser un individu. Le but de l'action serait donc moins de s'approprier l'objet que possède Germaine que de le lui enlever. Sa satisfaction, ostentatoire il est vrai, leur est insupportable. Elles deviennent donc, instinctivement, des agents de frustration. Licite, le gain des timbres contrevient cependant aux règles tacites qui gèrent le groupe, soit, au niveau libidinal, l'état de frustration de ses membres et, au niveau individuel, l'absence de traits qui les singulariseraient.

Quinze femmes : deux acteurs

Un regroupement des personnages caractérisés par le même procès – voler des timbres – et les mêmes traits distinctifs – femmes mariées et intégrées au groupe – fait apparaître deux groupes d'acteurs[6]. Le premier comprend : Rose Ouimet, Gabrielle Jodoin, Marie-Ange Brouillette, Thérèse et Olivine Dubuc et, enfin, Yvette Longpré ; elles constituent, comme acteur collectif, ce qu'on peut appeler la tribu[7]. Le deuxième groupe comprend les femmes non mariées, non voleuses et non intégrées ; il réunit Pierrette Guérin, Lise Paquette et Angéline Sauvé. Ce sont les déviantes. Reste à classer Des-Neiges Verrette, Rhéauna Bibeau, Lisette de Courval et Germaine Lauzon, à qui manque un des traits de l'une ou l'autre catégorie[8]. Des-Neiges Verrette, non mariée et voleuse, est attirée par la déviance à travers sa relation avec Monsieur Simard. Elle n'a cependant pas encore cédé et affirme son appartenance à la tribu. On peut donc considérer qu'elle fait partie du premier groupe. De même pour Rhéauna Bibeau : voleuse et intégrée, elle n'est pas mariée au sens strict, mais forme avec Angéline un couple qui l'assimile aux femmes mariées. Le rôle d'agent de frustration qu'elle joue vis-à-vis d'Angéline au deuxième acte enlève tout doute quant à son appartenance au groupe tribal. Lisette de Courval, mariée et voleuse, ne reconnaît pas son appartenance au groupe, et celui-ci la rejette. Sa déviance est culturelle et non morale ; son statut, ambigu, sans doute parce que la déviance culturelle n'a pas vraiment de place dans le système de la pièce[9], construit suivant l'axe jouissance/frustration. Enfin, Germaine : mariée et intégrée, elle s'oppose au plan de l'action. Le million de timbres-primes qu'elle vient de gagner la singularise en lui donnant ce que les autres n'ont pas, des objets matériels, certes, mais surtout une satisfaction triomphale. Or tout fonctionne comme si le signe principal de l'appartenance au groupe était le pôle négatif de la vie pulsionnelle, c'est-à-dire la frustration ou la non-jouissance. Seules les déviantes se situent au pôle positif, et elles sont exclues. L'action de l'acteur collectif a donc pour but, au niveau tribal, de ramener Germaine dans le groupe, opération réussie, puisque, à la fin, la victime interrompt l'expression de son désespoir pour entonner, avec les autres, l'hymne national du Canada.

Les Belles-Sœurs, à travers quinze personnages, mettent donc en jeu deux classes opposées d'acteurs: l'acteur tribal, agent de frustration auprès de ses membres (le vol des timbres n'est qu'une des modalités de cette action), et l'acteur déviant, qui a recherché une satisfaction et est exclu, de fait ou potentiellement, du groupe[10]. Voyons maintenant comment s'articule et se manifeste, à travers la parole, cet univers polarisé par la jouissance et son contraire, la frustration, quand il est mis en jeu par l'acteur tribal et l'acteur déviant.

Le tissu textuel

Deux voix tissent la trame textuelle des *Belles-Sœurs*: celle de la tribu en tant qu'entité et celle de ses membres, pris isolément, déviants ou intégrés. Chacune prend une forme précise dans le texte. La tribu parle à travers la conversation et les chœurs; les individus par les monologues, singuliers ou pluriels (à plus d'une voix). L'affrontement de l'individu et de la tribu ou, plutôt, la pression du groupe sur ses membres s'inscrit dans le dialogue dramatique[11].

La voix de la tribu

L'action principale, définie comme le passage de l'état de satisfaction que connaît Germaine au début de la pièce à l'état de frustration qu'elle clame au dénouement, s'opère par le vol clandestin des timbres. Le performatif, ici, échappe à la parole. Il s'accomplit directement, sans la médiation du langage. La parole, libre de tout enjeu dramatique, se déploie en pure conversation, c'est-à-dire qu'elle se développe comme un échange spontané de propos qui n'ont pas pour but d'agir sur l'interlocuteur, et dont la structure ne relève d'aucune nécessité interne[12]. Elle s'enchaîne à partir d'éléments extérieurs (heure du chapelet, arrivée intempestive d'Olivine Dubuc[13], entrée successive des personnages, etc.), mais aussi de l'arbitraire des associations, ce qui donne une impression de coq-à-l'âne. Elle a pourtant un fil d'Ariane, souligné par Laurent Mailhot[14]: la parenté ou la référence parentale.

Une fonction phatique inversée

«Jasez [...], jasez», dit Germaine aux femmes venues l'aider à coller ses timbres. Les propos échangés accompagneront «un travail simplement manuel d'un bavardage sans rapport avec ce qu'[elles] font[15]».Leur fonction principale, selon la théorie de Malinovski, devrait être alors «d'instaurer une communion phatique, un type de discours dans lequel les liens de l'union sont créés par un simple échange de mots[16]». Or la conversation, dans *les Belles-Sœurs*, opère à l'inverse. À tout moment, le contact qu'elle a théoriquement pour but d'établir entre les membres du groupe, comme pure jouissance de la grégarité, menace d'être rompu: «Si vous continuez, moé, je r'travarse la ruelle, pis j'rentre chez nous!»(*BS*, 26) déclare Rose Ouimet dès le début. «D'abord que c'est comme ça, j'm'en vas!» (*BS*, 42) dit un peu plus loin Marie-Ange Brouillette. Les menaces de départ (jamais réalisées) ne sont pas les seuls indices de l'échec de la relation. On peut y inclure aussi les sentiments négatifs suscités par les locuteurs: «A commence à me tomber sur les nerfs avec ses timbres, elle!» (*BS*, 46) dit Des-Neiges Verrette de Germaine, qui énumère les objets qu'elle pourra se procurer. «Si a se farme pas tu-suite, j'la tue!» (*BS*, 100) s'exclame Lise Paquette en entendant Rose Ouimet dénigrer les filles-mères. «La v'là qui recommence avec son Europe, elle!» (*BS*, 24) gémit Rose devant un commentaire de Lisette de Courval. On veut faire taire l'interlocuteur: «mêlez-vous de ce qui vous regarde!» (*BS*, 31), «farmez-là ben juste, parce que sans ça, m'en va vous la fermer ben juste, moé!» (*BS*, 57), «taisez-vous donc!» (*BS*, 56)... La liste serait longue des interventions de ce type.

L'éclatement du groupe, à la fin, dans la bataille pour ramasser le plus de timbres possible, est déjà inscrit dans l'inversion de la fonction phatique. La tribu qui s'impose comme le seul lieu où vivre exclut pourtant la convivialité, le plaisir de ses membres dans leur relation avec le groupe.

Un discours de dénigrement

Même si la conversation, détachée de l'action principale, n'a pas pour but premier d'informer ou d'exprimer une pensée, une foule de gens et beaucoup de choses y sont évoqués. André Brassard a relevé «environ cent vingt-deux personnages, en majorité des hommes [...] dont on parle[17]». Signe d'ouverture, d'élargissement, de pénétration du monde dans la cuisine exiguë de Germaine Lauzon? Pas du tout. Sauf de rares exceptions, toute personne nommée l'est pour être dénigrée, rejetée, condamnée. Pour Germaine, le chum de Linda est «un bon-rien», ses propres enfants sont «bouchés», le mari de Rose est un «cochon», sa belle-fille est «une vraie folle», le beau-père est synonyme de «farces plates», l'Italienne d'à côté «pue». Le procédé ne vaut pas seulement pour les absents. Il commande aussi ce que les personnages en scène disent les uns des autres: Germaine est «grosse comme une cochonne» selon Marie-Ange Brouillette; Rose n'est «rien que ma tante Rose» pour Linda; les amies de Linda sont, pour sa mère, des «coureuses de restaurants»; Lisette de Courval est une «maudite pincée»; Rose, une «commère»; Pierrette, une «démonne»...

S'il arrive qu'un personnage soit présenté de façon positive, un autre se charge de le démolir: alors que Rose vient de vanter la conduite de sa fille Carmen, Lise Paquette déclare qu'elle «vaut pas cher la varge!» (*BS*, 101); le petit Raymond, qui chante si bien, d'après Lisette de Courval, «a un peu trop l'air d'une fille avec sa p'tite bouche en trou de cul de poule...» (*BS*, 85); l'abbé Gagné, présenté comme un saint, est «un peu trop à'mode» (*BS*, 84). L'admiration que le groupe manifeste au début envers Thérèse Dubuc qui prend soin (!) de sa belle-mère, se transforme en irritation et en insultes. La dépréciation d'un personnage, au lieu de se faire par un interlocuteur scénique, se fait parfois directement du scripteur au destinataire-public: les mauvaises liaisons de Lisette de Courval, qui se vante de bien parler, passent inaperçues de ses interlocutrices, mais la ridiculisent auprès de la salle; Yvette Longpré, qui se réjouit de pouvoir conserver un morceau du gâteau de noces de sa fille puisqu'elle a percé un trou dans la cloche qui l'abrite, fait rire le public par son ignorance. (Le plaisir du public pour qui on démolit le personnage s'apparente-t-il à celui qu'éprouve la tribu dans le dénigrement ou joue-t-il pour lui un rôle cathartique?) La volonté de discrédit qui commande le regard et la parole des personnages exprime le mépris, le manque d'estime de soi et des autres qui prévaut chez les membres de la tribu.

La dénonciation

Le dénigrement va parfois jusqu'à la dénonciation. Lisette de Courval, par ses insinuations, amènera Marie-Ange Brouillette à répéter devant Germaine ses propos malveillants sur les concours (sans doute signe-t-elle ainsi son appartenance à la tribu plus profondément que par ses mauvaises liaisons). Germaine, par dépit contre sa fille, la discrédite aux yeux de Rose, sa marraine; Pierrette, sans le vouloir, en saluant Angéline Sauvé, dévoile au groupe sa fréquentation secrète du club. La tribu a la puissance et l'omniprésence de l'œil de Dieu qui «était dans la tombe et regardait Caïn[18]». L'individu ne peut soustraire ni à ces regards ni à ces oreilles multiples la moindre parcelle de lui-même. Même ses prières tombent sous son emprise: «Que c'est qu'a peut ben vouloir à sainte Thérèse, donc elle?» (*BS*, 30) se demande Rose Ouimet quand Germaine fait allusion à la neuvaine qu'elle a commencée. Aucune intimité ne peut être ménagée au sein du groupe.

Le rejet

Les membres de la tribu manifestent donc le plus profond mépris d'eux-mêmes et des autres, mais il n'est cependant pas question que quelqu'un soit différent ni que l'on puisse vivre autrement. «Ça doit être plat vrai, en Europe!» (*BS*, 25) conclut Des-Neiges Verrette, apprenant qu'on n'y trouve pas de timbres-primes. La fille de l'Italienne: «C't'effrayant c'qu'elle fait, cette fille-là!» (*BS*, 28) La musique classique à laquelle le fils de Gabrielle Jodoin essaie d'initier sa famille «est pas écoutable» (*BS*, 36). Tout ce qui est différent est rejeté sans appel.

La parole comme moyen d'action sur l'autre

Même délestée d'enjeu dramatique, la conversation n'est pas dépourvue de la fonction conative, ce par quoi le langage devient un moyen d'agir sur l'interlocuteur. Elle se caractérise par l'abondance d'ordres ponctuels: «Jasez» (*BS*, 26), «raidissez-vous» (*BS*, 58), «Farme donc le radio»

(*BS*, 32), «Reste donc tranquille», (*BS*, 31), «Toé, mêle-toé pas encore des affaires des autres!» (*BS*, 54), etc. Ces ordres, quand ils ne sont pas immédiatement exécutés, donnent naissance à des «chicanes» qui actualisent la dysphorie latente au sein de la tribu. Chacun tend à régir le comportement d'autrui au gré de ses humeurs.

La dépréciation, la dénonciation, le rejet, l'ingérence révèlent le système de valeurs paradoxal de la tribu: le mépris de soi en même temps que l'élection de soi comme norme absolue. Tout élément extérieur est rejeté à cause de sa différence, tout ce qui est interne est dévalorisé: l'individu ne jouit d'aucun espace où s'affirmer. La conversation, reflet de ce système sur le plan de la parole, ne peut donc être que dévastatrice.

Les chœurs

La voix de la tribu se fait aussi entendre dans deux chœurs, celui des sœurs Guérin, qui pleurent le destin de Pierrette, incarné par le «maudit Johnny» (*BS*, 69), et celui de toutes les femmes (sauf les jeunes et Pierrette) contre Angéline, dont on vient d'apprendre qu'elle fréquente le club (*BS*, 76-79). Cette voix collective est celle des préjugés moraux et religieux. Elle prononce l'exclusion des membres qui ont transgressé. Alors que la conversation est la voix quotidienne du groupe, le chœur est sa voix officielle.

Le dialogue dramatique
ou l'affrontement de la tribu et de l'individu

Le dialogue dramatique se distingue de la conversation par la présence d'un enjeu. Son but est d'influencer l'interlocuteur, d'agir sur lui. L'action principale des *Belles-Sœurs*, le vol des timbres, s'accomplit sans recourir à la parole, mais trois dialogues sont porteurs d'enjeux dramatiques[19]. Un examen rapide permettra de les dégager et de voir les moyens de persuasion des protagonistes.

Le premier dialogue ouvre la pièce; il a lieu entre Germaine et Linda (*BS*, 15-19); Germaine veut amener sa fille à renoncer au plaisir d'une soirée avec son chum pour partager la corvée du collage de timbres. Aux hésitations de

Linda, Germaine répond aussitôt par une rupture du dialogue: «Parle-moé pus...» (*BS*, 17), suivi de l'étalage de ses propres frustrations. Elle revient ensuite à la charge en dénigrant le chum de sa fille, puis Linda elle-même; celle-ci cède: elle restera à la maison. Elle essaie cependant d'adapter son désir (voir son chum) à celui de sa mère: elle proposera donc à son ami de venir coller des timbres. Contrariée, Germaine repart de plus belle dans la dépréciation de Linda – «Ma grand-foi du bon Dieu, t'as pas de tête su'es épaules, ma pauv'fille!» (*BS*, 18) –, puis reprend l'étalage de contrariétés qui ne dépendent pas de l'interlocutrice. La jeune fille renonce, accablée par les sentiments négatifs que la poursuite de son propre plaisir éveille chez sa mère. En exhibant ses insatisfactions, Germaine agit comme agent de frustration envers sa fille. Le renoncement forcé de cette dernière donnera lieu, entre les deux femmes, à d'autres altercations (*BS*, 54-58; 60 et 61) où se répète le premier modèle: même relation entre la poursuite du plaisir par Linda (sortie temporaire au restaurant, substitution de ses amies à son chum) et la frustration de Germaine; réaction identique: dénigrement des amies et culpabilisation de Linda.

Le deuxième dialogue intervient au deuxième acte. Il a pour principale protagoniste Angéline Sauvé. Dénoncée accidentellement par Pierrette, elle est immédiatement condamnée par le chœur de la tribu. Elle essaie alors de s'expliquer, de négocier un espace où elle puisse vivre sans renoncer à son plaisir. Peine perdue. «Vous avez pas d'excuses!» (*BS*, 79) déclare la tribu. Il n'y a pas de lieu de parole pour le sujet qui a transgressé. Déclarée coupable, Angéline se tourne alors vers son amie Rhéauna. Celle-ci réagit comme le groupe: «Touche-moé pas! Recule!» (*BS*, 77); «T'es pus mon amie, Angéline. J'te connais pus!» (*BS*, 77) Angéline tente de s'exprimer: «Rhéauna, écoute-moé, toé!» (*BS*, 79), mais cette dernière ne veut rien entendre. Tout ce qui la préoccupe, c'est d'arracher à son amie la promesse qu'elle ne retournera plus au club. «Y faut qu'tu m'promettes, sans ça, j'te parle pus jamais!» (*BS*, 79) Le dialogue demandé par la protagoniste n'a pas lieu. L'interlocutrice y substitue une sommation. Angéline doit renoncer au plaisir de connaître des gens, de rire. C'est le prix à payer pour rester dans la tribu, dont Rhéauna ne se dissocie pas. Angéline capitulera, mais plus profondément que Linda. L'espace interpersonnel que le dialogue tentait de conquérir n'a pu s'imposer contre la loi tribale, qui exige la mort du sujet libidinal.

Le troisième dialogue dramatique, amorcé entre Lise Paquette et Linda, s'achève avec Pierrette (*BS*, 88-91). Lise Paquette avoue sa détresse à son amie : son chum l'a abandonnée et elle est enceinte. Au nom des principes moraux de la tribu, Linda refuse d'entendre son désarroi et, surtout, d'envisager des solutions. Pierrette, à qui on ne s'adressait pas, se substitue à Linda et donne à la jeune fille l'adresse d'un médecin par qui elle pourra se faire avorter. Cet épisode constitue le seul moment où quelqu'un est entendu et reconnu dans son désir : Lise veut avoir la possibilité de repartir à la conquête de l'homme riche, médiateur des autres satisfactions que sont « un char, un beau logement, du beau linge » (*BS*, 90). Pierrette accomplit un des seuls gestes positifs de la pièce[20]. Alors que les représentants de la tribu sont agents de frustration, elle, la déviante, l'exclue, opère le passage de l'état de frustration à celui de non-frustration. Elle préfigure, malgré son échec personnel, le pôle positif de l'univers de Tremblay, première de cette longue série de marginaux qui auront gagné, dans la transgression, la liberté de poursuivre leurs désirs et d'échapper ainsi à la mort libidinale et à la mort du moi qu'exige la tribu.

À travers la conversation, les chœurs et les bribes de dialogues dramatiques des *Belles-Sœurs*, il apparaît que le signe d'appartenance à la tribu est la frustration dont les membres sont agents et victimes. Toute société connaît des interdits moraux, religieux ou sociaux (meurtre, relations extra-maritales, mésalliance, etc.). La tribu des *Belles-Sœurs* frappe d'interdit le plaisir, même banal (aller au restaurant) ou licite (gagner des timbres). L'interdit ne marque pas la frontière de son territoire, il en est le sol même. Avec la frustration, ce qui est offert en partage à ses membres, c'est la dévalorisation de soi et des autres.

Une voix isolée : le monologue

La voix dominante des *Belles-Sœurs*, celle qui tend à occuper tout l'espace, est donc celle de la tribu ; elle s'étale dans la conversation, se condense dans les chœurs, mais refuse le dialogue dramatique dans lequel l'individu voudrait l'engager. Une autre voix se fait entendre, cependant, dans une série de monologues. Largement utilisé dans le théâtre élisabéthain, plus rare et déjà suspect dans le théâtre classique français, le monologue, à moins d'être justifié par le contexte, est exclu de l'esthétique réaliste. L'invraisemblance de la situation selon laquelle quelqu'un parle à haute voix alors qu'il est seul heurte de front l'objectif qui vise à confondre réalité scénique et réalité quotidienne. *Les Belles-Sœurs* qui, par la situation de base, les caractères des personnages et la langue, se rattachent à l'esthétique naturaliste, recourent pourtant au monologue, et la mise en scène qui en est proposée : «Noir» sur la scène et projecteur sur le personnage, en souligne l'effet théâtral[21].

Contrairement aux monologues que l'on trouve dans le théâtre de Brecht, ceux des *Belles-Sœurs* ne comportent aucune adresse formelle au public qui, en l'interpellant comme destinataire du discours, renforcerait la communication salle-scène et opérerait la dénégation de l'illusion référentielle[22]. Le personnage ne parle à personne, ni sur scène ni dans la salle. L'absence d'indices phatiques où s'inscrirait l'intention de communiquer du monologue est-elle le fait d'un dialogue avec soi-même, d'une communication interne et dynamique malgré son apparence statique, comme le théâtre classique en donne des exemples ? Un regard sur le contenu permet de conclure que le personnage ne s'y efforce pas d'éclaircir des sentiments ou des hésitations nées de la scène précédente, pas plus qu'il ne délibère sur une éventuelle action où s'engager[23]. Le monologue intervient comme une échappée du personnage, impromptue, insolite, non justifiée, inattendue. L'intériorité qu'il exprime est jetée au spectateur sans qu'aucun lien d'intimité ait pu s'établir de part et d'autre de la scène. Parfois le personnage vient à peine de faire son entrée. Dans la plupart des cas, la conversation de groupe à laquelle il a pris part n'a pas permis au spectateur de le distinguer de la tribu ; le monologue opère une coupure brusque dans la trame principale et s'interrompt aussi abruptement qu'il a commencé. La conversation reprend comme si la parole qui vient d'être dite ou même criée – révolte, écœurement, angoisse, désespoir – n'avait jamais été proférée. Aucun changement, si minime soit-il, ne se produit dans le personnage, ou dans sa relation avec les autres interlocuteurs scéniques. Cette voix, refoulée de l'espace social où elle n'a pas de place, est isolée dans l'individu, au sens de l'isolation névrotique[24]. Elle est donc inutilisable. Proférée sur scène, elle n'a d'existence que pour la salle.

Les monologues et l'axe jouissance/frustration

Les dix monologues singuliers ou pluriels de la pièce peuvent être regroupés en deux catégories : ceux qui parlent à l'évidence de la frustration ou du plaisir – ils s'apparentent à des monologues lyriques : « moment [...] d'émotion d'un personnage qui se laisse aller à des confidences[25] » –; les autres, par leur sujet apparemment insolite ou banal, semblent se situer en marge de ce regroupement – ils ont l'apparence de monologues techniques : « exposé par un personnage d'événements passés ou ne pouvant être présentés directement[26] ». L'espace manque pour les étudier, mais une lecture attentive permet d'affirmer qu'ils expriment tous le rapport entre l'individu et la tribu, ou celui de l'individu à son monde pulsionnel[27].

Les Belles-Sœurs marquent le triomphe de la tribu sur l'individu, de la frustration sur la jouissance, elles signent l'exclusion quasi totale du sujet pulsionnel et du sujet de parole. L'univers mis en scène est inhumain. La société s'y définit exclusivement par ce qu'elle rejette (choses craintes ou non désirées[28]), d'où la frustration exigée de ses membres comme condition de leur appartenance au groupe[29]. La transgression qui délivre l'individu de l'aliénation en lui permettant d'affirmer ses valeurs le ramène cependant à la frustration par fuite de l'objet (l'homme, pour Pierrette Guérin et Lise Paquette[30]). Sur le plan formel comme sur celui du sens, *les Belles-Sœurs* sont uniques dans l'œuvre de Tremblay. L'acteur tribal qui y triomphe verra sa voix diminuer au fil des œuvres dramatiques où s'affronteront le sujet qui a transgressé pour échapper à l'enfer tribal et retrouver l'estime de soi, et celui qui n'a pu en sortir ou a choisi d'y demeurer ; il se taira ensuite au profit de l'acteur déviant.

NOTES

1. Jean-Claude Germain, «J'ai eu le coup de foudre», dans Michel Tremblay, *les Belles-Sœurs*, Montréal, Leméac, coll. « Théâtre », n° 26, [1972] 1992, p. 121. Toutes les références à cette pièce renvoient à cette édition.

2. Il n'entre pas dans notre propos d'étudier la fonction symbolique des *Belles-Sœurs* dans la société québécoise, c'est-à-dire de nous demander pourquoi une partie de la société (public, critique), engagée dans la Révolution tranquille, s'est projetée dans ces femmes et identifiée à la représentation de la partie la plus figée d'elle-même. Voir l'étude d'Élaine F. Nardocchio, «*Les Belles-Sœurs* et la Révolution tranquille», *L'Action nationale*, décembre 1980, p. 343-350. Selon l'auteure, la pièce de Michel Tremblay «véhicule [...] l'idéologie de contestation-rattrapage».

3. Voir l'article de Jean-Pierre Ryngaert, «Réalisme et théâtralité dans *les Belles-Sœurs* de Michel Tremblay», *Co-Incidences*, vol. I, n° 3, Ottawa, novembre 1971, p. 3-12.

4. Lise Duquette-Perrier propose de lire la pièce à partir de l'axe de l'identité, selon les pôles antithétiques être et avoir, dans «Langage et paraître», *Journal canadien de recherche sémiotique*, vol. 2, automne 1974, p. 41-53. Cet axe ne rend pas pleinement compte de l'univers de l'œuvre.

5. Selon l'hypothèse du modèle constitutionnel de Greimas, tout univers, pour être significatif, s'organise à partir d'une structure élémentaire et binaire.

6. L'acteur est «un élément caractérisé par un fonctionnement identique, au besoin sous divers noms et dans différentes situations». Voir Anne Ubersfeld, *Lire le théâtre*, Paris, Éditions Sociales, 1982, p. 99.

7. Ce mot est employé ici dans le sens général de groupe nombreux, mais aussi dans le sens de groupe cohérent, régi par certaines règles.

8. Linda et Ginette, non mariées et non voleuses, ne participent pas vraiment à l'action. Elles font partie de la tribu parce qu'elles logent au pôle frustration.

9. L'échappée, chez Tremblay, se fait par la transgression morale, sexuelle, et par la marginalisation, non par le changement de classe sociale.

10. L'exclusion, si elle prive du groupe, n'abolit pas l'appartenance à ce groupe.

11. Laurent Mailhot identifie trois formes dramatiques dans *les Belles-Sœurs*: le dialogue, le monologue et le chœur (voir «*Les Belles-Sœurs* ou l'enfer des femmes», *Études françaises*, vol. VI, n° 1, Montréal, février 1970, p. 101; voir aussi Jean Cléo Godin et Laurent Mailhot, *le Théâtre québécois. Introduction à dix dramaturges contemporains*, Montréal, Hurtubise HMH, 1970, p. 191-203). Jean-Pierre Ryngaert, dans l'article cité précédemment, fait un repérage des séquences théâtrales par opposition à la trame réaliste de la parole. Du point de vue adopté ici, la conversation et le dialogue dramatique ne proviennent pas de la même voix; de même, les monologues pluriels, expression de l'individu, ne peuvent être assimilés aux voix de la tribu.

12. Par la substitution de la «conversation» au dialogue dramatique, *les Belles-Sœurs* participent à la modernité et frôlent, par le vide des échanges, l'avant-garde, en particulier *la Cantatrice chauve* d'Eugène Ionesco. Les points de rencontre avec cette œuvre sont d'ailleurs nombreux.

13. Le traitement de ce personnage: son entrée spectaculaire, les coups qu'on lui assène, le fait qu'il morde, n'est pas sans rappeler Lucky d'*En attendant Godot* de Samuel Beckett et le Schmurtz des *Bâtisseurs d'Empire* de Boris Vian.

14. Laurent Mailhot, *loc. cit.*, p. 98-99.

15. Malinovski, cité par Émile Benvéniste, *Problèmes de linguistique générale 2*, Paris, Gallimard, 1983, p. 87.

16. *Ibid.*

17. Cité par Alonzo Le Blanc, «*Les Belles-Sœurs*», *Dictionnaire des œuvres littéraires du Québec 1960-1969*, tome IV, Montréal, Fides, 1984, p. 92. Cette liste des «Personnages dont on parle, mais qu'on ne voit pas dans *les Belles-Sœurs*», établie par André Brassard, figure aux pages 113-117 de l'édition de référence.

18. Victor Hugo, «La Conscience», *la Légende des Siècles*, Paris, Gallimard, coll. «La Pléiade», 1950, p. 26.

19. Le dialogue d'entrée d'Angéline et de Rhéauna, p. 63-69, relève de la conversation: il est la voix de la tribu, moins caustique; enfilade de clichés sur la mort et le salon mortuaire, il représente

le projet initial des *Belles-Sœurs*. Voir Jean-Claude Germain, «Michel Tremblay: le plus joual des auteurs ou vice versa», *Digeste-Éclair*, vol. V, n° 10, octobre 1968, p. 17.

20. L'autre geste positif, fait également par Pierrette, est celui de réconforter sa sœur Germaine lorsque celle-ci découvre le vol de ses timbres.

21. Jean-Pierre Ryngaert a identifié quatorze séquences ainsi théâtralisées; dix monologues, singuliers ou pluriels, s'y trouvent inclus.

22. Sur la question de la dénégation au théâtre, voir Anne Ubersfeld, *op. cit.*, p. 45-49.

23. Les monologues de Pierrette Guérin et de Lise Paquette sont les plus classiques. Les sentiments qu'ils expriment sont en relation avec la situation scénique. Les déviantes ne sont coupées ni de leur monde pulsionnel ni de leurs émotions.

24. Sur l'isolation définie comme une «rupture de connexions associatives», voir Jean Laplanche et J.-B. Pontalis, *Vocabulaire de la psychanalyse*, Paris, P.U.F., 1968, p. 215-217. L'impuissance du personnage est inscrite dans cette coupure.

25. Voir Patrice Pavis, *Dictionnaire du théâtre*, Paris, Éditions Sociales, 1980, p. 261. On peut classer dans ce premier groupe le monologue de Marie-Ange Brouillette et le quintette de la «maudite vie plate», ceux de Des-Neiges Verrette, de Lisette de Courval, d'Angéline Sauvé sur le club, l'ode au bingo et, enfin, les monologues entrecroisés de Pierrette Guérin et de Lise Paquette.

26. *Ibid.*, p. 261. Ce deuxième groupe comprend des monologues insolites: celui de Rose Ouimet sur «les oiseaux», et ceux d'Yvette Longpré sur le gâteau de noces de sa fille et sur la fête de sa belle-sœur, et un monologue proprement technique, celui des trois sœurs de Pierrette.

27. Voir l'excellente étude de René Juéry, «Michel Tremblay: une interprétation psychanalytique des *Belles-Sœurs*», *Études littéraires*, vol. XI, n° 3, décembre 1978, Presses de l'Université Laval, p. 473-489.

28. Voir A. J. Greimas, «Les jeux des contraintes sémiotiques», *Du sens*, Paris, Seuil, 1970, p. 135-154.

29. Dans *À toi, pour toujours, ta Marie-Lou*, la frustration imputée à l'autre donne la victime: Marie-Lou; érigée en valeur, elle crée la fausse sainte: Manon.

dynamique qui s'y développe et qui, de différentes façons, cherche à investir cette même réalité. En fait, plus qu'une simple «monstration» – le miroir naturalisant d'une certaine société –, la pièce relèverait plutôt de la démonstration en ce qu'elle manifeste chez Tremblay la volonté d'une saisie de l'Histoire et la douleur d'en être, à l'instar des personnages, exclu.

Dans un premier temps, il faut donc déployer en aplat l'histoire et la situation des personnages, afin de comprendre de quelle façon, par la suite, le discours de l'auteur peut se construire à partir d'une matière théâtrale dont il se sert comme repoussoir.

Une famille sous observation

La pièce met principalement en scène les membres d'une famille, celle de Robertine. Cependant, c'est la fille de celle-ci, Hélène, à laquelle tous les autres personnages se rapportent, qui en est la figure centrale : Hélène s'est mariée avec Henri il y a quinze ans, et elle a eu une fille, Francine, qui doit avoir bientôt seize ans… Elle a aussi un frère, Claude, interné dans un asile depuis dix ans. À l'exception de ce dernier, tous vivent ensemble[2]. Le premier tableau, «Duo», montre deux hommes-sandwichs, dont Henri, au travail. Tous deux se plaignent, à l'unisson, de cet emploi et de la vie trop dure. Il s'agit là d'un *flash-back* puisque dès le tout début on aura su, par la femme du deuxième homme-sandwich, une voisine de la famille en question, qu'Henri, à la suite d'un accident dont personne, cependant, n'a été témoin, ne sort plus guère de la maison. Hélène, au contraire, sort de la maison le plus souvent possible : elle travaille comme serveuse, rue Papineau, et ne rentre que très tard chez elle. Au restaurant, où ses compagnes admirent son sens de la repartie, Hélène cherche, en discutant métier, à améliorer son sort de serveuse aux dépens d'une autre, plus naïve ou tout simplement moins «faite» pour ça. Ce deuxième tableau, nommé «Trio», se termine avec les trois serveuses qui font face au public et qui prennent à l'unisson des «commandes» de clients. Là encore, la Voisine nous aura précédemment instruits du passé du personnage. On apprend donc qu'à cause de son problème d'alcool

Hélène a été renvoyée du *club* où elle travaillait auparavant, rue Saint-Laurent. Intitulé «Quatuor», le troisième tableau a lieu dans le salon de Robertine où on attend avec appréhension, vu son retard, l'arrivée d'Hélène. Le portrait de toute la famille qu'a dressé la Voisine nous permet de nous attendre, cette fois-ci, à une dispute. C'est effectivement ce qui se passe entre Thérèse et Robertine, tandis qu'Henri, essuyant les sarcasmes de sa femme, puis le mépris de sa fille, ne bronche pas, rivé à la télévision où sont diffusées des émissions pour enfants. «Quintette», quatrième et dernier tableau, réunira toute la famille dans le salon : Claude vient en effet d'arriver chez lui, alors qu'il n'est pas censé quitter l'asile. Au départ, il est persuadé que ses verres fumés le rendent invisible et qu'il retrouvera ainsi la position «privilégiée» qu'il occupait dans son enfance – quand on ne se préoccupait pas de sa présence, tous préférant croire qu'il ne comprenait rien à ce qui se disait. Une fois en présence de Robertine, Claude y va de ses peurs et d'étranges reproches. D'abord, il retourne la situation : il prétend qu'il avait déjà demandé qu'on ne vienne le visiter qu'habillé en blanc et il allègue en plus qu'il n'attendait personne! Il aurait également fallu que la maison soit vidée de ses meubles pour être acceptable à ses yeux (qu'elle prenne l'apparence de l'asile?). Il se plaint qu'on l'ait vendu, qu'on ne vienne jamais le visiter. Sous prétexte qu'il a peur d'être empoisonné par le frère chargé de le surveiller, Claude affirme aussi avoir été violent à son endroit. Pour le calmer, tous s'habilleront finalement de blanc (comme lors d'une précédente visite à l'hôpital). La famille mettra ainsi en scène le retour de l'asile à la maison tandis que, dans les faits, c'est exactement l'inverse qui se produit. Face au départ imminent de Claude (le taxi attend devant la porte), tous feront, à tour de rôle, un examen de conscience qui finira par la même constatation : personne n'est plus capable de rien faire. Seul Claude se dit en mesure de pouvoir tout faire.

De la condition dramatique des personnages ou d'une certaine inhumanité

En quoi y a-t-il démonstration? On doit considérer d'abord que, dans cette œuvre, les personnages ne sont pas tous de même «valeur». Bien que le personnage de la Voisine soit de facture réaliste, par exemple, on ne devine derrière cet archétype aucun monde particulier, aucune zone d'ombre marquée ou susceptible de l'individualiser. Cette condition dramatique d'un personnage peut aussi évoluer. Le caractère tout d'abord unidimensionnel d'Henri, dans sa fonction d'homme-sandwich, fera ensuite place à une identité plus complexe. Est-il ou non vraiment estropié? Pourquoi cette passivité devant Hélène et une telle fascination pour les «petits bonshommes» à la télévision?

Deuxièmement, le passage radical d'une valeur à une autre – quand des personnages présentés jusqu'alors comme des êtres distincts se transforment en éléments interchangeables (le chœur des serveuses à la fin de «Trio») – illustre on ne peut mieux ce procès de désindividualisation. Ainsi, en contrepoint des préoccupations factuelles des personnages, ce jeu dialectique entre des figures purement collectives et des personnages individués articule un discours sur le propre du sujet, sur ce qui fonde, finalement, l'autonomie d'un être et de la société dans laquelle il se trouve.

Trois des quatre tableaux d'*En pièces détachées* se terminent par un chœur mécanisé: «Duo» constitue en soi un monologue à deux voix où deux hommes-sandwichs marchent de long en large et commentent leur triste condition; «Trio», on l'a dit, se termine lorsque trois *waitress* répètent en chœur des «commandes» qui leur parviennent d'une salle de restaurant, tandis que, dans «Quintette», tous les personnages diront tour à tour, avant que quatre d'entre eux ne le fassent ensemble: «Chus pus capable de rien faire!» De plus, la place qu'occupe la télévision pour Henri dans «Quatuor» relève aussi, mais à l'intérieur du récit cette fois, d'un tel phénomène de déshumanisation. Toutes ces manifestations de perte d'identité du sujet ont aussi pour corollaire une mise en crise de l'action qui, d'ailleurs, s'actualise dans la phrase fataliste, déjà citée, du dernier tableau. Les deux effets, perte d'identité et crise de l'action, apparaissent donc indissociables. On verra qu'il n'est pas fortuit que ce soit sous l'impulsion du fou que cet aveu d'impuissance prenne forme. Ce dernier symboliserait en quelque sorte l'«Abîme», ce dont l'imaginaire social est le prolongement et qui est nécessaire, inhérent, à la création de toute société. Comme on l'expliquera plus tard, ce «Sans-Fond» – potentiel permanent de changement – est le plus souvent occulté par les sociétés elles-mêmes qui, de cette façon, font de leur institution un phénomène sur lequel on ne peut intervenir, échappant à toute volonté ou action, intouchable. Dans la pièce qui nous concerne, ce sont précisément les effets d'une telle rigidité qui, tout de suite, se donnent à voir. Pour que l'œuvre soit digne d'intérêt, il faut donc que la cause fondamentale d'une telle rigidité – cette coupure entre une communauté et les moyens d'accéder à elle-même – ait des chances d'y transparaître. Dans cette veine, la progression du traitement dramaturgique, allant de l'univers on ne peut plus profane de «Duo» et «Trio» (où l'être est chosifié, l'esprit mercantilisé) au quasi-rituel de «Quintette» (d'une criante subjectivité), produit un retournement essentiel.

La structure qui parle 1

Le personnage de la Voisine intervient, dans la structure dramatique, au début de chacun des tableaux. Elle les met, d'une certaine façon, en contexte. La plupart des événements qui ont déterminé la position qu'occupent maintenant les personnages, les uns par rapport aux autres (quand subsistait en eux un certain capital de désir), sont relatés par elle. Mais l'éclairage que l'auteur fait porter sur la famille par la Voisine, loin d'en révéler plusieurs dimensions, l'aplatit, la ramène au rang d'une «bande de fous». Ainsi purgée du passé des personnages, l'action dramatique proprement dite devient encore plus quotidienne, et le monde qui s'y rapporte, statique.

Dans la perspective d'une esthétique épique, la Voisine a donc un rôle clé: ce ne sont pas les personnages qui évoluent dans *En pièces détachées* (cela a déjà eu lieu), mais bien la logique d'une structure, un ordre de succession des «pièces détachées» surdéterminé par une structure d'exécution musicale («Duo», «Trio», «Quatuor» et «Quintette»).

Non seulement la Voisine n'a pour identité que ce rôle fonctionnel (à l'exception d'une réplique où elle se désigne comme Madame L'Heureux), mais c'est en tant qu'instrument d'objectivation qu'elle agit: «A l'a encore fermé son blind... Joseph, la folle d'à côté a encore fermé son blind vénitien! Y doivent préparer une bataille, c'est comme rien![3]»

Ainsi, la situation de départ expose un point de vue extérieur aux deux personnages dont il sera question: Robertine et Henri sont d'emblée désignés comme «fous». «Sa femme, sa belle-mère vont y crier dans les oreilles toute la soirée pis y dira rien! Maudit fou! Ça fait longtemps que j's'rais parti [*sic*], moé, à sa place...», dit la Voisine (*EPD*, 13).

Avant même que ces personnages ne prennent la parole, ils sont oblitérés par une identification qui leur échappe. Se tenant à la fenêtre, sa plus précieuse source d'information, et écoutant de façon ininterrompue la radio – elle «écoute C.J.M.S. durant toute la pièce» (*EPD*, 12) –, la Voisine est essentiellement une colporteuse qui communique de façon grossière tout ce qui vient à lui tomber sous les yeux et tout ce qu'elle entend. Tout prend pour elle une valeur d'échange. Ce personnage se situe dans une sphère où l'information, comme n'importe quelle marchandise, doit circuler le plus librement possible; le *blind* qui se ferme chez ses voisins s'apparente ainsi à une mesure protectionniste qui, du même coup, révèle l'instabilité intérieure de ce foyer. À cet archétype qui n'établit aucune frontière entre ce qui serait de l'ordre du privé ou du public correspondent deux autres figures relevant, l'une, de l'attitude prostitutionnelle, l'autre, de la folie, et qui permettent d'ancrer plus profondément encore la question du propre – ou de cette unité problématique entre l'être d'un individu et une «identité» qui se crée, la plupart du temps, à partir des seules représentations et actions qui lui semblent possibles.

Les dépossédés

Dans «Duo» et «Trio», la dissolution du caractère individuel des personnages se fait dans la masse; bien que pareils, tous y sont séparés, divisés. Ces deux tableaux se déroulent à l'extérieur de la cellule familiale et font tous deux le procès du travail. C'est dans ce contexte que surgit la figure de la prostituée (ou de la prostitution).

«Duo» montre des individus anéantis par leur travail : deux hommes-sandwichs, totalement réifiés, font littéralement le trottoir, et la seule personne qu'ils vont rencontrer est une jeune prostituée : «Y'me semble qu'est trop jeune pour faire ça... » (*EPD*, 18). Alors que tous deux souhaitent que quelqu'un, un jour, vienne leur dire qu'ils ne sont pas faits pour le travail qu'ils occupent, aucun d'eux ne peut jouer un tel rôle face à la prostituée qui, pourtant, leur inspire une réflexion semblable. En fait, le discours unitaire des deux hommes ne peut être imputé ni à l'un ni à l'autre, mais doit forcément émaner de leur condition. Puisqu'ils sont privés d'un discours propre en tant que sujets, aucune autre action que celle qui sert à légitimer leur rengaine, leitmotiv de l'accablement – «Que la vie est dure!» (*EPD*, 18) – ou symptôme de leur conditionnement, ne peut en résulter. Pis, les hommes sont privés de toute pulsion. Simples supports publicitaires, ce qu'ils représentent se situe en dehors d'eux et, de ce fait, les exclut : ils sont annihilés, dépossédés.

La métaphore travail-prostitution s'achève autrement dans «Trio». Quand Hélène exerce des pressions pour s'emparer d'une section de restaurant plus avantageuse et prendre ainsi la place de Lise, celle-ci finit par céder ; elle téléphone à son ami, André, pour qu'il accepte «sa» décision de ne plus travailler au restaurant. Malgré les supplications de Lise, André, qui tient en quelque sorte le rôle de «souteneur», lui refuse ce choix à cause du manque à gagner qui en résulterait.

Par l'argumentation d'Hélène, qui attaque Lise sur le plan de sa fragile identité, on voit à nouveau émerger le motif du souteneur, attribué cette fois au propriétaire du restaurant : «J'sais c'que c'est une waitress. Pis toi, t'en es pas une. [...] Nick a l'œil sur toi, pis toi, t'as pas l'air d'avoir le goût de sortir avec... De toute façon, si tu y refuses, tu garderas pas ta job icitte [...][4]»

Lise paraît donc coincée entre deux figures d'oppression masculine ; elle est déjà sous l'emprise de ce qu'elle croit n'être encore qu'une menace. Elle a peur de ce qu'elle est déjà devenue : une femme qui travaille pour un homme ! Le choix qu'elle veut se donner se présente ainsi comme illusion de liberté : André et Nick se valent l'un l'autre.

Dans la même veine, Mado, le troisième personnage de ce tableau, confirme cette attitude prostitutionnelle en devenant responsable de la caisse dans la version télévisuelle. Elle aura sans doute accepté les avances de Nick et cherchera – à la manière d'une tenancière? – à protéger uniquement ses acquis. Aucune des trois serveuses ne met donc en cause le système; on fait ou non l'affaire, c'est tout. À la totale résignation («Duo») succède une volonté aliénée: Hélène, qui a perdu sa place au *Coconut Inn*, refuse de se laisser marcher sur les pieds par les clients, mais elle s'accorde le droit d'écraser Lise... Nous assistons là à une petite lutte de pouvoir qui prend le masque de la solidarité: «Ben non, ben non, 'coute, braille pas, là, c'que j'dis, c'est pour toé! C'est pas pour moé [...]» (*EPD*, 25)

Pas un instant, on ne doute que le travail ait ici pour fondement ontologique l'attitude prostitutionnelle, et que la conscience de classe y fasse cruellement défaut. Heureusement, cette perspective ne se développe pas de façon unidimensionnelle. Elle ouvre sur autre chose que les bonnes intentions de l'auteur.

La structure qui parle 2

Plutôt que de s'en tenir au seul étalage d'une vision de «prostitution généralisée» ou de «désaffection pour l'humain[5]», le regard critique de Tremblay s'actualise dans une action performative dirigée vers le public. Si elle accentue apparemment le caractère militant de la pièce, cette action permet déjà de lui attribuer une portée moins simpliste. Bien qu'issu de la fiction proprement dite, le chœur mécanisé des serveuses ne vient pas commenter ou objectiver celle-ci. Au contraire, marqué par le discours qui sous-tend la fiction, ce chœur en devient plutôt l'objet, ce qui oblige le spectateur à se demander qui est le destinateur, à savoir qui parle.

Dans ce cas-ci, le recours à un tel procédé antiréaliste distancie non seulement le spectateur de la fiction, mais fait aussi violence aux personnages et, au-delà, à tout ce qui constitue la représentation d'un sujet. Par cette désindividualisation, le théâtre devient métaphore d'un système social transcendant, répressif, dont les sujets-spectateurs ne peuvent que souhaiter la fin. Mais comment en finir? Alors que le public pourrait virtuellement chercher à se démarquer du rôle passif qui lui est ordinairement dévolu, «Quatuor» propose, *via negativa*, une première solution : la fuite.

Le huis clos familial :
syndrome du linge sale ou à qui la faute?

Apparemment impotent, en tout cas «hors d'usage», Henri tue le temps devant la télévision, tandis qu'Hélène, ne parvenant pas à se faire arrêter par la police pour ne pas (à ce qu'elle nous confie à la fin) se retrouver face à sa famille, revient complètement soûle du travail. Cercle vicieux, «éternel recommencement», dit Robertine...

Dans cet enfer des relations, personne ne veut se reconnaître responsable de quoi que ce soit. Chacun voudrait faire porter à un autre le fardeau de la faute ou, sinon, ignorer qu'on s'en prend à lui (Henri). Dans «Quatuor», les personnages sont pour ainsi dire laissés à eux-mêmes, sans autre ancrage, pour Robertine, que son rôle de mère, au demeurant dépassée par les événements, ou, pour Henri, que le mythe régressif de Popeye... Images dérisoires, façades, que l'iconoclaste Hélène, dans sa fuite dans l'alcool, ne manque pas d'attaquer.

> HÉLÈNE – [...] C'est de ta faute si on est toutes malheureux dans la famille. Si tu nous avais élevés comme du monde, j'aurais marié quelqu'un qui avait du bon sens, mais non... (*EPD*, 39)
> [...]
> ROBERTINE – [...] Quand tu bois, tu fais exprès de tout conter de travers à tout le monde pour me mettre ta vie manquée sur le dos ! [...] Chus tannée de passer pour une maudite folle par ta faute. Si je t'ai pas élevée c'est parce que t'étais pas élevable ! (*EPD*, 40-41)

Par ce besoin de trouver un responsable, une raison, une justification extérieure à leur situation, les personnages de Tremblay révèlent le caractère hétéronome[6] de la société dans laquelle ils évoluent, une société qui n'aurait pas compris qu'elle est sa propre création.

On trouve, dans les sociétés hétéronomes, la représentation imposée aux individus que l'institution de la société ne dépend pas d'eux, qu'ils ne peuvent pas poser eux-mêmes leur loi – car c'est ce que veut dire autonomie –, mais que cette loi est déjà donnée par quelqu'un d'autre[7].

On sait qu'il n'y a pas besoin de faute, originelle ou autre, pour qu'un événement se produise; la cause d'un phénomène n'est pas toujours d'ordre moral[8]. Ce n'est pas parce qu'Hélène n'était pas habillée en blanc à son mariage, quoi que sous-entende la Voisine (*EPD*, 20), que celui-ci échoue... Bien d'autres facteurs, on l'a vu, ont pu concourir à un tel échec, et le premier, qui aurait permis de faire face à tous les autres, tient sans conteste à une question de représentation. Henri est subjugué par Popeye et le Capitaine Bonhomme; aucun autre modèle ne lui permet de médiation entre lui et un idéal masculin. Il n'est pas écrasé par les femmes mais plutôt par le rôle que lui assigne la société traditionnelle. Encore une fois, l'état physique d'Henri le caractérise profondément. Il ne se tient pas debout. Et sans autonomie – celle de l'individu et celle de la société sont indissociables –, comment prendre sa place dans l'Histoire, comment avoir une identité qui ne se limite pas au regard que posent les autres sur soi?

L'Histoire en hors champ 1

Robertine ne peut se représenter les choses autrement que par son rôle de mère. Si, «faisant exister de l'être, [...] l'orgueil c'est la conscience d'être autonome et créateur[9]», la honte qui la hante – «C'est moi qui avait [*sic*] honte de toi!» (*EPD*, 41) – (sa peur de ce que diront une fois de plus les voisins?) traduit une absence d'autonomie semblable à celle d'Henri par les causes. Alors qu'«une société autonome est une société qui s'auto-institue explicitement [...], qui sait que les significations dans et par lesquelles elle vit et elle est comme société sont son œuvre, et qu'elles ne sont ni nécessaires ni contingentes[10]», la situation à laquelle donnent lieu ces personnages, c'est «une Histoire qui n'est pas Histoire, un progrès piétinant, une explication totale par le nécessaire et totale par le contingent[11]». Ainsi, la vie d'Henri s'explique totalement par le nécessaire (le travail) et le contingent (l'accident): elle n'a ni sens ni direction. Cette non-histoire trouve d'ailleurs son prolongement dans l'univers télévisuel... Robertine, quant à elle, pense sincèrement avoir fait tout le nécessaire pour élever ses enfants et, à cet égard, trouve les reproches d'Hélène, sa mauvaise foi, intolérables. La venue de Claude comme enfant déficient, cet «accident», fait aussi d'elle une victime de la contingence. Elle n'a pas les moyens d'interpréter autrement la situation.

Face à ces modèles de résignation, Hélène a très peu de choix; il n'existe pas de «Popeye» féminin. À quoi peut-elle aspirer? Tout au plus à une place de serveuse dans un club, et encore... En se soûlant, elle peut au moins espérer s'approprier une part de responsabilité dans ce qui lui arrive. Elle en est réduite à une quête de la faute.

Une suicidée de la société

> HÉLÈNE [...] – Aie, chus rendue basse rare! Quand une waitress de club retontit dans un «Smoked Meat» d'la rue Papineau, a peut pas descendre ben ben plus bas... (*EPD*, 62)

Si Hélène n'est pas tout à fait le sujet autonome capable de changer sa vie et d'apporter une contrepartie aux modèles féminins existants – il n'est, par exemple, jamais question de divorce –, elle le préfigure: c'est le seul personnage qui n'ait pas peur et qui ne passe pas la médiocrité sous silence. Dans ces conditions, sa révolte ne peut déboucher sur rien d'autre que la destruction perpétuelle de rôles trop étroits pour elle, que ce soit ceux de mère, d'épouse ou de serveuse. La faiblesse d'Henri est insupportable à Hélène qui a pris conscience que la jeunesse et la beauté de son mari ont été une forme de fausse représentation, un mensonge dont elle est devenue la victime. Aussi provoque-t-elle sans cesse Henri, en lui offrant, par exemple, de tirer au poignet contre lui... Elle avoue même avoir d'autres velléités:

> Des fois, j'aurais envie de tuer Henri, de l'écraser comme une punaise, rien que pour me faire arrêter! Mais j'le fais pas parce que j'veux pas finir au bout d'une corde! Finir en prison, j'm'en sacre! On est logé, nourri, pis on finit

par se faire des chums... Mais pas au bout d'une corde... (elle regarde Henri) y le mérite pas... (*EPD*, 62).

La seule façon pour Hélène de se réapproprier une identité semble être de se faire arrêter, d'être mise hors jeu. Elle cherche par tous les moyens à transgresser l'ordre établi, à casser le moule, mais pas au point de s'annihiler. Elle sait qu'elle vaut mieux que son mari (qui ne mériterait pas qu'elle meure). Et puisque ce qu'elle souhaite le plus, une fois les besoins les plus élémentaires assurés, est de «se faire des chums» (ce qu'elle ne réussit visiblement pas), on peut juger que, face à cette absence de perspective et, surtout, de communauté, son autodestruction par l'alcool paraît être la seule voie que puisse emprunter sa révolte. Cette circularité tragique en fait une sorte de «suicidée de la société».

Mais une fois créée cette impasse dramatique – ou l'impuissance des personnages menée à son terme – va s'ouvrir, sur le plan dramaturgique, un nouveau champ : à la condition des êtres dans le monde succède la qualité du monde dans les êtres[12] ; à la figure de l'être prostitué succède celle du fou.

Le possédé ou «l'autre inhumain»

[...] et si les humains, au sens de l'humanisme, étaient en train, contraints, de devenir inhumains, d'une part ? Et si, de l'autre, le «propre» de l'homme était qu'il est habité par de l'inhumain ? Ce qui ferait deux sortes d'inhumain. Il est indispensable de les tenir dissociés. L'inhumanité du système en cours de consolidation, sous le nom de développement (entre autres), ne doit pas être confondue avec celle, infiniment secrète, dont l'âme est l'otage[13].

Alors que «Quatuor» débutait par l'attente de l'arrivée d'Hélène, après son travail, le tableau «Quintette» débute, lui, par l'arrivée de celui qu'on n'attend surtout pas, Claude, qui s'est échappé du lieu où on le confine, l'asile. Et c'est Robertine, figure d'autorité, qui, encore, y fait face la première. Le cadre, l'ordre qu'elle défend, est transgressé, d'une part, par Hélène qui cherche à en sortir et, d'autre part, par Claude qui y pénètre !

Ce genre de retournement trouve sa source non pas dans la fable – l'arrivée de Claude ne révèle rien de particulier aux autres personnages – mais se situe dans l'espace du discours. L'entrée en jeu de cette «autre inhumanité» vient donc éclairer les causes de la première, dont la logique instrumentale finit par produire une négation du sujet.

Cela permet tout d'abord de constater la nouvelle forme de montée dramatique qu'a su créer Tremblay. Après le plan général que constitue le début, chacune des «pièces» subséquentes établit un plan plus rapproché : de la rue au restaurant, de celui-ci au salon de Robertine et, finalement, l'inscription dans ce dernier lieu de l'univers mental de Claude. Ces cadrages successifs, qui font glisser progressivement la pièce de l'espace public à l'espace privé, ne se font pas sans qu'une autre progression, celle du nombre de personnages dans chaque pièce (de deux à trois, de trois à quatre, de quatre à cinq), ne crée apparemment un paradoxe. Cette double progression a pour effet de faire du moment le plus privé, le plus «vrai», un moment collectif (au sens où cette épithète, vu la dimension performative de l'œuvre, inclut tous les spectateurs) qui se rapproche du rituel! Moment qui se crée grâce à la nature même de ce retournement. Quand, dans «Quintette», tous avouent leur impuissance, pourquoi le fou, à qui appartient le dernier mot, peut-il tout faire, selon ses dires? «HENRI – [...] Claude, lui, au moins, y'est fou pour vrai! Y'ont pas eu besoin de le rendre fou, celui-là! Lui, y'est fou, pis y'est ben!» (*EPD*, 61)

Claude est fou *vrai*; il ne connaît pas la facticité du rôle. Son authenticité a pour corollaire une absence totale de valeur d'échange : contrairement à la prostituée, le fou ne peut se vendre. On ne peut l'employer pour quoi que ce soit. Il n'est pas «hors d'usage» comme Henri, il est de l'ordre de l'incontrôlable, du Chaos. Ce n'est pas le travail qui instaure pour lui une médiation avec le monde[14], il est déjà, pour ainsi dire, «médiation». Claude représente ce qui, pour Castoriadis, est «la seule dotation universelle des êtres humains», soit «la psyché en tant qu'imagination radicale. Mais, cette psyché ne peut se manifester, ni même subsister et survivre si la forme de l'individu social ne lui est pas imposée[15] ». À la psyché de l'individu correspond donc un « imaginaire social créateur de la signification et de l'institution », qui fait que « l'humanité prolonge sous deux formes [individuelle et sociale], le Chaos, l'Abîme, le Sans-Fond dont elle émerge[16] ». Contrairement à une société autonome, la société hétéronome « ne peut faire face à l'Abîme qu'elle représente elle-même, à la manifestation du Chaos que constitue sa propre création[17] ». Ce serait donc l'autoocculta-tion de cette faille par la société que la présence du fou viendrait révéler en s'inscrivant dans un espace-temps à la fois privé et collectif. Contrairement à Henri, qui apparaît comme un sujet dépossédé et fondu dans la masse, Claude, le possédé, celui par lequel le non-dit, l'inconscient se manifeste, surgit de la marge.

Mais si l'origine du discours de Claude se situe effective-ment à l'opposé d'une source transcendante, il faut mainte-nant voir comment ce discours excède la personne de Claude, ne se limite pas à son aspect pathologique, sans quoi il n'y aurait aucune relation à faire avec le *climax* poli-tico-social de la fin.

Pour Claude, deux choses établissent sa supériorité : des lunettes noires censées le rendre invisible, et le fait d'avoir récemment appris l'anglais. Deux pouvoirs, deux impuis-sances : parler une autre langue et disparaître ! Toutefois, avant de tirer de cette parole particulière toute la portée collective qu'on peut aisément y deviner, il faut déceler ailleurs dans l'œuvre la trace d'un tel refoulé.

L'Histoire en hors champ 2

Quand, dans « Trio », Hélène est admirée par les deux autres serveuses pour avoir remis à sa place un Français dont elle n'avait pas compris la « commande », la dénoncia-tion de cet « impérialisme » – « c'tait un p'tit Français cheap qui a pas une cenne en avant de lui mais toute la France en arrière… » (*EPD*, 23) – a tout de même lieu dans un restau-rant appelé *Nick's* ! Cette défense de son identité culturelle procède donc aussi d'une forme d'occultation. Dans le monde représenté par l'auteur, l'impérialisme anglo-améri-cain (dont les effets aliénants sont pourtant beaucoup plus importants) n'est pas actualisé par les personnages. Alors qu'on est en présence d'une dramaturgie où les personnages ont déjà brûlé leur capital de désir et que l'univers apparaît fermé, voilà un germe potentiel de «réalisation»: quelque chose est à faire! Quelque chose qui, compte tenu de la montée dramatique pouvant inclure les spectateurs, reviendrait virtuellement au public.

Comment ne pas voir alors, dans la séquence où tous consentent à s'habiller en blanc pour tranquilliser Claude, une forme d'union symbolique provoquée par la représentation de cet élément dont l'occultation empêche l'institution d'une véritable communauté autonome (c'est-à-dire se reconnaissant comme telle)? Dans les accusations que Claude porte contre Hélène – «C'est elle qui m'a vendu!» (*EPD*, 52) – et contre le frère chargé de le surveiller – «Y me donne des affaires pour boire, Hélène! Y veut m'empoisonner!» (*EPD*, 55) –, deux éléments viennent renforcer l'idée qu'il métaphorise une forme d'inconscient collectif. Bien qu'Hélène résiste comme elle peut à un monde sans perspective et à un milieu favorisant l'attitude prostitutionnelle, elle y vend toujours un peu son âme et s'éloigne, malgré sa volonté d'affirmation, de plus en plus de ce qu'elle désire, comme l'ont déjà fait tous les autres. L'accusation de Claude envers le religieux renvoie presque automatiquement, quant à elle, à la notion d'«opium du peuple». Encore là, Claude personnifie l'abîme que la religion aurait pour fonction de chosifier[18].

Si on devait exclure l'ajout de ce dernier «Quintette» – qui n'existait pas dans *Cinq* –, si on devait oublier la création, lors de cette deuxième version, du personnage de la Voisine –véritable «conscient collectif» – et l'élimination par l'auteur de deux autres «pièces», au demeurant séduisantes, faisant partie de *Cinq*, et si le choix de conserver «Duo» (malgré le cliché des hommes-sandwichs robotisés) pouvait se défendre esthétiquement, on pourrait peut-être ne saluer, dans ce fameux «Quintette», que «la présence du fantastique [...] chez Claude[19]» et la création d'un univers plus poétique chez l'auteur. En fait, tous les bouleversements que l'écriture a connus d'une version à l'autre tendent plutôt à confirmer que ce biais poétique cristallise un univers résolument politique.

L'Histoire en hors champ 3

Plus que de chercher un effet dramatique, Tremblay semble avoir eu pour objet la fin d'une certaine représentation qui, au lieu d'engendrer une action dans la «cité», n'aurait pour but que de perpétuer l'institution (théâtrale, par exemple) ou l'ordre établi d'une société dite hétéronome[20]. Ainsi, il joue le réalisme – l'entrée en scène de la Voisine – contre le réalisme.

L'Histoire, dit Sartre, est une «continuité idéale perpétuellement brisée par le discontinu réel[21]». La Voisine est bel et bien celle qui, dans l'œuvre, remplit les vides et doit maintenir le fil de l'histoire, car l'Histoire est toujours une organisation, «ce dans et par quoi émerge le sens[22]». Mais comment la Voisine remplit-elle ce rôle? Elle ne voit en cette famille qu'une bande de fous. Il faut donc distinguer entre l'observation et la surveillance. La Voisine n'observe pas au sens fort, elle épie, elle colporte, elle ne vaut pas mieux que ce qu'elle regarde et, à ce titre, elle vaut peut-être moins. Elle est incapable de recréer l'Histoire parce qu'elle n'arrive pas à se détacher de ce qu'elle voit. Le public avait-il besoin d'une telle médiatrice pour comprendre ce qui se passe? On peut en douter. En revanche, ce personnage exhibe, sans échappatoire possible, l'incapacité où se trouvent tous les personnages regardant/regardés de tirer du réel, du quotidien, une histoire:

> Inondés d'objets [aujourd'hui], nous rêvons aux relations comme au paradis perdu. Ce paradis faisait un enfer très ordinaire, peuplé de voyeurs et de policiers volontaires, gluant de soupçon, où la paresse le disputait à la politique[23].

L'élimination du premier «Quatuor» et la substitution de l'ancien «Quintette» (*Cinq*) au nouveau (*En pièces détachées*), montrent bien que l'auteur n'a pas toujours eu recours au même ancrage social pour objectiver cet «enfer des relations». L'approche dramaturgique de *Cinq* est essentiellement négative. Elle n'ouvre pas sur une possibilité de faire l'Histoire, elle en révèle au contraire la fin. Comme chez Beckett, les personnages, aliénés sur le plan métaphysique, ne peuvent évoluer: ils ne font que piétiner. On ne trouve, dans une telle esthétique de «post-Histoire», où plus rien ne saurait arriver, aucun espoir de réappropriation pour le sujet. Cette réappropriation devient une utopie déclarée (comme dans *En attendant Godot*), et tous les personnages sont des formes d'unités sociales où le «je» apparaît ni plus ni moins comme illusion du propre ou comme identité résiduelle.

Ainsi, à l'intérieur du premier «Quatuor» (il y en avait deux dans *Cinq*) et du premier «Quintette», la crise de l'action se loge ailleurs que dans les identités: le mari, la femme, l'amant, la maîtresse du mari, l'ancienne maîtresse de l'amant de «Quintette», par exemple, sont avant tout des archétypes. Unités masculines, unités féminines, où le «je» apparaît en tant que seule illusion du propre. Loin de reproduire de quelque manière que ce soit le quotidien (les costumes de ville dans «Quatuor», l'anachronisme voulu entre ceux-ci dans «Quintette», l'abondance de phrases s'entrecoupant ou de voix se superposant) se crée, tel un rituel absurde, un univers froid, aux références bourgeoises, exécutoire de la parole. Dans «Quatuor», un homme et une femme sont assis face au public. Derrière l'homme, il y a une femme, derrière la femme un autre homme. Ainsi, pour chaque réplique un homme et une femme se trouvent à répondre en même temps, dans un français très correct, à une autre femme et à un autre homme. Leur discours porte sur la fin d'une relation amoureuse et s'établit en «séquences»: des «noirs» séparent la demande de pardon, le refus d'être quitté, l'aveu amoureux et l'irrémédiable rupture, jusqu'à ce qu'une substitution des rôles – ce qui objectivement ne change rien à la situation décrite – donne l'idée que tout recommence *ad infinitum*. Le «Quintette» de l'époque montre aussi les relations de couples sous un aspect séculaire. Cette fois, un air de valse joué au piano revient périodiquement, de sorte que la pièce se termine quand les cinq personnages crient plusieurs fois: «Arrêtez cette musique!» Mais, une fois en enfer, il ne sert à rien de crier... Les autres personnages des pièces plus réalistes, dont celui de Berthe dans «Solo» («pièce» qui disparaît à la création d'*En pièces détachées* mais que l'on retrouve dans *Trois Petits Tours*..., sous le titre de *Berthe*), peuvent toujours s'agiter pour trouver leur identité, il n'y a rien à faire, car nous serions tous, déjà, des «clones» en puissance, interchangeables.

Il n'y a là aucun temps historique, aucune «situation» particulière. Dans les deux cas, on assiste à la démonstration du cercle vicieux des relations humaines, au radicalisme apparent de tous les autres schèmes ou codes sociaux. Jamais «l'éternel retour», dont se plaindra par exemple Robertine, n'est aussi péremptoire et n'a, sur le plan d'une perception de l'Histoire, les mêmes implications dans la deuxième version :

> ROBERTINE – Ça recommence… ça recommence… Un éternel recommencement… […] Je suppose que va encore falloir toute encaisser sans rien dire! Les bêtises, les reproches, les blasphèmes, les caresses… (*EPD*, 37)

Par l'ancrage réaliste, on maintient la possibilité, pour les personnages concernés, qu'il en soit autrement… En se défaisant de ces deux «exercices de style» lors de la création d'*En pièces détachées*, l'auteur fait donc un choix qui apparaît plus éthique qu'esthétique. Par l'ancrage réaliste et l'articulation de l'«unité sociale» opposée à l'«identité», Tremblay invite à l'autonomie individuelle et collective. Ce faisant, il se place dans une position inaugurale où il ne saurait être question de nostalgie[24], mais bien davantage d'une aspiration à l'Histoire. Si seuls des motifs esthétiques avaient déterminé tous ces choix, «Duo» aurait disparu également. Les deux hommes-sandwichs produisent, il faut le dire, une convention théâtrale d'un intérêt très limité.

Cette pièce, «Duo», se situe en *flash-back* (avant qu'Henri ne devienne estropié), et les trois enfants que les personnages disent avoir ne se rapportent même pas au reste de la fiction (Henri n'a qu'une fille). Puisque le titre de l'ensemble des pièces ne saurait justifier à lui seul pareille incohérence, ce choix ne s'explique encore que par la création de l'axe «dépossédé/possédé» qui articule, en opposition au personnage de la Voisine, la question du «propre». D'ailleurs, «Duo» n'existera plus lors de la version télévisuelle. Dans cette dernière, on peut d'ailleurs se demander si la profusion des identités ne vient pas considérablement anecdotiser le propos et déséquilibrer la structure de la pièce, altérant la polarisation formelle qui caractérise un tel procès de réappropriation. Comme si Tremblay, en multipliant le nombre de petites histoires, était passé d'une esthétique épique à des préoccupations plus anecdotiques.

La structure qui se tait

Dans cette troisième version, les tableaux perdent leur dénomination à caractère musical (l'ordre de progression des pièces n'a plus de valeur que narrative), et le rôle de la Voisine se trouve disséminé en un réseau de neuf commères, dont les apparitions constituent trois des sept «parties». La partie qui s'ajoute, et qui vient immédiatement après l'ancien «Trio», a lieu au bar du *Coconut Inn*. Lucille, la *barmaid*, s'occupe également de la caisse. Elle est vraisemblablement la «protégée» de Maurice, grand patron de l'établissement. Thérèse (anciennement Hélène) va la rencontrer avec l'espoir de travailler de nouveau dans ce club où elle est devenue *persona non grata*. La présence, notamment, d'un «maître de cérémonie», du groupe des *Aurores Sisters* (qui exécutent une chanson traitant d'une Hélène partie de chez elle et qui aurait dû rester avec sa famille...), de Tooth Pick, subalterne de Maurice, et puis l'arrivée de ce dernier, renforcent la dimension réaliste de l'œuvre. L'allusion à Marcel (et celle que celui-ci, anciennement Claude, fait à l'endroit de ces *maffiosi* dans un «Quintette» légèrement modifié), les menaces voilées de Maurice dirigées contre la famille de Thérèse, bref, tous ces nouveaux liens entre les pièces, créent une représentation qui se referme sur elle-même. L'œuvre n'apparaît plus ouverte.

L'asile ou le royaume

L'effort accompli pour dépasser l'aliénation, entendue comme réification ou obnubilation de la subjectivité effective, s'est toujours développé, au cours du siècle, dans la direction de la réappropriation. Mais la réification généralisée, la réduction de tout à la valeur d'échange, qu'est-ce, sinon le monde devenu fable? Toute tentative de rétablissement d'un «propre» face à cette dissolution [de l'être dans la valeur d'échange, dans le langage] n'est encore et toujours qu'un nihilisme réactif; effort en vue de renverser la domination (et le domaine) de l'objet pour y installer la maîtrise d'un sujet, qui se représente

cependant comme réactivement doté des mêmes caractères de force coercitive propres à l'objectivité[25].

À l'intérieur d'*En pièces détachées*, ce n'est pas à travers
l'évolution d'un sujet maître de lui ou confronté à différents
choix que s'exerce un tel procès de réappropriation. Le type
de sujet représenté, et c'est là son intérêt, en est un en «souffrance». Incapable de conférer du sens à sa vie, il oblige le
spectateur, de par la structuration de la pièce, à assumer
autrement une présence à l'Histoire – une part de création du
sens qui, fondée sur l'autonomie, maintient celui-ci ouvert, au
lieu de le fermer en se faisant, «réactivement», coercitive.

Dans *Albertine, en cinq temps*, le sujet ne sera pas non
plus doté d'une telle «maîtrise». Cependant, vu la «faille» du
personnage, qui nous est rendue sous la forme d'une
ubiquité temporelle, l'auteur nous montre cette fois un
procès de réappropriation en forme de fantasme: il y a
toujours ce désir persistant d'un moi unifié mais qui, par la
façon dont la pièce se structure, ne peut être saisi qu'en tant
que nostalgie ou fantasme. Ce théâtre fait du psychologisme
son objet. Il met en scène un être en morceaux; à la fois
entiers et toujours partiels, fixés dans des époques différentes, ces morceaux cherchent à se «réconcilier». Le réel
serait-il pour l'auteur bel et bien devenu fable? Pensons à la
problématique de la pièce subséquente, *le Vrai Monde?*, où
fiction et réalité deviennent très relatives.

Dans la pièce qui nous concerne, c'est par le fou,
«l'Autre», que se pose la question de l'identité singulière et
collective: si, pour lui, l'asile aux murs blancs signifie la
maison, il faut chercher à redéfinir celle-ci. Dans une autre
pièce de Tremblay, *la Maison suspendue*, un professeur,
Jean-Marc, neveu d'Albertine (dénommée auparavant
Robertine), cherche à se réapproprier l'histoire de sa famille
tout en prenant congé de l'université qui fait de lui, de son
propre aveu, «un acteur qui a joué le même personnage
toute sa vie pis qui a fini par le haïr» (*MS*, 83). Encore ici,
rôles et institution (même valorisants ou positifs) étouffent
l'être d'un individu qui, cependant, en prend conscience:
«J'vais m'installer avec une plume, du papier, là où tout a
commencé. À la source de tout» (*MS*, 84), annonce-t-il.

Illusoire origine? Procès naïf opposant à la ville l'authenticité de la campagne? Nostalgie?

Toutefois, après la forme de réconciliation d'Albertine avec elle-même, le projet de Jean-Marc d'en faire autant avec l'Histoire indique que le souci d'une réappropriation de l'être et d'une communauté réelle fait toujours partie des préoccupations de l'auteur. On peut voir, dans l'axe de cette œuvre, toutes les «voisines» imaginables sous la forme d'épouvantails ayant trop longtemps gardé la maison suspendue...

NOTES

*   Le lecteur doit savoir que Michel Tremblay a modifié quelque peu le texte de sa pièce à deux reprises après la version pour la télé en 1971: une première fois pour la production en anglais présentée au Centre Saydie Bronfman en 1979 et la seconde pour celle qui fut présentée au Théâtre du Nouveau Monde en 1994 et publiée la même année chez Leméac. La prise en compte de ces variantes n'est pas apparue nécessaire à la compréhension des enjeux dramaturgiques auxquels s'attache la présente étude. (Note de l'éditeur)

1.   Paolo Virno, « Limites du langage et communauté réelle », dans *la Radicalité du quotidien, Communauté et informatique*, Textes réunis et présentés par André Corten et Marie-Blanche Tahon, Montréal, VLB éditeur, 1987, p. 79.

2.   Dès la troisième version, et plus tard dans l'œuvre de l'auteur, ces personnages n'ont plus les mêmes noms: Robertine devient Albertine; Hélène, Thérèse; Claude, Marcel; Henri, Gérard; Francine, Joanne.

3.   Michel Tremblay, *En pièces détachées*, suivi de *la Duchesse de Langeais*, Montréal, Leméac, coll. « Répertoire québécois », n° 3, 1970, p. 13. Toutes les autres références renvoient à cette édition.

4.   Michel Tremblay, «Trio», Bibliothèque nationale du Canada, Division des manuscrits, Ottawa, p. 3. Je préfère citer ce passage tiré de *Cinq*, qui condense la même idée, développée dans la deuxième version de «Trio».

5.   « [...] le mouvement de généralisation de la valeur d'échange auquel est en proie notre société [...] que Marx ne pouvait encore définir qu'en termes moralisants de "prostitution généralisée" et de désaffection pour l'humain.» Gianni Vattimo, *la*

Fin de la modernité, Nihilisme et herméneutique dans la culture post-moderne, Paris, Seuil, 1987, p. 29.

6. «Dans les sociétés hétéronomes, *i.e.* dans l'écrasante majorité des sociétés qui ont existé jusqu'ici – presque toutes –, on trouve institutionnellement établie et sanctionnée la représentation d'une source de l'institution de la société qui se trouverait hors société : chez les dieux, chez Dieu, les ancêtres, dans les lois de la Nature, dans les lois de la Raison, dans les lois de l'Histoire.» Cornélius Castoriadis, *Domaines de l'homme*, Paris, Seuil, 1986, p. 315.

7. *Ibid.*, p. 315.

8. «Il faut distinguer la "faute" et l'"échec" : la faute a une signification morale ; nous sommes responsables de nos fautes. L'échec n'a qu'une signification technique, il marque la limite de l'activité individuelle, l'"écart entre les fins visées et les fins réalisées" (Nabert, *Éléments pour une éthique*).» Didier Julia, *Dictionnaire de la philosophie*, Paris, Larousse, 1991, p. 69.

9. Jean-Paul Sartre, *Cahiers pour une morale*, Paris, Gallimard, 1983, p. 25.

10. Cornélius Castoriadis, *op. cit.*, p. 383.

11. Jean-Paul Sartre, *op. cit.*, p. 27.

12. J'utilise, dans une autre perspective, cette formule d'Elisabeth Young-Bruel : «Quand Hannah Arendt racontait des histoires, elle ne faisait pas de commérage [...] : elle parlait des êtres dans le monde et non pas du monde dans les êtres.», citée par Françoise Collin, «Événement et quotidienneté», dans *la Radicalité du quotidien, Communauté et informatique, op. cit.*, p. 39-40.

13. Jean-François Lyotard, *l'Inhumain, Causeries sur le temps*, Paris, Éditions Galilée, 1988, p. 10.

14. «Entre l'homme et le monde, la médiation est, selon Marx, le travail, et seule une "dialectique" du travail peut expliciter la nature de l'action humaine.» Didier Julia, *op. cit.*, p. 169.

15. Cornélius Castoriadis, *op. cit.*, p. 316-317.

16. *Ibid.*, p. 369.

17. *Ibid.*, p. 370-371.

18. « La religion chosifie l'abîme [...] : elle l'exporte dans un ailleurs et le réimporte de nouveau dans ce monde sous la forme du sacré.» Cornélius Castoriadis, *op. cit.*, p. 318.

19. Alonzo Le Blanc, «*En pièces détachées*, drame de Michel Tremblay», *Dictionnaire des œuvres littéraires du Québec 1960-1969*, tome IV, Montréal, Fides, 1984, p. 305.

20. Toujours au sujet de la société hétéronome, Castoriadis précise : «L'essentiel revient à ceci : l'auto-occultation de la société, la méconnaissance par la société de son propre être comme création et créativité, lui permet de poser son institution comme hors d'atteinte, échappant à sa propre action.» Cornélius Castoriadis, *op. cit.*, p. 381.

21. Jean-Paul Sartre, *op. cit.*, p. 33.

22. Cornélius Castoriadis, *op. cit.*, p. 368.

23. Michel Serres, *les Cinq Sens*, Paris, Grasset et Fasquelle, 1985, p. 40.

24. Vattimo se demande s'il ne faut pas «décrire la résistance à cette désaffection [pour l'humain], dans les formes [...] d'une critique de la culture de masse (à ne pas confondre avec celle du totalitarisme), encore et toujours en termes de nostalgie pour la réappropriation, pour Dieu, pour l'*ontôs on*; ou, en termes psychanalytiques, comme nostalgie pour un moi imaginaire qui réussirait à résister à la mobilité, à l'insécurité et au jeu de permutations du Symbolique». Gianni Vattimo, *op. cit.*, p. 29-30.

25. Gianni Vattimo, *op. cit.*, p. 30.

LA DUCHESSE DE LANGEAIS

ALEXANDRE LAZARIDÈS

LE CŒUR OBSCÈNE

Il y a, dans la *Duchesse de Langeais*, une polyphonie tout à fait étonnante par laquelle l'héroïne, une «vieille pédale d'une soixantaine d'années[1]», convoque une foule fantôme qu'elle harangue, cajole ou conspue, alors qu'elle-même est, du début à la fin, toute seule en scène. C'est un endroit déserté et anonyme où elle se trouve en vacances, une terrasse de café à l'heure de la sieste, «quelque part dans les pays chauds[2]» (*DL*, 81), lieu qu'elle transforme en tréteaux pour y rejouer apparemment sa vie: lieu de passage, lieu passant, sans secret, sans fantasme. Elle divague, pérore, raconte, se confesse, erre de souvenir en souvenir en vidant verre sur verre et, dans cette fuite, ne sait pas ce qu'elle va dire, le sait de moins en moins au fur et à mesure qu'elle creuse sa confession. Elle semble bien étonnée, parfois, de ce qui émerge de sa logorrhée...

Ce courant au fil duquel elle se laisse aller, c'est, le plus souvent, la chasse aux mâles, sauf qu'il n'y en a guère à cette heure. Tous «doivent [...] être couchés, là, la queue ben au repos... "Tendrement posée sur la cuisse" comme je dirais si j'étais poétesse...» (*DL*, 84) La verdeur et la violence du langage de la duchesse expliquent que cette œuvre, écrite sans doute au milieu des années soixante[3], n'ait pu être représentée qu'en 1970, après la révolution tranquille des *Belles-Sœurs*; on peut même croire que la vertu corrosive n'en est toujours pas épuisée. Ce personnage de Tremblay semble bien rabelaisien par l'énormité et la truculence de sa boulimie sexuelle, dont on peut croire qu'elle est maintenant plus fantasmée que réelle. Quant au passé, accordons-lui le bénéfice du doute et de la fiction. Jadis, une tentative de décompte s'était arrêtée à deux cent trente-huit marins avant que la duchesse ne perde le calepin qui lui servait de «record» (*DL*, 101), et, même si elle ne nous dit rien des autres professions et métiers dont les représentants auraient pu être ses clients, nous savons que le grand total doit s'élever à quelques milliers d'initiés. Relevons ce clin d'œil vers le fameux «catalogue» que Leporello tenait pour son maître dans le *Don Giovanni* de Mozart, sauf que la duchesse nous apparaît bien plus comme la Gargamelle que comme le Don Juan des travestis. Sa démesure tient plus de la mystification que du mythe.

Malicieux ou complice, le dramaturge précise qu'«aucun balancement de hanche, [...] aucune œillade "perverse" ne doivent être épargnés. La caricature doit être complète, parfaite... et touchante». (*DL*, 81) L'auteur trouve pour son personnage le regard clinique, à la fois émerveillé, protecteur et impitoyable, de l'entomologiste pour son insecte préféré[4]. Que la duchesse boive, rie, chante ou tousse, tout est matière à précision ; d'où le nombre élevé de didascalies, une centaine, ce qui, compte tenu de la brièveté de la pièce, constitue un phénomène exceptionnel dans le théâtre de Tremblay. Tous les menus gestes de la duchesse égarent le spectateur (ou le lecteur). On ne prend que lentement conscience des aspects troublants du personnage, qui, à force de lucidité cruelle, voire masochiste, réussit à toucher une sorte de tuf psychologique où vivre, c'est d'abord désirer, c'est-à-dire souffrir. La duchesse elle-même mettra quelque temps à s'apercevoir des contradictions qui l'habitent comme une foule aux voix intempestives et diversifiées.

Monologue à trois

Le terme de monologue, qui a souvent été employé pour ce texte, n'en désigne qu'une faible part, et décrit plutôt mal la complexité de son énonciation. C'est que la duchesse est tout un monde ; c'est même une femme beaucoup de monde. Une sorte de femme-orchestre. La maîtrise du langage dramatique permet à Tremblay de passer d'une instance à l'autre sans que soient jamais brouillées la compréhension de ce qui se dit, ni l'identité des interlocuteurs imaginaires. Ainsi, la duchesse se penche avec une bienveillance toute spéciale sur la «p'tite fille» qu'elle sent en elle, à qui elle dit «tu» et

qu'elle appelle «ma noire», «ma chérie» ou, plus simplement, «tite-fille[5]». Elle a pour cette part d'elle-même des
attentions maternelles. Elle tente de lui faire profiter de son
expérience de la vie, enfin, du genre de vie qu'elle a connu.
Elle fait son éducation en lui demandant de boire un verre
pour un «Monsieur» invisible, et la p'tite fille, en la personne
de la duchesse, de s'exécuter. L'obéissance est d'autant plus
méritoire qu'il n'y a plus de glaçons (même le garçon du
café est parti faire sa sieste) et qu'il faut boire l'alcool tout
âcre. Parfois, cette enfant, si sage d'habitude, devient
vulgaire, dit des choses inconvenantes ou se comporte de
façon déplacée; elle sera donc promue bouc émissaire des
frasques de la duchesse, qui doit patiemment la souffrir,
comme il faut qu'une mère subisse les excès de sa fille au
plus aigu de son adolescence, en attendant que «ça lui
passe».

Pour sa part, la duchesse est l'hypostase snob du
personnage, celle qui croit mériter honneurs et révérences,
prétendant être la seule de toutes les «poudrées», des
«folles» et des «tapettes» à pouvoir se faire passer pour une
femme du monde, étant la seule aussi à avoir accompli le
voyage, sinon le pèlerinage obligé en Europe et autres conti-
nents (excepté l'Océanie qu'elle n'a jamais pu trouver...)
pour acquérir le savoir et le mérite liés à son titre. Et cela,
tout en manifestant, voyez-vous, beaucoup de gentillesse et
de sollicitude pour celles qui n'ont pas encore acquis son
savoir-faire (mais le pourront-elles jamais?) et qu'elle aide
gracieusement dans leurs premiers pas de demi-mondaines.

Parfois, la duchesse et son double juvénile s'effacent, et
c'est simplement une femme un peu fatiguée qui se parle en
dehors de toute pose. Elle se morigène, se tance, se lance
des avertissements, s'interroge à mi-voix dans l'intimité
retrouvée avec elle-même, comme tout un chacun. Et son
langage lui-même se transforme et devient comme neutre,
alors que le verbe de la duchesse était plutôt flamboyant et
se prêtait volontiers à l'hyperbole. Ainsi, le personnage est
présent dans le texte sous trois formes, presque trois
niveaux de langue, dont les index pronominaux sont «je» (la
femme en tête-à-tête avec soi), «tu» (l'enfant vulnérable
qu'il faut protéger) et «elle» (la glorieuse duchesse à qui

seule convient la distance respectueuse de la troisième personne). Un seul être déchiré en trois personnes, il n'en fallait pas moins pour la duchesse. Et cette trinité coïncide curieusement avec la topique freudienne de l'inconscient. En la duchesse, ça parle.

Une femme du monde

À vrai dire, l'inventaire de ce *one man show* n'est pas épuisé. Les références culturelles sont nombreuses et touchent au cinéma, au théâtre, à la danse, à la poésie, à la chanson… De Sarah Bernhardt à Pauline Carton, et de *Britannicus* à *l'Aiglon*, nous saurons que la duchesse a des lettres, quelque peu rapaillées à vrai dire. Plus encore, elle se livrera devant nous à une imitation de Galina Oulanova dans *le Lac des Cygnes* et nous chantera, vers la fin du premier acte, un texte de Mac Orlan. Inépuisable duchesse! À ce brouillage carnavalesque des cultures se superpose le va-et-vient entre les niveaux de langue, du français plutôt châtié au joual le plus provocant. Ainsi, un vague alexandrin aux accents baudelairiens (le Guignon?): «Enfoui dans ma mémoire comme un joyau précieux…» sera cassé net par un burlesque: «Le niaiseux! C'est pas possible!» (*DL*, 84), et le premier vers du songe d'Athalie fera une chute originale sur un insoucieux «Entéka!» (*DL*, 90)

Les expressions drolatiques ne manquent pas non plus: les fruits de mer sont assimilés à une «bebitte dans la bouche» (*DL*, 86), une ouvreuse est une «déchireuse de tickets» (*DL*, 85), un amant sera baptisé «à la verge d'airain» (*DL*, 85), etc. Le recours à des mots, à des expressions ou même à des phrases en anglais semble le fait d'une vraie femme du monde, qui aurait transcendé définitivement ses origines sociales et les barrières linguistiques, et qui, de plus, a beaucoup voyagé et peut le démontrer. D'autant plus que les rivales les plus méprisantes à son égard sont les «estivantes de la C.B.C.» (*DL*, 85-86), les «princess from Montreal, Canada» (*DL*, 86), qui ne lui font «pus peur», mais à qui elle envoie, par acquit de conscience, ses tomates les plus pourries. La portée sociologique de ces détails est à souligner: toute une époque et un certain Québec sont ainsi recréés, non sans quelque nostalgie.

C'est surtout le groupe des «filles» qui constitue l'auditoire privilégié de la duchesse. Elle l'évoque par un certain nombre d'appellations, telles que, dans la veine pastorale, «mes brebis» ou «mes agneaux», ou bien, dans un registre plus mondain, «chères amies» ou «les Filles», ou encore, «trésors-chéris» et «mes p'tites filles». Lorsque les souvenirs du destin commun et des tribulations partagées l'émeuvent, la duchesse accepte de s'intégrer au *vulgus pecus* et use d'un «nous» grégaire. Elle s'adresse parfois à des clients supposés, qu'elle interpelle par des termes câlins, tels que «mon bijou», «trésor chéri» ou «mon petit». D'autres fois surgissent un «tu» ou un «vous» dont on ne sait trop qui en constitue le référent. N'importe: le monde entier est son territoire de chasse, tout est pour elle sous-bois où il ne faut jamais désespérer de trouver «quequ'gibier» (*DL*, 84). La duchesse voit toujours grand, mais jamais bien loin. C'est ce qui fait qu'elle tourne en rond autour d'elle-même. Mais elle vient de découvrir que quelque chose en elle lui avait jusqu'à présent échappé.

Procès pour crime d'amour

C'est que le cœur s'en est mêlé. Dès les premières phrases, nous avons été informés de l'argument: «Ce soir, on ne fait pas l'amour, on se soûle! [...] Oui, les filles! Fini, l'amour, ni-, ni, fi-ni! Final-bâton, on n'en parle pus!» (*DL*, 82) L'information était plus déterminante qu'elle n'en avait l'air. À cette terrasse de café, en tête-à-tête avec une bouteille de scotch-whisky déjà à moitié vide au début de la pièce, la duchesse est en train de se soûler comme une tique non pas tant pour oublier que pour ne pas se rappeler. La blessure est toute fraîche, elle date en fait de la veille. Le jeune garçon dans la vingtaine dont elle est éperdument amoureuse, chose qui ne lui était pas arrivée depuis une quarantaine d'années, a pris la clé des champs avec un adolescent. Et la duchesse, qui se croyait à jamais prévenue, en est chavirée:

«La duchesse», une peine d'amour! Comme si c'était possible! Après quarante ans de métier! Ben moé aussi j'pensais qu'après quarante ans de métier on n'avait pus de cœur, imaginez-vous donc! Ben, écoutez-moé ben, les p'tites filles, après quarante ans d'expérience, quand on se rend compte qu'on a encore un cœur... (*DL*, 88)

Ce n'est pas tant la trahison qui la tarabuste que l'impression de déchoir ou, pis que cela, de démériter. Elle n'a plus droit à ce titre auquel elle tient désespérément, celui de duchesse, qui ne doit couronner qu'une femme hors du commun. Elle qui croyait se connaître apprendra donc à faire les derniers renoncements. Elle va grotesquement s'arracher les ultimes restes de cœur en réduisant au ridicule tout ce qui avait été sa vie et ses amours; elle ne s'épargnera l'aveu d'aucune faille, d'aucune faiblesse, d'aucune folie. La voici s'exhibant sur la place publique afin de reconquérir son titre et l'estime de son milieu par une autoflagellation sans merci. Qui pourrait rivaliser avec elle dans cette ascèse implacable et bouffonne? Elle le sait: personne. Cette stupéfiante absence de retenue, cet exhibitionnisme insoucieux des bienséances font la force et le pouvoir de la duchesse, parce qu'elle s'y risque totalement, à la manière d'une trapéziste qui refuserait la sauvegarde d'un filet pour subjuguer la foule en jouant à tout coup sa vie. Il y a une certaine grandeur dans son entreprise.

C'est ce procès insolent et démystificateur qui assure en fait le caractère dramatique du monologue. Celui que la duchesse instruit contre elle-même, à la fois juge et partie, n'est pas, au fond, différent de celui d'Œdipe: enrayer un mal par le châtiment du coupable. Si la duchesse s'est attachée au sujet qui lui paraissait le plus éloigné de son obsession, le plus vide d'amour: sa propre vie, c'est pour couvrir et racheter son crime d'amour. Il faudrait croire aussi que ses innombrables clients sont des témoins à décharge qu'elle convoque à la barre pour confirmer, devant le jury averti et jaloux des «filles», qu'elle a bien défendu sa réputation, et que les hommes ont toujours trouvé chez elle le *nec plus ultra* de la profession; cette conscience professionnelle garantit l'honnêteté foncière de la duchesse. C'est peut-être même à quelque juge qu'elle s'adresse tout au début de la pièce, sans qu'on y prenne trop garde, pour le convaincre qu'elle n'a pas démérité en tombant amoureuse, qu'elle est restée, malgré tout, fidèle à cet Idéal du Moi

auquel elle avait consacré sa vie: «Oui, votre honneur,
quarante ans de service et toutes mes cartes de compétence! À la française, à la grecque, tout c'que vous voudrez!
Et de première classe!» (*DL*, 82) Ce juge n'est autre,
comme il fallait s'y attendre, qu'un surmoi peu soluble dans
l'alcool, qui va faire une irruption cruelle vers la fin, pour
rendre son verdict:

> Duchesse, ton orgueil devrait te bloquer dans la gorge
> pis t'empêcher de respirer! Tu devrais étouffer bleu!
> Mais après deux bouteilles de Whisky, t'en n'as plus d'or-
> gueil, hein ma chérie? Tout s'est envolé! Même ton faux
> goût pour un marin Péruvien se sauve cul par-dessus
> tête! Ben souffre, ma sacrement. C'est de ta faute! Paye,
> ma câlice, paye! Tu le savais que ça finirait comme ça!
> Tu le savais! Tu te vantes partout d'avoir quarante ans
> d'expérience, ben pourquoi t'as pas faite c'que ton expé-
> rience te disait de faire! Ben crève, asteur! Essaie pas
> de lutter, ça sert à rien! (*DL*, 105)

On découvre dans cette sortie, dont la gravité véhé-
mente et le lyrisme sont surprenants, un mélange d'orgueil
naïf (il faut toujours pouvoir), de la mauvaise conscience (le
goût immodéré pour les marins, c'est du chiqué), du
sadisme (les souhaits de souffrance et de mort sont explici-
tes), du désespoir (tout est perdu), et, pour la première fois,
de la culpabilité. Et puis, le vide, la solitude, le désert du
dedans, tout cela que représentait au dehors la terrasse
entièrement désertée de ce café à l'heure brûlante du midi,
lieu et moment symboliques de cette infernale découverte
de soi. Son amour doit être châtié à l'égal d'un crime; il a
bafoué la loi imprescriptible du milieu, selon laquelle le cœur
est bien plus obscène que le cul, parce qu'il asservit à
l'Autre, comme le reconnaît la duchesse: «J'ai régné
pendant trop longtemps pour pas me rendre compte comme
c'est écœurant de toujours courber l'échine... pis servir...»
(*DL*, 104). On pourrait croire que la revendication de la
duchesse revêt ici quelque connotation sociale... Mais, à
cette obscénité du cœur qui fait de l'amour un crime, n'y
aurait-il pas aussi quelque raison plus essentielle?

Le nom de la mort

Car que peut signifier cette entreprise de mutilation affective? Quelle est donc cette gloire de ne pas avoir de cœur, d'être incapable d'aimer? La peur de souffrir d'amour semble-t-elle à la duchesse plus intolérable que le jeu de massacre féroce auquel elle se livre? Même si elle affirme: «Faut croire que j'ai toujours été masochiste...» (*DL*, 99), cherchons la réponse ailleurs, dans le fait primordial que la duchesse refuse obstinément de reconnaître l'homme qu'elle est (ou qui est en elle, on ne sait trop). Elle se morigène après un lapsus et s'écrie: «Seigneur-Dieu! J'commencerais-tu à parler de moé au masculin? Quelle horreur!» (*DL*, 83-84) Émule de Sarah Bernhardt, elle joue *l'Aiglon* et s'étonne candidement: «Ben, c'est ben simple, j'avais quasiment l'air d'un homme![6]» (*DL*, 90)

Sauf que ni l'humour ni la grivoiserie ne réussiront à gommer le tragique. La duchesse plaisante bien moins qu'elle ne le croit quand, à la fin du premier acte, contrainte par la nature d'interrompre son numéro pour «se poudrer le bout du nez» (*DL*, 94), elle s'en justifie de façon gouailleuse en précisant que c'est pour «aller tirer une pisse comme la plus commune des mortelles...» (*DL*, 95). Elle, la duchesse! Mais ce modeste tribut rendu à la nature sera comme racheté et annulé par la première phrase qu'elle dira à son retour, un seau de glaçons à la main, au début du second acte: «Seigneur, rendez mon cœur semblable au vôtre!» (*DL*, 97) Il faut quelque attention pour comprendre qu'avec le refus de son identité sexuelle (quelle que soit l'imprécision de cette expression), c'est aussi, mais astucieusement, subrepticement, sa condition mortelle que récuse la duchesse.

Toutes les mythologies le disent bien: les dieux et les déesses qui s'éprennent des mortels doivent renoncer à leur propre immortalité; le secret divin n'est autre que le refus d'aimer, parce que le cœur, en donnant l'amour, donne la mort. Ne plus en avoir sera l'apothéose du travesti qui triomphe de la nature en ignorant les voies humiliantes de la condition humaine. Entendons: on ne meurt que d'être sexué... La banale oraison jaculatoire qui ouvre le second acte nous éclaire sur la phobie de la duchesse d'avoir un cœur, et l'entracte, dont la justification triviale semblait, à première vue, plutôt désinvolte, met, sous cet éclairage, dans le mille.

On peut maintenant comprendre pourquoi les allusions à la mort se multiplient pendant le second acte, en même temps que la peine d'amour, gardée jusqu'alors à moitié secrète, comme le coupable retient l'aveu de son crime (suspense oblige), va être entièrement confessée. La duchesse clame qu'elle n'affronterait la mort que sur la table d'opération, au seul cas où il faudrait lui «remonter le visage une quatrième fois» (*DL*, 100): être belle n'est qu'une autre façon de briguer l'immortalité. Mais quand, pour se rassurer, elle ajoute tout à trac: «Tu mourras pas, c'est ben ça qu'y'est effrayant!» (*DL*, 106), la phrase frappe juste, mais dans l'inconscient de la duchesse[7]. Toujours, c'est la même ambition démesurée qui est exprimée, le même désir inconscient de déjouer la nature par un comble d'artifice ou de vice, puisqu'à six ans, elle «agaçait» déjà un sien grand cousin, pour qu'il lui «fasse mal» (*DL*, 99), et ce souvenir, qui l'attendrit, lui fait aussitôt donner un coup de poing sur la table, dans un geste de colère contre tant de faiblesse humaine. Quand, ailleurs, elle joue les faraudes en se décrivant comme «une mante religieuse, une mangeuse de mâles», qu'elle affirme être dangereuse: «Mais ma chérie, t'as toujours été dangereuse! Pis tu l'es encore!» (*DL*, 100), ou qu'elle se flatte, mère phallique, d'être «encore capable d'en épuiser des p'tits jeunes...» (*DL*, 102), c'est bien toujours la même entreprise de glorification de soi qu'elle poursuit différemment, mais obstinément, comme une taupe creuse son terrier. Au-delà, on croirait pressentir quelque chose comme l'ombre dansante de la mort, toujours présente, toujours conjurée. L'amour, ou la peur de l'amour, c'est le retour de ce refoulé-là.

Dans le bal costumé où la diva avait paru déguisée en Belle au bois dormant, elle avait dominé toutes ses rivales en paraissant «plus femme que toutes les femmes!» (*DL*, 101) Son comportement est à l'opposé de celui d'Hosanna, dont la déconfiture, lors du même bal masqué où celui-ci croyait devoir faire un malheur en Cléopâtre, l'amène, au contraire, à renier le travestisme pour accepter l'identité de son corps, de son corps physiologique, s'entend. Hosanna signifie par là l'acceptation de la castration dont l'insupportable menace avait été jusque-là masquée par des oripeaux fétichistes, la réconciliation avec le Nom-du-Père qui peut seule le faire accéder à son propre nom : Claude. La réconciliation subséquente avec Cuirette leur permettra de se retrouver en tant que Claude et Raymond, simples mortels sans titres ni surnoms, mais, peut-être, plus heureux.

Quant à la duchesse, elle ne retrouvera son vrai nom – Édouard – qu'à son rendez-vous avec la mort et mourra, peut-on croire, de l'avoir retrouvé[8]. On dit que, chez certains peuples, le nom du nouveau-né est gardé secret pour ne pas donner prise au mauvais œil, à la mort. C'est peut-être la raison, littéralement indicible, pour laquelle la duchesse s'obstine à taire le sien. D'une certaine manière, son titre de duchesse fonctionnait comme un paratonnerre ; il protégeait son vrai nom comme ses habits dérobaient son vrai sexe. Tous ses aveux font croire que sa vie se confond avec une chasse aux mâles menée avec panache, mais cette chasse insatiable n'aurait-elle pas été une manœuvre de diversion, une fuite en avant incoercible dont la duchesse vient de comprendre le chiffre : aimer, c'est (accepter de) mourir ? C'est pourquoi la duchesse avait troqué son nom contre un titre, même si elle ne pouvait régner qu'en s'aliénant. Elle qui avait «toujours rêvé de mourir sœur, Carmélite... En buvant du thé!» (*DL*, 106) avait pour cela embrassé la putasserie comme elle serait entrée dans les ordres : absolument.

Mais la duchesse est une impénitente. Désespérée que l'alcool lui fasse oublier cet amour «quasiment pur» qui l'a visitée («c'est comme si c'était mon enfant...» (*DL*, 104), précise-t-elle au sujet de son amant), la duchesse veut rechercher un marin péruvien ; mais il lui en faut un «avec une braguette ben remplie, là, t'sais, une braguette ben remplie avec une grosse bosse... que je peux poigner à deux mains!» (*DL*, 102) Ce qu'elle tient à deux mains, pour l'instant, ce n'est qu'une bouteille vide... Le thé n'était qu'un idéal, autant dire une extravagance.

Alexandre LAZARIDÈS

NOTES

1. Cette description apparemment méprisante du personnage fait partie de la didascalie préliminaire du premier acte de *la Duchesse de Langeais*. Voir Michel Tremblay, *la Duchesse de Langeais*, précédée de *Hosanna*, Montréal, Leméac, coll. «Théâtre», n° 137, [1973] 1984, p. 81. Toutes les références ultérieures renvoient à cette édition.

2. On apprend par Henri, dans *En pièces détachées* (la version théâtrale), que la duchesse «y'était'après se faire rôtir le cul à Acapulco» (*EPD*, 60).

3. Laurent Mailhot, (*Théâtre québécois I*, Montréal, Bibliothèque québécoise, coll. «Littérature», 1988, p. 275) situe *la Duchesse de Langeais* entre *le Train* (1960) et *Cinq* (1966). Cette précision chronologique jette un éclairage différent sur la manière dont Tremblay a conçu le Cycle des *Belles-Sœurs* après coup, comme Balzac le retour des personnages dans *la Comédie humaine*.

4. «Les plus beaux sujets de drame nous sont proposés par... l'entomologie», disait Gide. Cité par *le Petit Robert* à l'article *entomologie*.

5. La psychanalyse rapporte que, dans le travestissement mâle, «un facteur accidentel fréquent est que cette identification féminine ne se fait pas avec la mère mais avec une "petite fille" – par exemple avec une petite sœur (réelle ou imaginaire) ou à un niveau plus profond avec son propre pénis». Otto Fenichel, *la Théorie psychanalytique des névroses*, Paris, Presses universitaires de France, 1979, p. 417.

6. Ce qui est en question ici n'est certes pas l'hermaphrodisme, comme cela a été parfois affirmé; chez la duchesse, le travestissement est bien plus indicateur de transsexualité; sa personnalité repose sur une négation assumée jusqu'au bout. Sur la dérobade du masculin dans *la Duchesse de Langeais*, voir l'article de Pierre Lavoie dans le *Dictionnaire des œuvres littéraires du Québec 1960-1969*, tome IV, Montréal, Fides, 1984, p. 277.

7. D'ailleurs, le Cycle des *Belles-Sœurs* devait s'achever en 1977 par une inénarrable assomption, celle de Manon, dans *Damnée Manon, Sacrée Sandra*. Et Tooth Pick, l'assassin de la duchesse, ne prête-t-il pas, dans *Sainte Carmen de la Main*, de façon mensongère et d'autant plus significative, les paroles suivantes à Carmen: «j'vas sacrer mon camp, j'vas disparaître dans les airs, comme une fumée» (*SCM*, 78)? De même que la réalité

dépasse la fiction, la création, ici, dépasse la critique que l'on croyait en plein délire interprétatif.

8. Voir *Des nouvelles d'Édouard*, Montréal, Leméac, 1984. Rappelons que, dans le roman de Balzac, l'héroïne se fait carmélite après un grand chagrin d'amour dont sa coquetterie et son orgueil avaient été la cause.

TROIS PETITS TOURS...
DEMAIN MATIN, MONTRÉAL M'ATTEND

JEAN-MARC LARRUE

DU DÉPLACEMENT COMME PROCÉDÉ DRAMATIQUE

Trois Petits Tours... et *Demain matin, Montréal m'attend* sont respectivement la quatrième et la cinquième œuvre du Cycle des *Belles-Sœurs* et font partie du sous-groupe des pièces qui traitent plus spécifiquement de l'univers du spectacle. Les deux œuvres nous entraînent en effet dans les coulisses de *clubs* de la *Main* en même temps qu'elles nous plongent dans l'intimité de ceux et celles qui en animent les scènes. Elles révèlent leurs angoisses qui sont, en fait, celles de créateurs face à leur création, réelle ou à venir. Mais ces œuvres, produites en 1969 et 1970, ont deux autres caractéristiques communes qui les distinguent du reste des pièces de Tremblay. Dans les deux cas, l'auteur déplace l'action, spatialement ou symboliquement ainsi que nous allons le voir, et dans *Trois Petits Tours...* comme dans *Demain matin, Montréal m'attend*, ce déplacement s'effectue en trois temps bien distincts.

Trois Petits Tours...
ou les trois phases de la création

Trois Petits Tours... est un triptyque composé de *Berthe*, de *Johnny Mangano and His Astonishing Dogs* et de *Gloria Star*. Présentée dans la série des «Beaux Dimanches» de Radio-Canada, sous la direction du réalisateur Paul Blouin (le 21 décembre 1969), l'œuvre télévisée attira plus de deux millions de téléspectateurs, un précédent à l'époque! L'action se déroule dans l'entrée, dans l'une des loges et dans les coulisses du *Coconut Inn*, un *club* du boulevard Saint-Laurent de Montréal. Mais il s'agit moins de l'exploration d'un haut lieu de la *Main* ou de celui, plus intime et troublant, de trois femmes dans la quarantaine, que d'une réflexion sur la création et les créateurs.

Les trois pièces de ce triptyque sont inégales, tant par leur intérêt que par leur durée. Chacune constitue un tout autonome, bien qu'elle comporte des références directes aux deux autres. *Johnny Mangano and His Astonishing Dogs* a d'ailleurs été reprise séparément sur la scène du bar le Bouvillon en avril 1983 et à la Licorne en janvier et février 1984 (où elle tint l'affiche trente-trois soirs d'affilée). Cette pièce apparaît de loin la plus consistante et la plus riche des trois.

Au premier abord, le triptyque semble se limiter à l'exposition, presque complaisante, de la souffrance de trois femmes qui prennent la mesure de l'échec de leur vie. Les trois héroïnes sont en effet déchirées entre un rêve irréalisable et une existence insupportable. Mais une lecture plus approfondie révèle une autre dimension, qui renvoie au processus de création artistique et à la condition de créateur.

Berthe: Du rêve comme agent inhibiteur

On sait que Tremblay affectionne les monologues[1]. *Berthe* est un long cri du cœur, celui de la guichetière du *Coconut Inn*[2] qui, depuis douze ans qu'elle vend des billets, voit ses beaux jours flétrir et ses chances de réaliser ses rêves de star s'évanouir. Le monologue, dense et touchant, oscille continuellement du rêve mégalomane à la froide lucidité. Berthe tente régulièrement de se convaincre que sa situation est, somme toute, enviable: «T'es pas enfermée, Berthe, t'es pas enfermée... t'as jamais été enfermée![3]» N'a-t-elle pas «une bonne job pas fatiquante» (*B*, 16)? Mais l'effort est vain. Ses ambitions, provoquées et alimentées par ses succès de couventine, viennent inexorablement se heurter à son guichet minable, à son *cream soda* et à son sempiternel roman-photo.

L'originalité de ce monologue tient au fait qu'il ne renvoie pas à d'autres coupables. Berthe reconnaît son échec et en assume l'entière responsabilité. «J'aurais pu faire quequ'chose dans'vie si j'm'étais grouillée! [...] Mais j'ai jamais rien faite!» (*B*, 16) Aucun homme n'est venu gâcher son existence, elle «vau[t] mieux que ça!» (*B*, 14).

Pas de mère écrasante et sclérosée non plus, rien qu'une vague sœur et des religieuses bien intentionnées mais terriblement maladroites: «Elle ira loin cette petite, si elle le veut!» (*B*, 13)

Mais la petite s'est échouée aux portes du *Coconut Inn*. Tremblay ne précise pas la nature des facteurs qui l'empêchent d'ouvrir ces portes et qui la réduisent à des rêves dérisoires. L'essentiel est qu'elle ne peut pas s'engager. Son incapacité évoque celle de l'artiste créateur obnubilé par un projet qu'il ne réalise jamais. *Berthe* offre un saisissant exemple de la fonction inhibitrice que peut prendre le rêve dans le processus de création et, par analogie, dans l'accomplissement de soi. Car si Berthe trouve refuge dans son rêve – «Si j'rêve pas, j'vas étouffer! C'est tout ce qui me reste!» (*B*, 17) –, ce même rêve est la cause de son impuissance. L'imaginaire n'est pas donc toujours le moteur de la création, il peut aussi en être l'empêchement. C'est là sans doute l'essentiel de ce qu'il faut retenir de ce premier volet du triptyque de Michel Tremblay.

Johnny Mangano and His Astonishing Dogs: Du pouvoir et de l'engagement

Berthe rêvait de devenir star, mais son rêve s'était brisé contre la porte du *Coconut Inn*. Carlotta (Charlotte de son vrai nom), la compagne de Johnny Mangano, rêvait d'être danseuse. Contrairement à Berthe, elle parvint à franchir la porte du *Coconut* et à monter sur sa scène, mais à titre de simple «*girlie*» et à l'ombre des chiens savants de son «homme»!

À quarante ans, parce qu'elle réalise que ses cuisses ne feront plus encore longtemps effet sur la clientèle masculine et éméchée du *Coconut*, Carlotta remet en cause son association «artistique» et sa relation avec Johnny. C'est que, si Carlotta a fait un pas de plus que Berthe sur le chemin de la réussite, elle n'a pas eu le courage d'aller jusqu'au bout; elle n'a pas franchi l'ultime étape qui l'aurait directement menée sous les feux de la rampe. Ne pouvant elle-même se propulser à l'avant-scène, elle y a projeté Johnny. «Qui c'est qui a cherché pendant des jours un livre qui montrait comment dresser un chien? […] Qui c'est dans nous deux qui a parti l'affaire? [...] Pis c'est moi qui t'as montré à dresser des chiens! Si j'avais pas été là, t'aurais rien faite!»(*JM*, 38-39)

Contrairement à Berthe, Carlotta a un homme dans sa vie et, tout naturellement, c'est à lui, qui est en quelque sorte sa propre créature, qu'elle attribue l'échec de sa vie. «Avec les jambes que j'ai, mon p'tit garçon, si j't'avais pas suivi toute ma vie, j's'rais rendue ben plus loin que chus là, okay? C'est moi qui s'rais en vedette à soir!» (*JM*, 28)

L'argument de Carlotta ressortit à l'univers du Cycle des *Belles-Sœurs*, qu'habitent le sentiment d'échec et la rancœur, mais il relève de la même préoccupation que la longue plainte de Berthe. Là encore, il est avant tout question de création. Carlotta est parvenue à créer un spectacle dont elle n'a pas la vedette mais dont elle est l'âme et l'inspiratrice. On comprend qu'elle n'en tire guère de satisfaction et que, désespérée, elle menace de tout laisser tomber, mettant Johnny au défi de faire son numéro sans elle. Ce faisant, elle exige de lui ce qu'elle-même a toujours été incapable d'entreprendre : «Va les montrer tu-seul, tes verrats de chiens!» (*JM*, 45) Johnny, qui n'a jamais eu pareille ambition et qui n'a rien d'un créateur, demeure d'une parfaite lucidité dans les circonstances. «On est poignés ensemble, Carlotta, pis on s'ra toujours poignés ensemble. Y'a rien pour nous dépoigner.» (*JM*, 41) Ce constat, simple et brutal, place Carlotta face à ses responsabilités. Surtout, il souligne les liens étroits qui unissent l'artiste créateur, en l'occurrence Carlotta, à son œuvre, si misérable soit-elle. Quoi qu'il advienne et quoi que veuille Carlotta, cette œuvre reste la sienne. Elle ne peut ni s'en défaire ni la renier.

Gloria Star : De la création comme nécessité vitale

Berthe a échoué seule. Carlotta échoue à deux et reste prisonnière de cet échec. La troisième composante du triptyque, *Gloria Star*, approfondit ce paradoxe. Avec Berthe, on voit la rêveuse réduite à elle-même. Dans *Johnny Mangano and His Astonishing Dogs*, Carlotta donne une vie et une forme à son rêve en faisant œuvre de création. On la voit dialoguer avec celle-ci (incarnée par Johnny et ses chiens). *Gloria Star* mène ce processus plus avant en excluant l'objet même de la création, Gloria. Le discours de Gloria Star se trouve ainsi centré sur «la Femme», qui est l'imprésario et la créatrice de Gloria. Si Gloria est bien le double réussi de Johnny, «la Femme» est une Carlotta assagie et terriblement lucide.

> J'ai travaillé cinq ans pour construire Gloria Star, pour faire d'elle une célébration de la Beauté, et j'ai réussi! [...] Tout ce que je n'ai pas pu faire moi-même lorsque j'étais jeune parce que je n'avais personne pour me guider, et peut-être parce que je n'avais pas assez de talent aussi, je l'ai fait pour elle! Elle est le couronnement de ma vie! [...] Ou du moins je croyais qu'elle serait le couronnement de ma vie... (*GS*, 57)

Ici, pas de crise existentielle déchirante, ni de cris, ni de ressentiment, car, en dépit des apparences, il y a réussite. Contrairement à Carlotta qui a créé une œuvre très médiocre, «la Femme» a réussi à créer une œuvre suffisamment achevée pour devenir autonome. Paradoxalement, ce dernier volet du triptyque nous renvoie à la situation initiale de *Berthe* dans la mesure où l'objet du drame est l'artiste créateur. Berthe n'a rien créé et «la Femme», quant à elle, n'est plus satisfaite de son œuvre qui, de toute façon, lui échappe. Les deux souffrent du même manque. «La Femme» voudrait «créer quelque chose de plus grand encore, quelque chose qui ne s'est jamais vu [avant de se] retirer comme un membre inutile» (*GS*, 57), et Berthe rêve aux rêves qu'elle a déjà eus. Que conclure de tout cela, sinon que le fait de créer est terriblement exigeant et que le destin du créateur balance entre l'insatisfaction et l'impuissance?

Ce thème, qui est nouveau chez Tremblay en 1969, fait écho à des obsessions fondamentales chez lui, ainsi que le démontrent certaines de ses œuvres subséquentes. C'est sans doute cette nouveauté, placée dans un cadre et un discours familiers, ceux du Cycle, qui a déconcerté la critique de l'époque. Mais rétrospectivement, cette exploration de l'univers de la création et des créateurs apparaît logique. En scrutant l'univers de ces trois personnages féminins, souffrants et en manque, Tremblay a brossé trois tableaux, trois phases de l'acte créateur et des angoisses conséquentes. Que l'auteur situe cette exploration dans le milieu du *showbiz* – un milieu qui le fascine – est bien secondaire dans les circonstances, car, si ces *Trois Petits Tours...* font du spectacle une réalité essentielle, parfois plus vraie que la réalité elle-même, ils s'imposent surtout par leur valeur prodromique. Ils sont les signes avant-coureurs de cette postmodernité qui, au cours des vingt années suivantes, hissera l'autoréflexivité et l'autoreprésentation au rang de processus esthétiques nobles et qui conférera à la célébration de l'acte créateur une valeur suprême.

Demain matin, Montréal m'attend : Entre la comédie musicale et l'épreuve initiatique

Demain matin, Montréal m'attend[4] traite également des dessous du monde du spectacle et, à ce titre, participe aussi de la postmodernité québécoise naissante. Avant d'écrire cette comédie musicale, Michel Tremblay avait déjà rédigé des textes de chansons pour son adaptation de *Lysistrata*[5]. En 1975, il composait une autre comédie musicale, *les Héros de mon enfance*, en collaboration avec Sylvain Lelièvre. En février 1990, André Gagnon écrit la musique de l'opéra *Nelligan*, dont Michel Tremblay a rédigé le livret. *Demain matin, Montréal m'attend* n'est donc ni un essai sans lendemain ni un cas isolé dans l'œuvre de Tremblay ; au contraire, elle est parfaitement intégrée au Cycle des *Belles-Sœurs*, dont elle partage les thèmes, la langue et les personnages.

Rita Tétrault, de Saint-Martin-au-Large, proclamée découverte de Simone Quesnel (*DM*, 23), décide de se lancer à la conquête du music-hall montréalais dont elle entend devenir la star incontestée, quel qu'en soit le prix. Il lui faudra douze ans pour s'imposer sur la *Main* et prendre la vedette du spectacle du *Bolivar Lounge* sous le pseudonyme de Lola Lee. Avant cette consécration, Lola dut faire ses classes dans le bordel de Betty Bird où elle remporta beaucoup de succès sous le coquet surnom de Marigold. Trois temps d'une vie et d'une carrière, trois noms ! Le thème de l'identité et de l'aliénation est omniprésent dans cette œuvre.

La comédie musicale commence au moment où Louise Tétrault, la sœur cadette de Rita/Lola, récipiendaire d'un vague prix Lucille Dumont, décide de suivre les traces de son aînée. L'arrivée inopinée de Louise, future Lyla Jasmin, dans la salle du *Bolivar Lounge*, concrétise les appréhensions de Lola qui, rendue «au top de [sa] carrière», perçoit chaque nouvelle venue comme une menace à son règne fragile.

Ici, la menace est d'autant plus grande que, subjuguée par sa sœur, Louise en est la copie conforme, en plus jeune.

> LOUISE – [...] J'chante la même chose que toé! Ça va être facile! Pis j'chante pareil pareil comme toé!
> [...]
> LOLA LEE – Mais es-tu après virer folle? T'as quand même pas envie de faire carrière en m'imitant!
>
> LOUISE – Ben quoi, y'en a des sœurs qui chantent! (*DM*, 25)

Devant la détermination de Louise, Lola décide d'employer les grands moyens.

La «virée» de Lola : la revue réactivée

Elle va lui dévoiler le revers de la médaille du *showbiz*. Elle espère ainsi l'«écœurer assez raide de Montréal [qu'elle «poignera»] la première "étébus" pour Saint-Martin» (*DM*, 25) et coupera court à ses projets. Commence alors la tournée de la *Main*. Après le *Bolivar Lounge* (le club érotique où elle brille), Lola entraînera sa petite sœur au *Meat Rack* (un bar spécialisé pour travestis), puis au bordel de Betty Bird[6]. Ce procédé du déplacement n'a rien de bien original. On le trouve fréquemment dans les vaudevilles français de la fin du XIXe siècle (par exemple dans *Un chapeau de paille d'Italie*). Mais le procédé a été raffiné dans les revues québécoises qui, depuis *Ohé! Ohé! Françoise* jusqu'aux *Fridolinades*[7], l'ont amplement utilisé.

Le déplacement spatial de l'action et des personnages principaux offre l'avantage de relancer la pièce par la multiplication des décors, des anecdotes et des atmosphères. Mais il a aussi pour effet, dans la revue traditionnelle, de conférer aux lieux une valeur symbolique qui en fait des personnages à part entière, dans la mesure où ils participent à l'éclatement du drame ou à son dénouement. Si cette fonction particulière du lieu ne cause pas de problème dans la revue, elle provoque un flottement dans *Demain matin, Montréal m'attend*. Dès le début du premier acte, les deux protagonistes, Louise et Lola, se métamorphosent en faire-valoir de la *Main*, ce qui relègue momentanément leur diffé-rend – qui est le fondement du drame – au rang de prétexte. Cela provoque un déséquilibre que les critiques ont souvent assimilé à un manque d'intensité dramatique[8]. Mais en réa-lité, la situation est plus complexe, car le déplacement, dans *Demain matin, Montréal m'attend*, obéit à une double logique qu'on ne retrouve pas dans la revue traditionnelle. Les trois lieux visités marquent les phases de ce qu'on peut bien qualifier de quête initiatique. Une quête imposée par Lola à Louise, dans le but de la mettre littéralement à l'épreuve en la confrontant à une réalité de moins en moins supportable. Mais ce qui, chez Louise, n'est qu'un voyage initiatique – aussi pénible soit-il – a des effets beaucoup plus dévastateurs chez Lola, puisqu'il correspond à une régres-sion symbolique dans son cas. Lola refait symboliquement, mais à rebours, le chemin qu'elle a péniblement parcouru en douze ans.

Louise ne se laisse pas démonter par le spectacle affli-geant qui s'offre à elle. Elle passe chacune des épreuves avec succès et en sort sans cesse plus déterminée à faire carrière à Montréal. À chaque étape du voyage, à chaque «station», Lola tombe un peu plus bas, au point de se retrou-ver là où elle avait débuté, chez Betty Bird. En imposant à sa sœur un cheminement inverse au sien, Lola dévoile progressivement ce qu'elle est. Le déplacement devient dénuement.

> LOUISE, *à Lola* – Si tu voulais m'écœurer avec toutes tes histoires, t'as réussi! Mais c'est pas c'que tu m'as montré qui m'écœure, c'est toé! (*DM*, 80)

La première originalité de cette comédie musicale est donc d'allier une tradition propre à la revue – et tout ce que cela suppose de caricatural – au processus d'aliénation, voire de désintégration caractéristique des personnages de Tremblay.

L'absence de success story

Mais Tremblay n'a pas que renouvelé un des traits traditionnels de la revue, il s'est aussi approprié un genre, la comédie musicale, pour mieux l'adapter à son univers dramatique. S'il est vrai que la comédie musicale porte d'abord sur un conflit dramatique, il est également vrai que ce conflit connaît en général un dénouement heureux. La comédie musicale est l'histoire d'un triomphe en dépit des obstacles qui ne cessent de surgir. Or, dans *Demain matin, Montréal m'attend*, il n'y a pas de triomphe. L'œuvre est non seulement l'histoire d'un échec, elle est celle d'un échec prévisible et inévitable. Comme dans le cas de *Trois Petits Tours...*, on pourrait parler ici de tragédie. Dès la deuxième scène du premier acte, un choriste amateur prévient Louise: «Ta sœur, a va te caler, Louise!» (*DM*, 11)

Le thème de la famille, comme lieu premier d'aliénation et d'échec, apparaît ici encore avec force, et la dynamique tragique est trop soulignée pour que quiconque, même Louise, puisse entrevoir une issue heureuse: «Aie, Rita, nous vois-tu toutes les deux, en train de chanter la même chanson dans la même robe... Ça s'rait le fun...» (*DM*, 25)

Ce drame de la rivalité n'est d'ailleurs pas le seul fait des deux sœurs. Tous les personnages de *Demain matin, Montréal m'attend* l'éprouvent à des degrés divers: la duchesse de Langeais vieillit mal, dans la solitude et la misère, Purple souffre de demeurer l'éternelle seconde, et Betty Bird n'a pas accepté d'avoir été éclipsée par Lola Lee dans le cœur de Johnny. La pièce poursuit ce cycle désespérant. Dans cette perspective, il vaudrait sans doute mieux parler d'un drame musical que d'une comédie musicale.

Le triomphe de la théâtralité

Ce ton, cette dispersion et ces simplifications, s'ils réduisent parfois l'intensité dramatique du spectacle, en servent très bien la théâtralité. En l'absence de décors réalistes, la variété permet le déploiement des costumes, des éclairages, des atmosphères qui s'animent au gré de la musique, des chorégraphies, d'une langue et d'un dialogue aux reparties savoureuses. Qu'on en juge: «Butch! J't'ai déjà dit de watcher ton langage! C'est un bordel, icitte, c'est pas un garage...» (*DM*, 64); ou encore: «Tu peux sortir la fille de l'est mais pas l'est de la fille!» (*DM*, 49)

La pièce compte dix-huit chansons différentes, aux tempos changeants (valse, pop lent et rapide, complainte), dont la fonction varie considérablement et va de la confidence au cri de désespoir, du prétexte chorégraphique aux considérations sur le *showbiz* et la prostitution. Louise (cinq chansons) et Lola Lee (quatre chansons) chantent le plus souvent en solo. Il y a également quatre duos, deux trios et un quatuor. Le chœur intervient dans près du tiers des chansons.

Quant au morceau de clôture, s'il ne marque pas le paroxysme de cette comédie musicale bien déroutante, il n'en est pas moins spectaculaire. La rivalité des deux sœurs se déchaîne dans *Le Brésil brille, Brasilia braille*, le numéro même qui leur avait permis de s'illustrer à Saint-Martin à douze ans d'intervalle. Chanté en duo meurtrier par Lola et Louise, il est repris par l'ensemble du chœur sous une pluie de confettis qui rappelle l'avalanche dérisoire des timbres *Gold Star*, à la conclusion des *Belles-Sœurs*.

Pièce musicale sans *happy end*, sans véritable temps fort non plus, espèce de *failure story* familiale, *Demain matin, Montréal m'attend* est bien loin de Broadway, malgré son clinquant, sa grosse distribution, ses chansons à «stepettes» et ses paillettes. Il ne s'agit pas là d'un jugement négatif mais de la reconnaissance d'une spécificité. Ce n'est pas une comédie musicale au sens traditionnel du terme, ce n'est pas non plus une revue québécoise; la pièce est d'un genre hybride, en déséquilibre entre les deux, savoureux et théâtral. Plus encore que dans *Trois Petits Tours...*, Tremblay célèbre ici le monde du spectacle et en fait une métaphore de la vie.

NOTES

1. «Entrevue avec Michel Tremblay», *Nord*, vol. 1, n° 1, automne 1971, p. 69.

2. Voir *En pièces détachées*.

3. Michel Tremblay, *Berthe,* dans *Trois Petits Tours…*, Montréal, Leméac, coll. «Répertoire québécois», n° 8, 1971, p. 12. Toutes les références à chacun des *Trois Petits Tours…* renvoient à cette édition.

4. Michel Tremblay, *Demain matin, Montréal m'attend*, Montréal, Leméac, coll. «Répertoire québécois», n° 17, 1972. (Toutes les autres références renvoient à cette édition.) Créée au Jardin des Étoiles de Terre des Hommes le 4 août 1970, où elle remporte un grand succès malgré de sérieux problèmes techniques, la comédie musicale *Demain matin, Montréal m'attend* est reprise à la salle Maisonneuve de la Place des Arts le 16 mars 1972. Cette seconde version est deux fois plus longue que la précédente (deux heures et demie au lieu d'une heure), elle comprend de nouveaux personnages (la mère, la duchesse de Langeais) et une dizaine de chansons de plus. C'est cette dernière version qui a été publiée. François Dompierre a composé la musique des chansons, André Brassard a signé les deux mises en scène.

5. Il avait également composé les chansons des *Aurore Sisters* dans *En pièces détachées.*

6. Déjà évoqué dans *En pièces détachées.*

7. Les revues québécoises, qui apparaissent dès 1899 mais ne deviennent vraiment populaires qu'à partir de 1909 (avec, en particulier, *Ohé! Ohé! Françoise* de Dumestre et Tremblay au Théâtre National), sont généralement fondées sur une succession d'événements qui servent de prétexte à des changements de lieux, de décors et d'atmosphères (par exemple, la gare Victoria, l'Hôtel Windsor, la Place d'Armes, la rue Saint-Denis, l'Université, un garage, le Mont-Royal, le port, etc.). Les différentes chansons sont liées entre elles par un dialogue parlé dont le but est surtout de créer une continuité. L'action n'est pas progressive. À la montée de l'intensité dramatique et au resserrement de l'intrigue, on préfère la variété, le mouvement et le spectaculaire.

8. Voir en particulier l'article de René Homier-Roy, «*Demain matin, Montréal m'attend*: un interminable succès», *La Presse*, 17 mars 1972, p. B-6.

À TOI, POUR TOUJOURS, TA MARIE-LOU

JOSEPH MELANÇON

UNE TRAGIQUE ATTRACTION

À toi, pour toujours, ta Marie-Lou[1] est, sans conteste, la première tragédie de Michel Tremblay. «Le réel et le réalisme, comme le remarque bien Jean Cléo Godin, ne sont ici que le point d'ancrage du tragique[2].» Il faut dire que cet ancrage a failli avoir lieu dans les Belles-Sœurs. Le sujet était tragique, mais le traitement l'a rendu stérile, au profit d'un simple drame, particulièrement spectaculaire, il est vrai. Le sujet dévie vers le drame des relations de voisinage qui ne manque, au demeurant, ni d'intérêt dramatique ni d'effica-cité scénique. Mais le tragique n'y est pas. Dans À toi, pour toujours, ta Marie-Lou, au contraire, il est au centre du drame, pour le faire éclater et pour consumer ses victimes qu'un sort inéluctable conduit à l'aliénation et à la mort, sans les rendre tout à fait aveugles sur leur déchéance. Plus pitoyables que misérables, Marie-Louise, Léopold et leurs enfants suscitent la même pitié que les personnages tragiques de l'Antiquité. À toi, pour toujours, ta Marie-Lou, écrivait Colette Godard dans Le Monde, a la «pureté rude d'une tragédie[3]».

Une métaphore tragique

Pour décrire les ressorts de cette tragédie, il faut trouver un chemin de lecture qui conduise au cœur du drame, au paroxysme des antagonismes, là où les oppositions exacer-bées engendrent des solutions désespérées. Ces chemins ont déjà été, en partie, explorés. Les études et les analyses de cette pièce de théâtre ne manquent pas. Le Dictionnaire des œuvres littéraires du Québec en a recensé plus de cent cinquante, bien que sa bibliographie s'arrêtât à 1982[4]. Comment alors trouver une voie qui ne passe pas par des chemins battus? Peut-être en considérant cette tragédie comme une rhétorique et en recherchant, dans la mise en discours et dans la mise en scène des rapports familiaux, une signification figurée. Il ne s'agit point de rechercher une quelconque symbolique sociale, qui peut permettre bien des abus d'interprétation, mais un procès sémantique, inscrit dans le texte, qui construit la signification tragique de la pièce. Il arrive que ce procès passe par une métaphorisation du sens qui traverse toutes les épaisseurs du drame.

La métaphore a la propriété d'agir à deux niveaux sémantiques distincts, de façon simultanée. Elle agit sur le plan des réalités éprouvées, auxquelles elle se réfère sans les dénoter. Elle agit également dans l'imaginaire, en construisant des figures de nos rapports avec le monde, entendus comme conditions et contraintes d'existence. Cet acte double de signification rhétorique crée un lieu ambigu de réel et d'imaginaire, de référence et de fiction, de présence et d'absence. Les «colombes» et les «faucons», comme métaphores d'attitudes opposées devant la guerre, ne sont ni tout à fait des oiseaux ni tout à fait des personnes, mais, quand même, ils sont et les uns et les autres. Ce lieu par excellence de toutes les ambiguïtés est proprement un lieu sémantique où se joue le sens des paroles tragiques, qui révèlent sans jamais cesser de masquer. La métaphore apparaît donc comme l'emblème de cet espace figuratif qui fonde la tragédie, où la culpabilité côtoie l'innocence, où le bourreau se révèle la victime, où le sadisme est également masochisme. Ce processus métaphorique m'apparaît d'autant plus indiqué qu'*À toi, pour toujours, ta Marie-Lou* est précisément une tragédie de la parole.

Une tragédie verbale

Le «dit» est le théâtre du drame, car le conflit entre les parents est antérieur au temps de la représentation. Celle-ci survient dix ans plus tard. Leur affrontement ne surgit donc pas d'une action qui se déroule sur scène, entre le début et la fin de la pièce, comme dans la tragédie classique. Il est donné, d'entrée de jeu, à son paroxysme et il s'y maintient avec une rare intensité. Le temps théâtral n'est que le temps de la révélation. Le temps du dire. «Pour moi, une pièce de théâtre, soutient Michel Tremblay, c'est une suite de scènes dans lesquelles il n'y a rien qui se passe, mais dans lesquelles on parle de choses qui se sont passées ou qui vont arriver[5].» Les actions les plus triviales, liées au boire et au manger, sont elles-mêmes dites et non jouées. Même lorsque Marie-Louise dit: «Touche-moé pas, tu me fais mal!» (*AT*, 51), personne ne bouge. «Les personnages ne bougent jamais» (*AT*, 36), spécifie d'ailleurs Michel Tremblay, dans ses didascalies.

Les deux sœurs, pour leur part, n'ont d'existence qu'à travers les révélations verbales des parents. Leur conflit parasite celui-là même de Léopold et de Marie-Lou, en train de le dire. «Marie-Louise et Léopold qui sont morts depuis dix ans, remarque encore l'auteur, racontent leur vie misérable; les deux filles ne disent rien ou presque[6].» Comme dans la métaphore, cependant, deux présents coexistent dans deux temps dramatiques différents, bien qu'ils ne constituent qu'un seul temps de représentation.

L'avantage de la parole sur l'action, c'est sa liberté de construction. Ce qui est dit «après» ne suit pas invariablement ce qui a été dit «avant», au contraire de l'action. La succession temporelle du dire n'est qu'un leurre, en dépit de la linéarité de la langue. Si on ne peut tout dire à la fois ou exprimer en même temps plusieurs aspects d'une même chose, on peut, par contre, subvertir cette temporalité linéaire en retournant en arrière, en annulant la durée, en superposant des événements, en construisant des représentations. Celles-ci ne seront ni tout à fait logiques ni totalement temporelles, mais elles agiront à ces deux niveaux à la fois, toujours à l'instar de la métaphore.

Une subversion temporelle

À toi, pour toujours, ta Marie-Lou opère magnifiquement cette subversion. Le lieu théâtral devient lui-même un lieu métaphorique en abolissant la durée. Tout s'y passe et s'y joue, à dix ans de distance, comme si les deux moments se superposaient. D'ailleurs, à quatre reprises, marquées par des changements d'éclairage, il y a simultanéité. Les dialogues peuvent alors s'intercaler, et le conflit qui oppose Carmen à Manon s'enraciner dans le passé. Il en est de même de la chronologie. L'invitation de Léopold, dans la dernière réplique: «Viens-tu faire un tour de machine, avec moé, à soir, Marie-Lou?» (*AT*, 94) précède, dans le temps, la première réplique de Manon, au début de la pièce: «Pis on dirait que ça s'est passé hier...» (*AT*, 37). Le «demain» de Marie-Louise qui ouvre les dialogues est «le passé» que Carmen, à la fin, veut à jamais oublier. Mais ce «demain» est tragique pour Marie-Lou: «La première chose qu'elle dit, signale Michel Tremblay, est "demain" alors qu'elle et son mari vont mourir le même soir[7].» Ce jeu piégé des repères temporels et textuels, tout comme le brouillage de la distribution des éléments dramatiques, obéit pourtant à une logique discursive sans faille. L'invitation de Léopold ne pouvait venir qu'à la fin puisqu'elle entraînait la mort des parents et leur disparition verbale. De plus, elle représentait la révélation la plus tragique: celle du suicide. L'invitation rappelle trop le rêve de Léopold: «Poigner la machine, vous mettre dedans, toé pis Roger, pis aller me sacrer contre un pilier du boulevard métropolitain...» (*AT*, 90) pour ne pas être interprétée comme un accident recherché. Sa place ne pouvait être ailleurs qu'à la fin, même si cette révélation tardive embrouille le début de la pièce. La logique dramatique a ses exigences qui ne sont pas de l'ordre des faits mais de celui des significations, à divers niveaux.

Les figures de la réalité

À un premier niveau, celui des rapports à leurs conditions de vie, Léopold et Marie-Louise sont des personnages presque «typés». Ils répondent assez bien au modèle parental de l'imaginaire québécois de l'est de Montréal. Ils sont, en tout cas, vraisemblables, dans le milieu ouvrier de l'après-guerre, à la suite de la ruée vers la ville. Michel Tremblay s'en est souvent expliqué en évoquant son enfance, au milieu de treize personnes de trois familles différentes, qui vivaient dans la même maison de sept pièces. Il aime rappeler également les deux ans et demi qu'il a passés derrière une «linotype», comme son père «qui a été 50 ans de sa vie en arrière d'une presse à *La Patrie*[8]». Ce qui pourrait être une charge, dans un autre contexte, est ici à peine une caricature. Léopold et Marie-Louise forment une sorte de condensé de la pauvreté économique, affective et conjugale du couple, avec une légère pointe d'ironie. Comme leurs caractéristiques sont réduites à leurs paroles, les comédiens ne peuvent guère amplifier ou réduire leurs conditions sociales.

Le personnage de Léopold ne se déduit nullement de ses attitudes ou de ses actions. Si son existence sociale est métaphorisée par une «demi-douzaine de bières, à la taverne», son statut et son caractère se révèlent par les mots. On finit par connaître un peu mieux Léopold parce qu'il se dit et par ce qu'il dit. Se disant, il se crée. Il est ainsi un ouvrier mal rémunéré: «un salaire de crève-faim» (*AT*, 47); aliéné: «Tu viens que t'es tellement spécialisé dans ta job steadée, que tu fais partie de ta tabarnac de machine!» (*AT*, 63); humilié: «ta famille [...] a va conter à tout le monde que t'es t'un sans-cœur!» (*AT*, 64); frustré: «Penses-tu que c'est normal pour du monde marié d'avoir faite ça quatre fois en vingt ans!» (*AT*, 84); solitaire: «Ça fait ben longtemps que j'ai pus essayé de me faire chum avec quel-qu'un...» (*AT*, 72); menacé de folie: «C'est de famille... Aie... toute une famille de fous...» (*AT*, 71); réduit à l'impuissance: «on a peur de se révolter parce qu'on pense qu'on est trop p'tits...» (*AT*, 91).

Il en est de même de Marie-Louise, quoiqu'on ne la découvre vraiment que vers la fin. On apprend alors, de sa bouche, qu'elle s'est fait piéger par son mariage: «c'que j'voulais: partir au plus sacrant d'la maison [...] J'voulais m'en aller, essayer de respirer, un peu!» (*AT*, 88) Elle n'avait qu'une vague idée des rapports sexuels: «J'savais à peine qu'y faudrait que j'me laisse faire par mon mari... Ma mère... Ah! J'y en voudrai toute ma vie de pas m'en avoir dit plus...» (*AT*, 88). Sa nuit de noces l'a traumatisée: «Tu m'as faite tellement mal! J'arais voulu hurler, mais ma mère m'avait dit de serrer les dents! [...] "Si c'est ça, le sexe, que j'me disais, pus jamais! Jamais! Jamais!"» (*AT*, 88) Elle se trouve alors des raisons de se refuser: «T'es toujours plein de bière pis tu pues quand tu m'approches.» (*AT*, 89) Quand elle se retrouve enceinte, elle le lui annonce comme un viol: «Comme les trois autres fois que tu m'as violée dans ma vie, tu m'as faite un p'tit, Léopold!» (*AT*, 52) Elle en arrive à souhaiter la folie de son mari: «Pis j'vas-tu être débarrassée, rien qu'un peu... La tranquillité! La paix! La sainte paix! La sainte viarge de paix! Enfin!» (*AT*, 71)

Les deux sœurs, au centre de la scène, sont, dramatiquement, en périphérie des parents. Comme elles sont dans une double temporalité, elles se définiront doublement, par rapport à deux moments de leur existence. Elles se définiront, d'une part, par comparaison avec leurs parents et, d'autre part, par leurs divergences entre elles.

La comparaison, toutefois, est asymétrique. Manon assume à elle seule tout le drame des parents, laissant Carmen à l'écart. Son conflit intérieur est fait des rapports violents qui opposent Léopold à Marie-Louise. Pour jouer ce rôle de façon inconsciente, au reste, Manon doit être dite par Carmen. Ce qu'elle relate elle-même ne fait que confirmer les dires de sa sœur. Carmen alors s'acharne à définir Manon par Léopold, en dépit de la haine que celle-ci lui porte, tout comme sa mère. Elle lui répète: «C'est vrai que tu retiens de lui...» (*AT*, 43); «T'es pareille comme lui!» (*AT*, 47); «Ça y ressemble, à lui, d'avoir des idées fixes comme ça!» (*AT*, 67); «Ça y ressemble, à lui, pis à sa famille de fous!» (*AT*, 67); «T'es complètement folle!» (*AT*, 61) Pourtant, Manon est également Marie-Louise, au dire de sa sœur: «Dix ans après sa mort, tu joues encore à ressembler à maman!» (*AT*, 67) Les allusions aux «images saintes», aux «statues», aux «cierges» et à «l'eau bénite» qui se trouvent dans sa chambre en donnent la preuve. Ainsi, le conflit parental est répercuté entièrement à l'intérieur de Manon, rongée par le «martyre» de la mère et menacée par la «folie» du père. Ce personnage, souvent négligé, est peut-être central puisqu'il prolonge la tragédie du couple. Partie de l'un et partie de l'autre, en effet, Manon est la double synecdoque des parents, ce qui permet la permutation des rôles et la condensation métaphorique. Cette condensation déporte le drame sur elle et libère Carmen. Celle-ci devient étrangère au monde tragique de sa famille. C'est pourquoi, dans les mots de Manon, elle est «une sans-cœur» (*AT*, 61), une «putain sur la rue Saint-Laurent» (*AT*, 67), une «sale» (*AT*, 92), en dehors de l'orbite familiale.

Les figures de l'imaginaire

Le rôle de Carmen, d'ailleurs, est de tenter de désamorcer le tragique. Il n'y a, pour elle, ni bourreau ni victime. «Notre mère, c'était pas une martyre, pis not'père c'tait pas le yable, bonyeu!» (*AT*, 61) Léopold est tout aussi à plaindre que Marie-Louise: «Y faisait aussi pitié qu'elle» (*AT*, 81). Dans leur détresse, ils étaient déjà interchangeables. La libération de Carmen commence, en somme, par cet aplatissement des rôles et cette annulation des culpabilités: «C'était de leu'faute à tous les deux!» (*AT*, 87) La religion de Marie-Louise n'était qu'un alibi: «Moman, est-tait pas plus religieuse que moé, Manon! A se servait de la religion comme paravent! A se cachait en arrière de son paravent pour faire plus pitié!» (*AT*, 77) Elle se plaisait à projeter une image d'elle-même: «Quand tu voyais moman en prière, c'est parce qu'a s'était arrangée pour que tu la voies!» (*AT*, 79) Léopold, pour sa part, n'était pas un personnage haïssable: «Not'père y'avait des côtés écœurants, mais y'était pas si pire que ça!» (*AT*, 61) Mais ils ne pouvaient tous les deux cesser de s'entredéchirer: «Y ont passé vingt ans de leur vie à se battre, pis si y'araient vécu encore vingt ans, y'araient continué à se battre... jusqu'à ce qu'y crèvent!» (*AT*, 87) La mort ne pouvait être qu'une délivrance: «Y sont morts, pis c'est tant mieux, Manon!» (*AT*, 90) La première délivrance, toutefois, est bien la sienne: «si y seraient pas morts, eux-autres, j's'rais probablement pas là [au Rodéo]» (*AT*, 93). Il n'est pas sûr que cette libération familiale ne soit pas une image qu'elle se donne d'elle-même, tout comme sa mère. Il ne semble pas, en tout cas, qu'elle puisse signifier une libération affective et sociale, comme elle le croit, si ce n'est métaphoriquement, dans l'imaginaire, en permutant les effets. Par la vertu d'un certain exhibitionnisme, elle s'imagine que les hommes du Rodéo la regardent et l'aiment, alors que chacun y prend son plaisir, pour reprendre une observation de Léopold sur les rapports sexuels. Elle qui ne veut pas sacrifier son indépendance pour l'amour d'un homme n'éprouve sans doute que «le sentiment narcissique de dominer en séduisant», comme l'a finement démontré Raymond Joly[9]. «C'est jamais les mêmes, y changent à chaque soir, mais à chaque soir, j'les ai!» (*AT*, 93) Pour l'imaginaire de Carmen, c'est la liberté : «Moé... chus libre» (*AT*, 93). L'équivalence qu'elle établit entre toutes les libérations est bien de celles qui engendrent les permutations métaphoriques.

L'incrédulité tragique

Pour être tout à fait libérée, Carmen a besoin d'exorciser la mort des parents et de Roger, l'innocent et l'absent. Celle-ci doit être purement accidentelle. Sinon, elle risque de défaire la fragile construction imaginaire. Du coup, c'est toute la tragédie qui risque de basculer dans l'anecdote, dans l'accessoire. Mais cette réduction servirait tellement bien la libération de Carmen! C'est pourquoi elle a intérêt à douter du suicide : «C'est pas sûr qu'il l'a faite [...]» (*AT*, 42) ; «Y'a jamais eu de preuves...» (*AT*, 42). Comment alors trancher entre la version de Manon : «Papa y s'est tué, pis y'a tué maman pis Roger...» (*AT*, 81) et celle de Carmen : «C'est toé qui a décidé ça qu'y s'était tué! [...] Pis t'en as probablement ben inventé depuis c'temps-là...» (*AT*, 81). L'hésitation devant cette double version va droit au cœur du ressort tragique. Est-ce un drame? Est-ce une tragédie?

Une analyse très pénétrante de Yolande Villemaire permet de résoudre cette ambiguïté. Dans la logique des répliques, elle lit toute la portée de l'acquiescement final : «C'est dans la certitude que le projet ne sera jamais mis à exécution que Marie-Louise, n'accordant aucun crédit à la parole de Léopold, vient sanctionner sa propre mort en accordant son oui final[10].» Cette lecture est d'autant plus juste que Léopold s'est révélé aboulique, dès le début. Il laisse en suspens la décision d'aller manger chez sa belle-mère ; il menace de corriger la curiosité des enfants sans jamais passer aux actes ; il reconnaît qu'il ne devrait pas boire et il va sans cesse à la taverne ; il ne fait plus aucun effort pour parler aux autres ; il crie qu'il va tuer Roger, mais il n'y touche pas. Marie-Louise le perçoit elle-même velléitaire : «Toujours plus tard, hein, mon beau Léopold? Jamais tu-suite, les affaires, ah! non, toujours plus tard... t'a l'heure... ou ben demain... ou ben donc la semaine prochaine... Autant dire jamais!» (*AT*, 45) Elle le traite de lâche parce qu'il n'a pas le courage de faire entrer «l'union» dans la «shop» et qu'il n'ose demander une augmentation de salaire à son patron: «T'es trop niaiseux pour demander l'argent que ton boss te doit! Tu s'ras toujours un peureux...» (*AT*, 63). Son oui de la fin est en quelque sorte ironique. Elle court à sa mort par incrédulité. Sur la scène, ils se regardent, pour la première fois, dans les yeux. Si ce regard était ultimement un regard ambigu, de défi pour elle et de trahison pour lui! Les équivoques sont souvent ainsi des ressorts tragiques où l'innocence se superpose à la faute.

Une mise en abyme

De ce jeu complexe des différences et des équivalences qui régissent la sémantique, *À toi, pour toujours, ta Marie-Lou* tire un excellent parti. Pour bien l'apprécier, toutefois, il faut revenir à la représentation scénique. Aux extrémités de la scène, il y a les lieux de la différenciation référentielle. Léopold et Marie-Louise se constituent différents dans leur discours d'aversion. La dernière réplique de Marie-Louise est, à cet égard, éloquente: «Tu pourras jamais savoir comment j't'haïs!» (*AT*, 94) Mais ils se rejoignent dans cette haine qui les rend équivalents: «Y'en a de moins en moins du monde comme nous autres, Marie-Louise [dit Léopold au nom de leur couple raté] pis c'est tant mieux...» (*AT*, 86). Ce paradoxe sous-tend leur mort commune, bien qu'elle soit un suicide pour l'un et un défi pour l'autre. Il y a ainsi la mise en place d'une même figure métaphorique de la mort, à double motivation.

Le centre de la scène, par contre, est le lieu des différenciations imaginaires, établies par des interprétations divergentes. Carmen se différencie de Manon parce qu'elle interprète différemment les comportements des parents. Son interprétation réduit les attitudes de Léopold et de Marie-Louise à un dénominateur commun, à une répulsion réciproque: «Y'étaient pas capables de se toucher sans penser que l'un voulait faire mal à l'autre...» (*AT*, 87). Elle les perçoit semblables dans leur misère: «Y faisait aussi pitié qu'elle» (*AT*, 81). Sa sœur, au contraire, persiste à les imaginer opposés: l'un est un bourreau, l'autre une victime. Ce conflit des interprétations constitue une sorte de mise en abyme où le centre renvoie l'image équivoque de la périphérie. La scène est ainsi l'espace d'un paradoxe, mieux d'un oxymore, où les contraires fusionnent pour renvoyer à la fois aux parents et aux enfants, aux rivalités et aux complicités, au drame et à la tragédie. Cet oxymore, cependant, n'est que la limite extrême de la métaphore qui se construit sur un donné (la vie écoulée des parents) et un construit (l'interprétation des enfants), un réel et un imaginaire, de fiction.

Seule Carmen y échappe, apparemment. Elle est sur une autre scène : une scène mondaine, ouverte, opposée à la scène familiale. Mais elle y joue la même figure de présence et d'absence, en s'offrant sans se donner, en dominant tout en étant dominée, dont la métaphore est le «frôlement». Les parents ne pouvaient se toucher sans se blesser. Elle, elle se contente de frôler : «Oui, j'en frôle tant que j'veux, du monde...» (*AT*, 89). C'est, en quelque sorte, sa revanche sur la tragédie du couple dont on ne sait trop s'il s'agit d'une guerre des sexes, d'une malédiction sociale, d'une aliénation religieuse ou d'un absurde malentendu.

Carmen frôlera la vie, alors que Manon s'en retirera, tragiquement, par aveuglement. Mais Œdipe ne s'est-il pas crevé les yeux ?

NOTES

1. Michel Tremblay, *À toi, pour toujours, ta Marie-Lou*, introduction de Michel Bélair, Montréal, Leméac, coll. «Théâtre canadien», n° 21, 1971. Toutes les références renvoient à cette édition.

2. Jean Cléo Godin, *Dictionnaire des œuvres littéraires du Québec 1970-1975*, tome V, Montréal, Fides, 1987, p. 46.

3. *Le Monde*, 19 octobre 1979, p. 31.

4. *Dictionnaire des œuvres littéraires du Québec 1970-1975*, tome V, Montréal, Fides, 1987, p. 47-50.

5. Roch Turbide, «Michel Tremblay : Du texte à la représentation», *Voix & Images*, vol. VII, n° 2, hiver 1982, p. 214.

6. *Ibid.*, p. 216.

7. *Ibid.*

8. Martial Dassylva, «Michel Tremblay et sa nouvelle cantate "cheap"», *La Presse*, 1er mai 1971, p. D-2.

9. Raymond Joly, «Une douteuse libération. Le dénouement d'une pièce de Michel Tremblay», *Études françaises*, vol. VIII, n° 4, novembre 1972, p. 369.

10. Yolande Villemaire, «Les pouvoirs de la parole», *Les Cahiers de la Nouvelle Compagnie Théâtrale*, vol. IX, n° 1, octobre 1974, p. 20-21.

HOSANNA

YVES JUBINVILLE

CLAUDE INC.
ESSAI SOCIO-ÉCONOMIQUE SUR LE TRAVESTISSEMENT

> I am what I seem. There's nothing behind it.
> [Andy Warhol]

Derrière l'histoire officielle du Québec, traversée par l'imaginaire d'une historiographie missionnaire, il y a une part d'obscurité que dissimulent les faits objectifs. Il en va ainsi de la Révolution tranquille et de son récit triomphaliste : outre la chronique héroïque d'un peuple lancé à l'assaut de la modernité, celui-ci contient en creux un tissu de contradictions que l'on commence à peine à démêler et qui porte en germe la révision d'une histoire toute récente[1]. A défaut de livres d'histoire on se reportera donc, pour l'heure, aux œuvres littéraires et artistiques pour aller au plus près de cette période de mutations. L'intérêt de ces œuvres réside dans ce qu'elles mettent au jour des questionnements nouveaux et qu'elles explorent des conflits pour lesquels les solutions d'autrefois ne conviennent plus. Le cas est probant en ce qui concerne l'œuvre de Michel Tremblay, qui consti-tue un objet de réflexion privilégié en ce qui a trait à l'entrée du Québec dans l'ère postindustrielle. Son principal mérite à cet égard est d'avoir montré la «face cachée» de cette histoire par le truchement de personnages marginalisés qui subissent toujours plus durement que les autres les contre-coups du changement. Le travesti, tel qu'illustré dans *Hosanna*[2], est l'un de ces personnages. Il sera ici le point de départ d'une tentative d'élucidation de la crise qui découle de ce passage difficile du Québec à une culture dont les paramètres demeurent imprécis. Guidé par une lecture socio-économique du personnage, je ferai des aller-retour fréquents du texte au social, en évitant toutefois de restreindre l'œuvre à une fonction documentaire. Car m'intéressent aussi les enjeux propres à *Hosanna*, les caractéristiques de son langage dramatique et son inscription dans le Cycle des *Belles-Sœurs* et dans le texte global des «Chroniques du Plateau Mont-Royal».

Profits et pertes

> La guidoune à cinquante cennes est au coton pour le moment d'asteur... (*HO*, 16)

La question de l'identité traverse l'œuvre de Michel Tremblay. Elle affleure aussi bien dans l'écriture des pièces que dans celle des romans, et prend forme dans des thèmes récurrents. Celui de l'homosexualité importe à ce titre puisqu'il expose, métaphoriquement, la difficulté que rencontre un individu, comme une société, à se constituer hors de la sphère de ressemblance. Le thème du travestissement est aussi révélateur. Non pas parce qu'il est forcément lié au thème de l'homosexualité, mais parce qu'il développe un autre aspect de la crise du sujet québécois, à savoir son rapport malaisé avec l'identité réelle «habitant» un espace étranger. Dans la perspective de cette étude, le travestissement fait précisément ressortir les jeux d'influence et les rapports d'imitation à l'œuvre dans la culture moderne, lesquels amènent à concevoir l'identité en termes de commerce et d'échange. Autrement dit, l'identité ne serait plus aujourd'hui qu'une marchandise, un bien, un service; aussi se prête-t-elle au jeu dangereux de la spéculation.

De ce marchandage des identités, Hosanna représente un cas de figure. Son droit de passage dans le monde, ne le gagne-t-il pas, en effet, en transigeant son nom (son *vrai* nom : Claude) sur le marché des biens et des valeurs identitaires? À première vue, il exprime ainsi une liberté, mais au bout du compte le jeu tourne en sa défaveur puisqu'il s'en trouve réduit à un objet de consommation, en proie à un monde mouvant, précaire, bousculé par des changements incessants. Comment comprendre autrement l'instabilité constitutive d'Hosanna? Celui-ci, il est vrai, ne tient jamais en place. Vues sous l'angle du marché, ses métamorphoses correspondent à ses déplacements dans l'espace socio-économique de la fonctionnalité. Reine du Nil ou du foyer, vedette de cabaret ou coiffeur : ce ne sont pas là des masques qu'il arbore pour le plaisir d'une duplicité momentanée, mais plutôt les formes dans lesquelles il se fond suivant, pour chacune, une nécessité qui lui est étrangère. Mince consolation : il n'est pas seul dans cette galère. À ses côtés, Cuirette fait la même expérience : le jour, il roule en moto mais, le soir venu, le voilà qui enfile son tablier de ménagère. Son « espace » n'est pas moins instable que celui d'Hosanna, et l'on voit comment, dans l'incident du parc Lafontaine, cela tient en bonne partie au fait qu'il en a perdu le contrôle. Rien de tout cela, en fin de compte, ne contribue à la création d'une union apaisante. Le commerce qui lie Cuirette et Hosanna ressemble à un pacte maléfique où se reflètent les conditions faites à chacun dans une économie réglée par la succession cyclique des crises.

« Désir triangulaire »

Si l'identité-marchandise vibre au son du marché, cela veut dire qu'Hosanna adopte les poses qui satisfont aux lois de l'offre et de la demande. Cela veut dire que le Consommateur lui dicte son nom, son identité. Plus encore, c'est lui qui commandera à Hosanna de jouer tel ou tel rôle. À ce stade, il convient de faire appel à la théorie du « désir mimétique » de René Girard[3]. Plusieurs raisons motivent ce choix ; le fait, en particulier, que son champ d'application ne soit pas limité au domaine littéraire. Largement convoqué au service d'autres disciplines, le schéma girardien a démontré qu'il pouvait constituer un cadre d'analyse commun à l'étude de phénomènes en apparence disparates. Par exemple, les économistes[4] s'en sont saisis récemment pour mettre au jour certains des mécanismes « occultes » du marché. Il en est résulté une redéfinition radicale de l'*homo œconomicus*, tel que le concevait jusqu'alors la théorie économique classique. On ne peut nier l'intérêt que cela présente dans le cadre de cette étude.

Reste que, pour René Girard, la littérature fournit à l'élaboration de la théorie du mimétisme les exemples les plus riches. De *Don Quichotte* à *Madame Bovary*, en passant par le *Livre de Job* et *À la recherche du temps perdu*, la démonstration est la même, à savoir la mise en cause, à revers des courants dominant la pensée (sensibilité!) contemporaine, de la notion d'intériorité comme ferment du désir. Rien de tel n'existe, affirme Girard, seulement un réseau d'images et de paroles «médiatisées» qui orientent, façonnent, règlent l'investissement affectif du sujet vers tel ou tel objet.

Dans le cas d'Hosanna, il ne fait pas doute que ses identités successives sont bel et bien le produit d'une médiation. Cela dit, cette médiation doit trouver à s'incarner, et c'est là qu'il convient de se demander qui, dans ce drame, joue le rôle d'agent médiateur. Le choix n'est pas immense. Cuirette, à l'évidence, correspond à la description du médiateur, puisqu'il fournit à Hosanna, qui s'y conforme à la lettre, le modèle usé de la «femme fatale». Cuirette adhère lui-même à cette image, y investit son propre désir à travers Hosanna, mais surtout à travers les deux rivales que sont Reynald(a) et Sandra. En tant qu'objet de convoitise, il structure le désir d'être Hosanna; c'est à lui que revient, en somme, la tâche de l'inscrire dans ce que Girard appelle l'ordre «triangulaire». Mais il ne faut pas non plus accorder à Cuirette plus d'importance qu'il ne mérite. Il n'est pas lui-même maître de son désir; l'«ancienne imitation de gars de bicycle» n'est à son tour qu'un maillon de la chaîne qui emprisonne Hosanna. Par lui transite un désir qui n'a ni commencement ni fin parce qu'il participe au mouvement perpétuel des échanges et des médiations[5].

L'adhésion au modèle de la «femme fatale» n'est pas fortuite[6]. Elle s'explique par l'incertitude du sujet dans un univers où les rôles sont définis en termes d'utilité et où les solidarités ainsi que les pôles d'identification traditionnels ont cédé le terrain à la raison économique et bureaucratique. Dans un tel contexte, l'identité n'est jamais qu'une case vide que l'on s'efforce de combler soit par le travail, soit par l'acquisition de biens symboliques. C'est là qu'intervient, pour Hosanna, la figure mytho-médiatique d'Elizabeth Taylor/Cléopâtre. Au vide d'identité, elle oppose la plénitude d'une image. Mais cette image fait bien sûr illusion; elle n'est qu'une distraction qui révèle très tôt sa vraie nature. Derrière le simulacre, rien; une autre absence, un signe dépourvu de contenu. Le modèle hollywoodien dit bien ce qu'il est: plus que la preuve, il faut y voir la cause de l'aliénation d'Hosanna, mesurable au degré d'irréalité d'une image (Hosanna) qui en engendre une autre (Elizabeth Taylor), puis une autre encore (Cléopâtre), dans une sorte de rite mortuaire du réel et du sens. L'objet d'imitation, alors dévoyé, n'est plus que l'ombre de lui-même. Impossible d'en extraire quoi que ce soit, contrairement au modèle d'imitation classique, autrefois vecteur de la connaissance universelle. La culture postindustrielle dans laquelle baigne Hosanna annule tout profit au rapport d'imitation par une stratégie d'accumulation et de confusion. Hosanna ne gagne rien dans son commerce avec Cléopâtre. Le personnage historique lui parvient déréalisé, «déhistoricisé», broyé par le rouleau compresseur de la *Kulturindustrie* (Adorno). Identité déjà faite: identité *ready made*!

«Délivrez-nous du mâle!»

On en vient, tout naturellement, à la question de l'inscription de l'Autre culture (américaine) dans l'espace culturel québécois. Objet de fascination autant que d'appréhension, celle-ci se révèle problématique parce qu'elle éveille aussitôt le spectre de la domination. Dans l'appartement d'Hosanna, les signes de cette domination sont nombreux, et ce d'autant plus que l'adhésion du personnage va, comme on l'a souligné, aux formes les plus usées, les plus communes – vidées de toute expérience humaine – de la culture hégémonique. De fait, l'habitation de la rue Saint-Hubert croule sous les simulacres (le David de plâtre, le tableau «érotique» de Cuirette, les miroirs) et les «vestiges» de la culture de masse (télévision, appareil radio, tourne-disque portatif). Dans ce lieu qui, à bien des égards, prend des allures de musée, ne se trouve nulle part la marque d'une quelconque individualité. Selon le mot de l'auteur dans le prologue, il n'y aurait là qu'un «one-room-expensive-dumps» (*HO*, 11). Cette expression confirme, s'il était besoin, la marginalité du sujet (québécois) dans l'espace (américain), ainsi que l'agression dont il est l'objet, ce dont témoigne bien le clignotement incessant du néon de la pharmacie *Beaubien*.

Espace dévasté: espace travesti. On voit, dans cette métaphore spatiale, combien le motif du travestissement, dans *Hosanna*, ne donne pas prise au seul drame individuel, mais qu'il développe aussi la scène d'une société écartelée, lancée sur la voie de son anéantissement. Hosanna s'anéantit dans le désir de Cuirette comme le Québec perd son âme dans le rituel capitaliste de la consommation (et de la production) de masse. Tout se passe comme si le mode d'existence imposé par la culture contemporaine traduisait en somme le drame québécois d'une mort annoncée mais sans douleur. D'où le parallélisme qu'on établit entre le discours de libération homosexuelle dans la pièce et celui qui prône la souveraineté nationale. Tous deux, au fond, contrecarrent la logique perverse d'une certaine modernité; cette logique qui veut que rien ni personne n'échappe à la sanction du marché, lequel crée ainsi, par souci d'efficacité, un espace de plus en plus homogène. Ainsi s'explique la réaction de tout groupe marginalisé: les homosexuels défendent leur droit à la différence au même titre que les Québécois. Et l'on comprend de ce fait la stratégie adoptée: les Québécois s'appuient sur une décolonisation de la culture et de la conscience, pendant que les homosexuels entreprennent un procès en règle du travestissement comme figure de l'inauthenticité et de la non-identité. Un paradoxe saute aux yeux, qui est à la source des objections énoncées, au Québec et ailleurs, à l'endroit des discours identitaires gai et nationaliste: en fondant l'identité (collective ou individuelle) sur l'affirmation d'une différence, force est d'admettre qu'on ne fait là que reconduire l'impératif de ressemblance autour de laquelle s'articulait la critique de la culture de masse américaine.

Cet impératif mène, au bout du compte, à une impasse. Par le travestissement toujours, Tremblay explore l'expérience moderne du vertige, liée à la multiplication des signes et des objets et, par là, à leur dévaluation. Hosanna ressent ce vertige un soir d'Halloween, alors qu'il aperçoit devant lui plusieurs *reproductions* de son personnage, copies conformes d'une Cléopâtre dégradée venues prendre part à sa déconfiture. La scène est saisissante en bonne partie parce qu'elle est racontée et non dramatisée. Hosanna raconte, dans le deuxième acte, qu'une fois monté sur scène, il balaie du regard la foule qui peuple le *Bar à Sandra*. À cet instant, il voit son être se dissoudre, exploser en mille éclats : «Cuirette, j'pense que j'tais morte!» (*HO*, 73) confiera-t-il plus tard. Ce destin tragique, qui se dessine à l'heure où les morts rendent visite aux vivants, préfigure clairement, là encore, celui qui attend la société moderne et technicienne, qui se laisse distraire par les objets qu'elle fabrique et qui sont autant de reflets d'elle-même pour se persuader de sa propre existence[7]. Dans la «masse» des Cléopâtres, comme dans celle des objets, le sens ne circule plus. L'identité reproduite en série consacre le deuil de l'identité.

Le flux du monde

Pour mémoire, rappelons Walter Benjamin qui, déjà en 1936, traitait de ces questions dans une étude célèbre[8] portant sur les transformations survenues dans le monde de l'art depuis l'avènement des technologies de reproduction. Celles-ci, disait-il en substance, avaient eu pour effet d'ébranler profondément la notion d'œuvre d'art en contredisant ce qui en avait jusque-là assuré la pérennité, soit l'idée d'unicité ou d'originalité. La multiplication des images annonçait-elle, suivant les prédictions de Hegel, la mort de l'art et, par extension, celle de toute transcendance? Un paysage en tout cas semblait s'être modifié, du point de vue de Benjamin, qui pouvait le laisser croire. Ce paysage prenait corps dans cette ville moderne toujours fluctuante, plus changeante, pour dire comme Baudelaire, «que le cœur d'un mortel[9]» ; et il se trouvait modifié au sens où l'ordre ancien, unifié et cohérent, y faisait place à un désert tourbillonnant au milieu duquel l'homme s'égarait dans une errance sans fin qu'aggravait sa rupture avec le passé.

Ce bref détour amène à penser que, pour Hosanna, la voie semble avoir été tracée depuis longtemps. Sa disparition dans la foule des Cléopâtres rejoint de fait le destin de l'objet d'art qui, une fois reproduit et lancé dans le marché, ne possède plus cette singularité autrefois garante de son rang supérieur dans le système de production. À cet égard, il suffit d'observer qu'Hosanna n'est au mieux qu'une image, et que cette image devient l'objet, dans le petit monde qui est le sien, de toutes les rumeurs qui tantôt font monter et tantôt chuter sa «cote». Le travesti de Tremblay ne doit donc rien, de ce point de vue, au travesti d'antan (celui de Marivaux) qui détient la clé de son propre système mais se plaît à le jouer sur la scène du monde. Bien davantage, il représente un développement de la figure du flâneur, apparue avec l'ère industrielle, et dont Philippe Hamon, à la suite de Benjamin[10], trace ici le portrait:

> [U]n enfant abandonné, «exposé» [...] dés-orienté, incapable de recoller les morceaux de sa mémoire, dépossédé de son histoire et de son espace [et qui] ne maîtrise plus [...] les multiples surprises et les spectacles discontinus et bariolés de la grande ville moderne...[11]

Le flâneur, avec la prostituée, est l'être-type, l'emblème du monde moderne, celui qui, dans le Paris baudelairien, arpente les boulevards et participe au spectacle resplendissant d'un monde qui court à grandes enjambées vers sa perte. En cela, il n'est pas un témoin distant, il traduit le procès d'objectivation de l'individu donné en pâture à ce monde et servant de monnaie d'échange par son travail. Le flâneur ressemble à Hosanna parce qu'il fait face à un univers confus, ouvert, démesuré, dans les limites duquel son récit a lieu parce qu'il y a planté son regard; parce que son regard même épouse le flux du monde. On pense ici à une autre figure baudelairienne illustrant la position historique du travesti; c'est l'albatros en tant que forme dégradée de l'ange-poète égaré au milieu des hommes:

> Ce voyageur ailé,
> comme il est gauche et veule!
> Lui, naguère si beau, qu'il est comique et laid!
> L'un agace son bec avec un brûle-gueule,
> L'autre mime, en boitant, l'infirme qui volait![12]

L'albatros évoque le travesti de Tremblay, car il manifeste un désir de poésie, de beauté, de vérité, dans un monde qui n'en voit guère l'utilité. Les jeux de mots fameux d'Hosanna, son inimitable «parlure», de même que son sens de la dérision, outre qu'ils soient les armes d'une évidente lucidité, sont les marques certaines, parce qu'insuffisantes, de cette impossible transcendance que Gaston Miron appelait, avec justesse, le «non-poème»:

> Le non-poème
> ce sont les conditions subies sans espoir
> de la quotidienne altérité
> Le non-poème
> c'est mon historicité
> vécue par substitution [...][13]

Hosanna suicidé(s)

Michel Tremblay fait débuter sa pièce au point culminant de la crise d'Hosanna de sorte que son récit, élaboré sur le mode de la confession, raconte une opération de sauvetage. Revenu d'un bal costumé, Hosanna fait le vœu de reprendre possession de lui-même, de son territoire. L'entreprise sera longue et pénible, en raison surtout de sa propre résistance. C'est qu'une fois mises à mort les Cléopâtres et Elizabeth Taylor, une fois anéanties les identités empruntées, Hosanna fait face à Hosanna. L'enjeu n'est alors plus tout à fait le même. Il ne suffit plus de retirer le masque pour restituer le visage. Entièrement intériorisé, le modèle Hosanna forme aussi bien la chair que l'os du personnage, si bien que Claude Lemieux, pour autant qu'il existe, s'en trouve complètement occulté.

Occulté par le discours autant que par la mémoire volontaire, Hosanna ne parle en effet de lui-même qu'au féminin comme le fait aussi son compagnon Cuirette lorsqu'il lui parle. Cette parole apparaît donc bâillonnée, frappée d'interdit: quand l'un ou l'autre, par mégarde ou par provocation, se prend à l'ignorer, Hosanna est prompt à rectifier l'erreur. La réalité masculine n'a pas de sens à ses yeux, et ce pour une raison évidente: il n'existe pas de référent masculin dans sa généalogie ni de point de repère qui puisse conférer au nom de Claude quelque poids de réalité. Les mots de «père» et de «mâle» sont pour Hosanna, le travesti, des mots qui errent, des signifiants sans signifiés. Cela renvoie au fait que Claude/Hosanna n'a pu, dès l'origine, fonder son identité sur l'imitation et encore moins sur la contestation du modèle masculin. Cas typiquement québécois, dirait-on, d'un Œdipe mal résolu. À travers la figure du père manquant, le texte affirme qu'au cœur de l'espace familial (social) de Claude faisait défaut non seulement la réalité du père mais l'autorité qu'il est supposé incarner. Laissée à elle-même, la mère ne serait pas parvenue à combler le vide laissé par le père. À lire la pièce, on devine même qu'elle se serait dérobée volontairement à sa tâche quand s'était présentée l'occasion d'offrir une résistance au jeune Claude :

> HOSANNA – (*à Cuirette*) [...] Ben, sais-tu c'qu'a m'a répondu, ma mère, quand j'y ai dit que j'avais commencé à coucher avec les hommes ? A m'a dit : «Si t'es de même mon p'tit gars, au moins, choisis-toé s'en des beaux !» C'est toute. Rien d'autre. Pis a pensait qu'a me garderait ! (*Silence*) Mais aussitôt que j'ai fini ma neuvième, j'ai sacré mon camp à Montréal avec le premier bum venu. Pis... chus devenue Hosanna, petit à petit, échelon par échelon... Hosanna, la fille à gars de bicycle ! La coiffeuse à bums ! La folle à motards ! (*HO*, 42)

Cette dérive vers Montréal objective l'idée que Claude, dès son plus jeune âge, comme si cela était inscrit dans son code génétique[14], habite un lieu «hors-la-loi». Ce lieu n'est pas seulement géographique, il a aussi une dimension morale, d'où la convergence, sur le plan thématique, de Montréal (la *Main*) et du travestissement qui, dans le texte, rejouent inlassablement le même drame, celui de la perte du principe de réalité qu'ultimement le personnage cherche à reconquérir. Mais pour parvenir à refaire la loi du père, à restaurer le principe de réalité, Hosanna croit devoir faire table rase, c'est-à-dire tuer à petit feu, au moyen de la parole, tout ce qu'il a été. Ainsi, dans sa structure même, la pièce se présente-t-elle comme une succession de «petites morts» qui sont autant d'étapes à franchir, de stations si l'on veut, avant la résurrection finale de Claude.

«Être ou ne pas être ?»

On ne s'étonne guère de voir ici monter à la surface d'*Hosanna* le sous-texte religieux. L'auteur a recours en effet à un langage et à un réseau d'images, dont le nom

«Hosanna» n'est que le premier signe, qui montrent combien le religieux (pré)occupe encore l'imaginaire québécois. Sans doute le fait-il d'abord, ironiquement, pour épingler un autre aspect de l'aliénation nationale. Mais il n'empêche qu'il y a là également une tentative de sa part d'affirmer, transitivement, ses positions sur l'identité. Ce qui sous-tend aussi bien le texte de la libération nationale que celui de la libération homosexuelle n'est de fait rien de moins, dans *Hosanna*, que l'idée d'une essence première et indivisible qui donne une assise à l'identité. Pour Claude, cette assise passe par le corps masculin qui lui est révélé à la fin de la pièce. Celui-ci s'impose comme l'évidence de son être réel, défini en termes biologiques et opposant à la parade des masques un fait de nature (une différence) irréductible. L'écho du discours social est là immédiatement perceptible. Le nationalisme, lui aussi, a longtemps tiré sa certitude du sol (le Pays) réel qui fait advenir l'identité, du moment qu'il est nommé, désigné.

Cette volonté d'autofondation traverse une grande partie du texte de Michel Tremblay. La plus «visible», devrait-on dire. Et pourtant, elle ne prononce pas le fin mot de l'auteur sur la crise du sujet (individuel ou social). Son texte, tout au moins, comporte la contradiction suivante: au moment même où le «pouvoir intime» s'installe, représenté par le corps nu de Claude, la demande adressée à Cuirette pour qu'il lui porte attention réactive le système des échanges auquel ne peut, en définitive, se dérober le sujet: «R'garde, Raymond, chus t'un homme!» (*HO*, 75) Cette contradiction illustre, à qui veut l'entendre, une distorsion à l'œuvre dans les discours culturel et politique des années soixante et soixante-dix. Que se passe-t-il alors? Le cadre idéologique hérité de la modernité, qui a donné sa raison d'être à la Révolution tranquille, paraît rétrospectivement avoir occulté bon nombre des transformations profondes qui s'opéraient tant au chapitre de l'organisation de la vie sociale et économique que des *modes de représentation* propres à la nouvelle société. Avec les médias de masse notamment, qui investissent le champ de la culture, disparaît ce lieu unique et «séparé de l'existence» (Vattimo) à partir duquel celle-ci exerçait jadis son influence. Longtemps seule gardienne de l'identité, la culture y devient un bien commun, c'est-à-dire qu'elle se pense désormais à travers une hétéronomie qui, à l'espace consensuel de la Nation, oppose l'aire vaporeuse des opinions privées.

En d'autres termes, et pour revenir à la dernière scène d'*Hosanna*, le regard de Cuirette est ce qui remet en cause l'identité de Claude dans l'instant même où elle cherche à se fonder en principe d'évidence objective. Affirmation et négation, tout à la fois. La contradiction est riche. Elle se déploie en particulier lorsqu'on compare deux mises en scène marquantes de la pièce[15], l'une présentée en 1973 et l'autre en 1990. La première, d'inspiration moderniste, ralliait émancipations homosexuelle et nationale autour de l'idée d'une identité retrouvée au terme d'un dur combat. Y triomphait cette liturgie de la libération, alors en vogue, qui n'allait pas sans un certain lyrisme et des accents utopiques. En 1990, soit près de vingt ans plus tard, la pièce donnera lieu à une réflexion sur la fragilité de l'identité à l'heure de la «fin des utopies». Là, point de *happy end*: l'affirmation de soi à l'heure de la postmodernité n'est jamais qu'un ouvrage inachevé. Quelle est la meilleure lecture? Au terme de cette réflexion, il faut sans doute les choisir toutes deux (quitte à dire qu'elles sont nécessairement partielles!), parce que la pièce travaille elle-même sur ces deux tableaux, et parce que la contradiction qu'elle révèle n'est pas seulement la sienne mais peut-être bien celle de toute une société. L'œuvre, en ce sens, dit bien d'où elle émane, d'où elle est produite. Tel est le génie de Michel Tremblay, on l'a souvent dit, mais peut-être aussi sa contrainte, si de l'art il est encore permis de penser qu'il peut dépasser, déborder la contradiction, sans pour autant l'occulter.

NOTES

1. Dans un récent numéro de la revue *Autrement*, consacré au Québec, l'économiste Gilles Paquet donne le ton à une relecture de l'histoire: «C'est mal comprendre ce qui s'est passé que de célébrer cette période [...], comme l'entrée délibérée et voulue de la société québécoise dans le second XXᵉ siècle. On a plutôt assisté [...] à une révolution tranquillisante [...] l'État a voulu tranquilliser une société bousculée, énervée et perturbée par un

grand dérangement.» «Bilan économique d'une dépendance», *Autrement*, Paris, 60/84, p. 31.

2. Michel Tremblay, *Hosanna*, suivi de *la Duchesse de Langeais*, Montréal, Leméac, coll. «Théâtre», n° 137, 1984. Toutes les références au texte de Tremblay renvoient à cette édition.

3. René Girard, *Mensonge romantique et vérité romanesque*, Paris, Grasset, coll. «Pluriel», 1971.

4. Voir André Orléans, «La théorie mimétique face aux phénomènes économiques», *To Honor René Girard*, Saratoga (Cal.), Stanford French and Italian Studies, Anma Libra, 34, 1986, p. 121-133.

5. Précisons qu'il y a deux types de médiation: la première, interne, signifie que le sujet et son agent médiateur sont en contact direct; la seconde, externe, suppose que l'agent médiateur exerce son influence à distance. Jusqu'ici, il n'a été question que d'une médiation interne (Cuirette); quant au médiateur externe, on verra plus loin que c'est la mère d'Hosanna qui joue ce rôle, car elle serait responsable, dit Hosanna lui-même, de l'avoir jeté dans les bras du «premier bum venu».

6. Il en va de même du modèle du «gars de bicycle» qui, chez Cuirette, est marqué au sceau de la fausseté, tout comme le nom qu'il porte comme un vieux blouson démodé; blouson qui ne serait, là encore, qu'une imitation («cuirette») et cacherait mal l'identité réelle – refoulée! – («tapette»).

7. Voir Jean Baudrillard, *la Société de consommation, ses mythes et ses structures*, Paris, Éditions Denoël, coll. «Folio/Essai», 1970; lire principalement «La profusion et la panoplie», p. 19-21.

8. Walter Benjamin, «L'œuvre d'art à l'ère de la reproductibilité technique», dans *l'Homme, le langage et la culture*, Paris, Denoël/Gonthier, coll. «Médiations», 1971, p. 137-181.

9. Charles Baudelaire, «Le cygne», dans *les Fleurs du mal*, Paris, Garnier-Flammarion, 1964, p. 107.

10. Walter Benjamin, *Charles Baudelaire, un poète lyrique à l'apogée du capitalisme*, Paris, Payot, 1982; voir aussi: «Paris, capitale du XIXe siècle», dans *l'Homme, le langage et la culture*, Denoël/Gonthier, coll. «Médiations», 1971, p. 117-136.

11. Philippe Hamon, *Exposition. Littérature et architecture au XIXe siècle*, Paris, José Corti, 1989, p. 155.

12. Charles Baudelaire, «L'albatros», dans *les Fleurs du mal*, Paris, Garnier-Flammarion, 1964, p. 38.

13. Gaston Miron, «Notes sur le non-poème et le poème», dans *l'Homme rapaillé*, Montréal, Presses de l'Université de Montréal, 1970, p. 122.

14. *La grosse femme d'à côté est enceinte* (1978) permet de faire la lumière sur le «roman familial» d'Hosanna. En 1942, Claire Lemieux, l'autre femme d'à côté, est enceinte; projetant de quitter Montréal et Hector, son mari, pour Saint-Hyacinthe, elle inaugure déjà le récit de son fils. Tremblay écrit: «Elle [Claire] frotta doucement son ventre, cherchant les points où elle pouvait sentir bouger les pieds. "Hé, que c'est le fun! Mon p'tit Claude! ou ben ma p'tite Claudette! Mais si j'sarais quelle sorte que t'es, aussi, j's'rais pas obligée de toute répéter deux fois!"» (Montréal, Leméac, coll. «Poche/Québec», 1986, p. 92). Faisant le chemin inverse, Hosanna retrouve en quelque sorte, à Montréal, le lieu de son indécision ontologique.

15. La première est d'André Brassard, la deuxième de Lorraine Pintal. Toutes deux ont été présentées au Théâtre de Quat'Sous.

Bonjour, là, bonjour

Stéphane Lépine

Passage à l'acte

S'il est une nécessité interne qui se fait sentir tout au long du Cycle des *Belles-Sœurs* et qu'éprouvent de manière urgente et même prégnante plusieurs personnages étendards de Tremblay, c'est bien celle de s'échapper, de s'arracher. Devenus des étrangers, des « marginaux et détraqués » dans leur (juste) milieu, devenus des exilés, Pierrette Guérin, Carmen, la duchesse de Langeais ou Serge n'ont d'autre choix, s'ils veulent enfin dire « je » et remporter une victoire sur l'aliénation[1], que d'opérer une sortie, que d'accomplir leur exil. Pour assumer leur différence, pour se reconnaître seuls responsables de l'accomplissement de leur désir à eux, il leur faut être en mesure de rompre avec le lieu commun, il leur faut tuer symboliquement les parents ou les modèles sociaux, les faire choir de la place qu'ils occupent et qui les rend maîtres du désir.

Texte à la fois fécond et mutilé (nous reviendrons plus loin sur la nature de cette mutilation), qui met en scène de manière exemplaire le douloureux processus qui mène à cette sortie, à ce renoncement au désir des autres et à l'enfantement de soi, *Bonjour, là, bonjour* est la pièce centrale du Cycle des *Belles-Sœurs*[2]. Elle en est le nœud et, en même temps, elle est celle qui, pour la première fois, offre la possibilité d'un réel dénouement ou, pour être plus précis, d'un renouement. Le titre de la pièce offre même un condensé de tout le Cycle. Entre le bonjour de l'arrivée de Serge (celui de l'entrée en matière, de la présentation des personnages et des situations conflictuelles qui traverseront tout le Cycle) et le bonjour du départ (celui de la résolution ou de la réconciliation, de la sortie et de la survie possible hors du milieu familial), il y a précisément un milieu, un nœud, un « là », et c'est « là » sans doute, dans cette pièce, que tout se joue.

La père-patrie

De retour d'Europe après trois mois d'absence, de retour sur les lieux de son origine – cette mère-patrie dont il veut s'arracher –, Serge vient conquérir la *Vaterland*, la père-patrie. Il vient dire bonjour (et au revoir, et adieu) à des personnages et à un univers que nous avions appris à connaître dans les œuvres précédentes du Cycle. Le temps de la pièce, il va tenter d'effectuer une échappée que Pierrette Guérin dans *les Belles-Sœurs* et Carmen dans *À toi, pour toujours, ta Marie-Lou* ont opérée avant lui, et que les pièces subséquentes de Tremblay dessineront avec encore plus de fermeté. Entre deux bonjours, Serge (et dans Serge il y a un « je » qui s'affirme) vient donc s'inscrire. D'abord, il vient se dégager de l'emprise maladive des femmes qui l'entourent depuis l'enfance, ces femmes (ses sœurs et ses tantes) qui se disputent son corps et sa présence, et pour lesquelles il est un objet de désir que rien (alcool, médicaments, nourriture ou amant de passage) ne peut remplacer. Il vient ensuite reconnaître son désir incestueux pour sa sœur Nicole et enfin, et surtout, se faire entendre de son père[3]. Il parviendra au bout du compte à aller au-delà de la surdité de son père, au-delà de l'incompréhension qui les sépare depuis toujours, pour enfin pouvoir lui déclarer son amour.

Relue aujourd'hui, cette déclaration d'amour acquiert une importance capitale. Maintenant que nous avons une perspective d'ensemble du Cycle et de ses enjeux, on peut même croire qu'il s'agit là d'un pivot de l'œuvre dramatique de Tremblay, et que ce couple père-fils, à l'exemple du couple mère-fils chez Jean Genet, éclairé d'une lumière qui est propre à l'auteur, est ce qui reste de plus profond et de plus intéressant dans *Bonjour, là, bonjour*. Car, comme l'a déjà fait remarquer Wladimir Krysinski, « il semblerait que l'inceste soit le signe et le centre du conflit, mais à bien y regarder, on ne peut s'empêcher de penser qu'il y est plutôt décoratif que réellement dramatique[4] ». Décoratif certes, l'inceste (au même titre que l'homosexualité dans d'autres œuvres de Tremblay) est d'abord une métaphore de la rupture (souhaitée) avec la Loi, et l'enjeu essentiel de la pièce demeure très certainement ce renouement avec le père.

On le sait, il n'y a pas de pères dans l'œuvre de Tremblay, pas de figure paternelle à fonction paternelle (Loi, Œdipe, etc.). Il n'y a que ce que Lacan appelait « des versions du père », des avatars du père ou des pères avortés. Les hommes y sont interchangeables et tous piégés dans des impasses pré-œdipiennes. Ce sont des amants infantiles, des frères, des fils, des « folles » plus que des pères. Ceux-ci évoluent, indifférenciés, entre les femmes et les enfants, qui sont les véritables protagonistes mis en actes par l'écriture. Le père dans *Bonjour, là, bonjour* ne fait pas exception à cette constante. Il se présente comme un personnage taciturne et quasi muet avec lequel Serge semble n'avoir jamais eu le moindre rapport structurant. C'est un homme qui s'est retranché du monde (à cause d'une surdité réelle ou simulée) et qui passe la plus grande partie de son temps à la taverne ou occupé à lire des romans de Hugo ou d'autres ouvrages ayant Paris pour décor[5].

Ce à quoi la pièce nous permettra d'assister, c'est donc fondamentalement à une quête du Nom-du-Père, une quête qui, une fois accomplie, permettrait au personnage de Serge de sortir de cette impasse pré-œdipienne. On le sait, Freud a vu dans le mythe d'Œdipe le modèle de maturation sexuelle qui permet d'intégrer l'existence en s'identifiant à son père et en fantasmant la capacité de le remplacer auprès de la mère. Mais l'enfant mâle ne peut produire et verbaliser des fantasmes où il remplace son père auprès de sa mère qu'à condition que ce dernier soit non seulement bien vivant, mais solidement installé à *sa* place. S'il ne peut idéaliser son père, si celui-ci est malade ou névrosé, le garçon ne peut produire de tels fantasmes, et c'est là le premier handicap à sa maturation sexuelle. Dans *Bonjour, là, bonjour*, Serge va donc chercher à affronter la Loi du père, à le rétablir dans son rôle, à lui redonner la parole pour enfin avoir avec lui un rapport structurant. Il va chercher à être « initié ».

Le sacrifice

Pour pouvoir naître à l'âge adulte, l'homme doit donc se buter à l'interdit énoncé par le Père et définitivement assumer la perte du corps maternel. Se penser homme demande de s'être soustrait à une mère. Pour parvenir à être pleinement, sans concession au désir des autres, pour enfin pouvoir s'énoncer, Serge devra donc vaincre ses résistances et se défaire de celles qui l'ont jusqu'alors le plus aimé, ces tantes et ces sœurs qui sont autant de visages d'une mère dont l'absence sur la scène du drame n'atténue en rien la présence symbolique. Mais tuer, même imaginairement, celle(s) à qui l'on doit la vie n'est pas une mince entreprise. Écartelé entre les désirs de ses «mères» et le sien, Serge est confronté à l'inéluctable : il doit passer à l'acte. Passage à l'acte : «Conduite impulsive, dit *le Petit Robert*, le plus souvent violente, par laquelle le sujet passe de la tendance, l'intention, à sa réalisation» ; ou encore : «Conduite impulsive dont les motivations restent inconscientes et qui marque l'émergence au plan de l'action d'un contenu refoulé». Le passage à l'acte doit évidemment être perçu comme un sacrifice du moi. Mais ce sacrifice n'a rien d'un suicide, il s'agirait même plutôt du contraire d'un suicide.

Le conflit psychologique qui structure *Bonjour, là, bonjour* n'est pas sans rapport avec celui que vit Tom dans *la Ménagerie de verre* de Tennessee Williams[6] et, toutes proportions gardées, avec celui d'Hamlet. Hamlet ne se suicide pas, ni ne s'auto-mutile ; comme Œdipe, il doit lui aussi «passer à l'acte» : venger son père, tuer le roi. Entre le bavardage vide où l'humanité est enlisée («*words, words, words*») et l'acte, il y a tout un temps d'agonie où il faut au héros accepter le poids intolérable de l'idée de vengeance, admettre sa nécessité, puiser la force d'y répondre. «Bonjour, bonjour. Bonsoir, bonsoir. C't'à peu près toute... Du small talk, t'sais veux dire...[7]», monologue Lucienne à un moment de la pièce où Serge n'est pas encore en mesure de dénouer le nœud familial, de passer à l'acte, au moment où lui-même est enlisé dans le bavardage interminable et insignifiant de ses sœurs, dans le babil et le radotage de ses tantes et de son vieillard de père. Comme Hamlet, «seigneur latent qui ne peut devenir[8]», Serge n'arrive pas à naître. Il somnole dans un état de latence mais arrive toutefois à un moment de sa vie où il doit *y passer*.

À l'intérieur du microcosme familial, le sens semble s'être perdu, les voix, les temps et les espaces sont entremêlés, brouillés (la structure musicale de la pièce et les monologues entrecroisés sont là pour le démontrer). L'espace familial dans lequel évoluent (ou n'évoluent pas, en fait) les personnages est réduit au minimum et le monologue intérieur se charge d'isoler l'être encore plus dans sa solitude. Lui-même prisonnier de ce territoire (dé)limité, de ce monde clos, quadrillé, sourd (comme l'est le père) à tout ce qui est extérieur, Serge doit *forcément* effectuer une échappée, rompre avec la famille, la tradition, la filiation.

Re-création du même

Bonjour, là, bonjour est donc l'histoire d'un babil et d'un passage à l'acte. Mais si le passage à l'acte semble avoir lieu (Serge réussit à vivre socialement son amour pour sa sœur), si la pièce peut être vue au premier regard comme une victoire du désir prohibé sur l'ordre familial et social, cette victoire est en quelque sorte «pervertie». Est pervers ce qui est «tourné à l'envers», «détourné de sa fin». La sexualité perverse est celle qui demeure tournée vers les parents au lieu de pouvoir s'investir dans l'avenir et la reproduction. En fait, comme tous les hommes du théâtre de Tremblay, Serge reste coincé dans une impasse pré-œdipienne. La tentative d'émigration vers l'autre – ou plutôt vers «de l'autre» – avorte chez lui aussi du fait de l'absence de confrontation réelle avec la Loi du Père.

Dans *Bonjour, là, bonjour*, Serge n'affronte pas la Loi, il la contourne, la détourne, essaie de «se faire chum avec». Serge n'effectue pas une sortie, il ne dénoue pas l'impasse, il la renoue, la recrée. Plutôt que de permettre l'accomplissement de son désir sexuel par la séparation d'avec l'ordre familial (séparation constitutive chez tout être humain) et dans une telle rupture, il respecte cet ordre, réinstaure le familier, le familial. En s'unissant à Nicole, ses autres sœurs deviennent ses belles-sœurs (figures emblématiques de l'aliénation dans le théâtre de Tremblay), et en soustrayant son père à l'emprise des femmes, il investit leur place. Alors que l'accomplissement du désir sexuel se paie de la perte des parents, alors que le rêve d'un franchissement imaginaire se réalise grâce à l'abandon à l'Autre, on assiste ici à une re-création perverse du même, constante de l'œuvre de Tremblay. Serge adopte son père, devient le père de son père et réinstalle convenablement et avec sa bénédiction (il n'y a donc pas rupture du contrat familial et social) une liaison incestueuse qui, on le sait maintenant que *la Maison suspendue* s'est ajoutée au Cycle et l'a conclu, est à l'origine de toute la généalogie.

Rarement l'échec d'un personnage à échapper à la Loi du Père aura-t-il été aussi révélateur de la difficulté à ébranler l'ordre symbolique de la culture et de la société. Cette difficulté, ce désir, on le sait, fondent toute l'œuvre de Genet. Mais contrairement à tous les grands personnages genettiens, qui réussissent à maintenir une position révolutionnaire, à demeurer hors-la-loi (et ce, au prix d'un échec social ou parfois même d'une perte du Moi[9]), Serge respecte finalement à sa façon les modèles traditionnels et la morale bourgeoise. En recherchant comme il le souhaite la bénédiction du Père, non seulement favorise-t-il lui-même une récupération de sa marginalité et cherche-t-il à l'entourer d'une aura de respectabilité, mais il obéit ainsi aux lois de la filiation, rate sa sortie et réintègre par le fait même l'ordre familial et social.

Si *Bonjour, là, bonjour* démontre qu'une petite fiction familiale peut rendre compte de tout le caractère intenable de la position révolutionnaire (quelque forme qu'elle prenne), la pièce en dit peut-être également très long sur l'état du Québec à un moment décisif de son histoire[10], c'est-à-dire au moment où le désir d'autonomie d'une société s'accompagne d'une volonté contradictoire de ne surtout pas se constituer hors-la-loi...

NOTES

1. On sait que le mot aliénation désigne l'état d'un individu qui, par suite de conditions extérieures à sa volonté, cesse de s'appartenir.

2. Sinon dans la composition et la publication, du moins en ce qui a trait à l'esprit.

3. Car *Bonjour, là, bonjour* est moins l'histoire d'un père sourd que celle d'un fils qui a peine à se faire entendre.

4. «Saint-Tremblay, ni comédien ni martyr», *Vice Versa*, nos 22-23, p. 30.

5. Il serait certes tentant de voir dans «la bouteille» et dans ces représentations littéraires de Paris autant d'objets transitionnels permettant à cet homme de combler l'absence de la femme ou de rejoindre fantasmatiquement sa mère la France.

6. Dans cette pièce, un fils doit également se libérer de l'emprise de femmes qui vivent uniquement par lui et pour lui. Pour arriver à «s'accomplir», il doit abandonner le foyer familial, comme l'a déjà fait son père, un homme auquel il n'arrive pas à s'identifier.

7. Michel Tremblay, *Bonjour, là, bonjour*, Montréal, Leméac, coll. «Théâtre canadien», no 41, 1974, p. 37.

8. Stéphane Mallarmé, «Hamlet» (chapitre de *Crayonné au théâtre*), *Œuvres complètes*, Paris, Gallimard, coll. «Bibliothèque de la Pléiade», 1979, p. 300.

9. Mais l'échec sur le plan profane est la condition *sine qua non* d'une réussite sur le plan sacré...

10. Et quoique créée en 1974, la pièce demeure à cet égard d'une cruelle actualité...

SURPRISE ! SURPRISE !

GILBERT DAVID

CROISEMENTS TÉLÉPHONIQUES

L'auteur du Cycle des *Belles-Sœurs,* à côté d'une dramaturgie réclamant des distributions imposantes et, somme toute, des moyens scéniques considérables, n'a pas dédaigné les «petites formes», comme ce fut le cas avec *la Duchesse de Langeais, Hosanna, Damnée Manon, Sacrée Sandra, les Anciennes Odeurs* ou, plus tard, *Marcel poursuivi par les chiens.* Danièle Sallenave cerne en quelques traits, tout en s'interdisant d'en faire une définition canonique, ces «petites formes», qui lui paraissent constituer «un lieu de résistance efficace contre la tentation du spectaculaire [...]: un texte plus court; un spectacle moins long; un acteur plus proche; une participation plus grande[1]».

En est-il de même de cette comédie à trois personnages, qui fut créée en théâtre-midi, sur l'heure du lunch, en avril 1975[2], sous le titre de *Surprise! Surprise!*[3]? Oui et non. La pièce fait à peine une heure et elle ne demande qu'un dispositif scénique minimal, avec ses «trois femmes installées devant trois téléphones» (*SS,* 69): Laurette, Jeannine, Madeleine, toutes trois résidantes du Plateau Mont-Royal. Mais, tout en étant très drôle et fort efficace sur le plan rythmique, on ne peut pas dire de cette pièce qu'elle soit de la même eau que les œuvres, nettement plus substantielles, nommées précédemment. Il s'agit bien plus d'un divertissement léger, pimenté de pointes satiriques, que d'un drame, voire d'une comédie dramatique. En revanche, la pièce est plus ample et plus complexe que ne le serait un simple sketch. Et, à y regarder d'un peu plus près, elle réserve bien quelques... surprises.

L'argument est mince: le projet d'une surprise-partie pour célébrer le jour même, un 19 janvier (sans précision d'année[4]), l'anniversaire d'une certaine Madeleine va buter sur divers imprévus que dresse entre les personnages l'utilisation forcément aveugle du téléphone. À la faveur de conversations téléphoniques croisées, il se produit un quiproquo qui fait croire à la «mauvaise» Madeleine (Michaud) qu'un groupe de femmes s'apprête à la fêter, alors que les préparatifs visent une autre Madeleine (Simard).

Il vaut la peine de faire le récit succinct des péripéties de cette espèce de morceau de bravoure. Le début de la pièce surprend Laurette en pleine conversation téléphonique avec une interlocutrice invisible (qui sera identifiée plus tard – on remarquera le clin d'œil – comme sa *belle-sœur* Aline), pendant que Jeannine, après deux échecs pour rejoindre la première, se décide à appeler la téléphoniste qui n'en peut mais. Toutefois, Laurette a bel et bien entendu «un drôle de bruit», comme si quelqu'un avait tenté de couper la ligne… ou, pis, essayé d'espionner son innocent bavardage sur la meilleure façon d'élever un garçon, prodigue qu'elle est en conseils, tous plus punitifs les uns que les autres, alors qu'elle ne compte pas elle-même de rejeton mâle dans sa progéniture: «Ah, une chance que j'en n'ai pas eu, parce que j'te dis qu'y auraient été drillés sur un vrai temps!» (*SS*, 70[5])

Quand, après une heure et demie passée au téléphone avec Aline, Laurette redevient disponible, son coup de fil à Jeannine coïncide avec celui que celle-ci vient tout juste de faire, en tentant pour une troisième fois de joindre l'infatigable commère. Pendant que les deux amies mettent au point les derniers détails de la fête de Madeleine (jamais visible ni audible), non sans avoir fait sentir le caractère chiche et plutôt expéditif de l'entreprise, l'autre Madeleine (visible et audible) essaie vainement de contacter par téléphone d'abord Laurette, puis Jeannine.

À la troisième tentative de Madeleine pour toucher le domicile de Laurette, celle-ci répond enfin, mais, croyant à tort qu'il s'agit de Jeannine qui la rappelle, déballe son sac sur la fête en préparation à une Madeleine interloquée. Une fois qu'elle a raccroché, Laurette prend aussitôt conscience de sa bourde, alors que Madeleine, livrée à elle-même, est dans tous ses états : « C'tu ma fête ! C'tu ma fête , pis j'le sais pas ! » (*SS*, 83) Parallèlement aux appels de Madeleine à la téléphoniste et au poste de police (!) pour s'enquérir de la date, et qui finit par comprendre que le 19 janvier ne peut décidément pas être sa journée d'anniversaire, Laurette atteint Jeannine pour lui faire part de sa gaffe. Ces deux dernières en viennent à la décision de fêter ensemble les *deux* Madeleine, pour éviter les explications gênantes à l'endroit de la Madeleine qui n'était pas dans leurs plans de départ, et qui n'avait même pas été invitée à la petite fête, d'ailleurs... Elles conviennent de doubler la cote-part du groupe pour l'achat d'un cadeau – une chaîne plaquée or pour chaque femme – et de se contenter d'un seul gâteau pour les deux. De son côté, Madeleine, une fois convaincue de la méprise de Laurette, cherche à la joindre, mais sans succès, puisque celle-ci est en grande conversation avec Jeannine. C'est cette dernière, à la suite d'un échange aigre-doux sur la situation délicate... et sur le pluriel des noms propres, qui est chargée par Laurette de mettre les choses au clair avec « la fausse fêtée ».

Mais, sur le coup, Jeannine n'a pas de chance, car Madeleine a décroché son appareil, par crainte d'avoir à s'expliquer sur sa passivité dans les circonstances, n'ayant pas dénoncé immédiatement le malentendu. Puis Madeleine se ravise, et c'est alors que Laurette, croyant appeler la fêtée du jour, compose le numéro de l'autre, ce qui ne fait qu'ajouter à l'imbroglio. Ensuite, c'est au tour de Jeannine, après deux essais infructueux, de rejoindre Madeleine, pendant qu'en parallèle, Laurette va découvrir en parlant avec une certaine Georgette que la situation est plus explosive qu'elle ne l'avait d'abord cru.

Laurette rappelle aussitôt Jeannine, qui s'amuse d'abord à ses dépens en affectant d'être Madeleine, mais qui prend vite connaissance de la tuile qui leur tombe dessus : « Madeleine Michaud pis Madeleine Simard se parlent pus depuis quinze jours ! Madeleine Simard est partie avec le chum de l'autre ! » (*SS*, 104) Il n'est donc plus question de fêter ensemble les deux Madeleine. De son côté, Madeleine Michaud a elle-même déduit que le 19 janvier est la date d'anniversaire de sa rivale, « la charogne à Madeleine

Simard!» Et Madeleine de téléphoner à Laurette pour lui faire comprendre sa façon de penser, teintée de paranoïa, et pour l'avertir de ses intentions malveillantes, maintenant que le lieu et l'heure de la surprise-partie, et surtout l'identité de l'autre fêtée lui sont connus.

Laurette, pour cause, et Madeleine, toujours sur sa lancée de mises au point, essaient toutes deux d'atteindre Jeannine. C'est Laurette qui touche le but la première et qui la presse d'annuler l'événement, de peur que le tout dégénère en bataille rangée. Mais Jeannine propose plutôt de changer de restaurant, pendant que de son côté, Madeleine, toute à ses noires pensées, ronge son frein et s'en promet de belles.

Mais Laurette, une fois qu'elle a quitté Jeannine, décide quand même, contre l'avis de son amie, de rappeler la «pauvre Madeleine» pour l'avertir du changement de programme. Trop absorbée dans ses plans de vengeance, Madeleine laisse sonner le téléphone, puis décroche sans répondre à Laurette, épouvantée, qui l'entend ainsi se livrer sans vergogne à ses fantasmes assassins. Jeannine, se doutant de l'initiative de Laurette – «C'est pas un cœur qu'a l'a, c'est un bonbon fondant!» (*SS*, 112) –, va tenter, bien sûr sans succès, de rejoindre l'une et l'autre, et celle-ci plutôt deux fois qu'une, pour finir par s'en laver les mains: «Ah, pis qu'y s'arrangent!!!» (*SS*, 115) Et la pièce de se terminer sur une Madeleine en pleine crise de rage, sourde aux appels d'une Laurette accrochée à son récepteur.

À double tranchant

Ce n'est pas la première fois que le téléphone sert à Michel Tremblay de révélateur des difficultés et des aléas de la communication dans la vie courante. On se souviendra de la conversation (ou, plutôt, du monologue) téléphonique de Germaine Lauzon, dans les premiers moments des *Belles-Sœurs*, alors que la gagnante d'un million de timbres-primes fait état à sa sœur Rose de tout ce qu'elle compte se procurer. Dans la même pièce, un peu plus loin au premier acte, Rose Ouimet répond à un appel destiné à la fille de Germaine, Linda, auquel cette dernière n'aura accès qu'au deuxième acte, soit une bonne heure plus tard, lorsque sa

tante se rappelle fortuitement qu'elle est «demandée au téléphone»... Ailleurs, dans *Hosanna*, Claude Lemieux est, une
fois revenu panser ses plaies dans son appartement, relancé
au téléphone par une Sandra qui cherche ainsi à prolonger
son plaisir sadique, et à vérifier de vive voix l'humiliation de
sa rivale auprès de Cuirette. Avec, en contre-partie, la colère
bien tassée d'une Hosanna hors d'elle-même[6].

Le téléphone est ainsi d'un usage à double tranchant. Il
permet d'économiser des pas et d'échanger sur tout et rien,
suivant la solide tradition villageoise du commérage, mais il
peut vite devenir un instrument de torture, qui vient envahir
sans crier gare votre espace privé, vous sommer de répondre, d'être là, à disposition. Le téléphone rend service et, par
un effet pervers de son instrumentalité apparemment inof-
fensive, il asservit et il rend vulnérable quiconque en
possède un à l'envahissement d'une parole extérieure, pas
toujours bienveillante, parfois même inquisitoriale, souvent
perturbante. C'est que, comme l'a fait remarquer Marshall
McLuhan, «le téléphone est une forme de participation, qui
suppose un partenaire, avec toute l'intensité de la polarité
électrique[7]». Et, sans vouloir jouer sur les mots, on pourrait
prolonger cette affirmation en disant qu'invariablement
l'usage du téléphone met de l'électricité dans l'air. Comme
tous les autres prolongements technologiques de l'être
humain, le téléphone a deux faces, l'une bénéfique, l'autre
potentiellement maléfique.

Prenez cette pauvre Madeleine : le hasard malencontreux
d'un coup de fil qui ne lui était pas destiné va la pousser
dans une direction de plus en plus incontrôlable, jusqu'à la
folie verbale de nature meurtrière, tellement elle se trouve
entortillée dans l'écheveau des appels et contre-appels sur
lesquels elle n'a pas de prise. Certes, Madeleine aurait pu
tout de suite lever l'ambiguïté naissante, mais son dilemme
– dire qui elle est et ne pas être fêtée ou ne pas le dire et
profiter de l'aubaine – amorce l'irrémédiable. Les maladres-
ses de Laurette font le reste.

Il y a, de la sorte, une puissante force latente de destruction dans la parole libérée de la possibilité de validation du
regard et du face à face. Au téléphone, l'énonciation se fait
pour ainsi dire à l'aveuglette, avec tous les risques inhérents

à une telle confiance aveugle, sans laquelle, pourtant, personne n'oserait donner un coup de fil. Sous des dehors de pièce écrite, pourrait-on croire, par-dessus la jambe, *Surprise! Surprise!* expose un arrière-plan fondamental de la socialité moderniste. Le téléphone que certains considèrent comme le «sport» préféré de la femme d'intérieur, du moins au Québec, permet à Tremblay de radiographier, avec une féroce virtuosité, les dérèglements qui menacent en effet jusqu'au plus simple acte de communication…

En campant un univers qui, pourrait-on croire, ne tient qu'à un fil, à travers un flot verbal livré aux ratés et aux hoquets de la discontinuité, l'auteur reste fidèle, plus qu'il n'y paraît à première vue, au travail formel de dislocation du langage qui est le sien dans l'ensemble du Cycle des *Belles-Sœurs*. De plus, ses trois ménagères mal engueulées restituent, sur un mode burlesque très percutant, ce qui littéralement *travaille* de l'intérieur les êtres esseulés de ce monde volontiers replié sur lui-même, assujetti à des lois cruellement implicites.

Aussi, la frustration, omniprésente, n'attend-elle qu'un banal incident déclencheur pour envahir tout l'espace du clan. En cela, Madeleine est bien une des «belles-sœurs» de Germaine Lauzon : la violence qu'elle subit vient d'un vieux fonds d'aliénation commune, où chaque entité participe solidairement, jusqu'à l'absurde, de la totalité. Et, dans un tel monde, personne ne se sent *responsable* de l'autre, ce qui ouvre la porte à toutes les catastrophes, involontaires ou non. Il est des croisements, téléphoniques comme ici, ou comme ailleurs dans le choc des espaces-temps, qui révèlent la substance affolée de la collectivité. Sauf à vouloir s'en laver les mains, comme l'affirme Jeannine (mais est-ce seulement possible ?), personne n'en sort indemne. Avons-nous dit «surprise» ?

NOTES

1. Danièle Sallenave, «Les épreuves de l'art (III)», dans *L'Art du théâtre*, n° 4, Arles/Paris, Actes Sud/Théâtre national de Chaillot, printemps 1986, p. 127 et 129.

2. La création de *Surprise! Surprise!* a eu lieu au Théâtre du Nouveau Monde, dans une mise en scène d'André Brassard. Les interprètes en étaient Denise Morelle (Laurette), Monique Joly (Jeannine) et Carmen Tremblay (Madeleine).

3. *Surprise! Surprise!*, à la suite de *Damnée Manon, Sacrée Sandra*, Montréal, Leméac, coll. «Théâtre», n° 62, 1977, p. 67-115. Toutes les références à cette pièce renvoient à cette édition.

4. Mais le fait que *les Berger,* un téléroman populaire du début des années 1970, y soit nommé, parle de lui-même.

5. L'anglicisme «drillés» (forgé sur le verbe «*drill*» qui signifie faire faire de l'exercice à des militaires et qui peut référer à la façon de dresser un enfant à bien se tenir) est, bien évidemment, un usage joualisant – et savoureux! – de l'approche autoritaire de Laurette dans sa conception de l'éducation des enfants «mous»...

6. «Certaines personnes peuvent difficilement avoir une conversation téléphonique même avec leurs meilleurs amis sans se mettre en colère», note pertinemment Marshall McLuhan, dans *Pour comprendre les média* (traduction de l'anglais par Jean Paré), Montréal, Éditions HMH, coll. «H», 1969, p. 293.

7. Marshall McLuhan, *op. cit.,* p. 294.

Sainte Carmen de la Main

Jean-François Chassay

Éloge du faux

> J'la connais par cœur, la Main,
> c'est ma mère![1]

On remarquera non sans ironie que, des deux filles de Marie-Louise et Léopold, c'est Carmen qui verra son nom associé à la sainteté, en vertu du titre de la pièce que Michel Tremblay lui consacre, alors que sa sœur dévote sera liée à la damnation dès l'année suivante, avec la pièce qui a clôturé provisoirement, en 1977, le Cycle des *Belles-Sœurs* : *Damnée Manon, Sacrée Sandra*. Bien qu'il ne faille pas prendre le titre des deux pièces au pied de la lettre, il reste que bien peu de spectateurs auraient pu imaginer, lorsque Carmen quitte sa sœur, bien décidée à l'oublier, à la fin de la représentation d'*À toi, pour toujours, ta Marie-Lou*, qu'elle réapparaîtrait, quelques années plus tard, auréolée par la gloire et, surtout, par la mission qu'elle se donne : « sauver » la *Main* et aider ceux qui la peuplent à se découvrir une fierté et à se sortir de la misère existentielle.

La révolte avortée

Chanteuse vedette au Rodéo, Carmen part six mois à Nashville pour se perfectionner. La pièce commence au matin de son retour, qui coïncide avec un lever de soleil particulièrement spectaculaire : « Le soleil est v'nu au monde comme un coup de poing rouge au bout d'la Catherine ! » (*SCM*, 6) Pour le chœur de la *Main*, calqué sur celui de la tragédie grecque, le concours de circonstances n'a rien de fortuit : « C'est aujourd'hui que Carmen revient pis le soleil a décidé de fêter ça ! » (*SCM*, 10) Sandra et Rose Beef devanceront d'ailleurs les propos de Bec-de-Lièvre, l'habilleuse de

Le cycle des Belles-Sœurs

Carmen, en supposant que le nouveau costume de cette dernière est beau «comme le soleil[2]».

Carmen revient transformée de son séjour à l'étranger. L'amélioration de ses techniques vocales et scéniques se double d'un changement de style. Convaincue de la nécessité de s'adresser directement aux gens de la *Main*, elle s'est mise à la composition.

Son enthousiasme est tempéré par la présence de Tooth Pick, qu'elle déteste et qui la hait depuis qu'il lui a fait sans succès des avances, et par les mesquineries de Gloria, ex-vedette de la *Main*, supplantée par Carmen, et qui veut reprendre la place qu'elle considère être la sienne. Cela n'empêchera pas la chanteuse d'obtenir un triomphe et de bouleverser son public, qui se reconnaît à travers ses textes, notamment celui de la dernière chanson, portant explicitement sur la *Main*. Ce succès provoque la colère de Maurice, son patron et amant, qui n'a pas apprécié le climat dans la salle et, surtout, les incitations contenues dans la dernière chanson. «C'est ben beau d'aider le monde à se réveiller, mais un coup qu'y sont réveillés, que c'est que tu fais avec!» (*SCM*, 59) Il somme Carmen de choisir: elle retire cette chanson de son répertoire ou les portes du Rodéo lui seront dorénavant fermées. Elle résiste et lui crie: «J'pourrais ben passer du creux de ton lit à la tête de tes ennemis.» (*SCM*, 64)

Son triomphe sera de courte durée. Sur les ordres de Maurice, Tooth Pick assassine Carmen à coups de carabine pendant qu'elle se trouve sous la douche, et reporte le meurtre sur le dos de Bec-de-Lièvre, tout en profitant de l'occasion pour rabaisser la chanteuse auprès de son public, en laissant croire qu'elle les ridiculisait et les méprisait. La pièce se termine par le retour spectaculaire et criard de Gloria, qui reprend ainsi sur scène la place de celle qu'elle considérait comme sa rivale.

Présentée une première fois en juillet 1976 au Festival artistique organisé parallèlement aux Jeux olympiques, *Sainte Carmen de la Main* connaîtra une fin abrupte[3]. Reprise deux ans plus tard, au Théâtre du Nouveau Monde, dans une nouvelle mise en scène d'André Brassard, la pièce aura alors beaucoup plus de succès, aussi bien auprès du public que de la critique.

138

Jean-François CHASSAY

L'espace montréalais

On le sait, tout l'œuvre de Michel Tremblay, tant dramatique que romanesque, se déroule à Montréal, essentiellement dans le quartier Mont-Royal et boulevard Saint-Laurent. De toutes ses pièces, *Sainte Carmen de la Main* est sans doute – avec *En pièces détachées* – l'œuvre où la place physique de Montréal, le décor urbain, est le plus marqué. Peut-être est-ce en ce sens qu'il faut comprendre Michel Tremblay lorsqu'il déclare : « Sainte Carmen, c'est ma pièce la plus locale[4]. »

Dans la mise en scène de 1978, le clinquant de la *Main*, avec ses néons, éclairait une foule qui, si elle évoque de manière explicite le chœur du théâtre grec, représente également, tout simplement, la foule urbaine. Cette utilisation de l'espace urbain, de l'agora (Saint-Laurent/Sainte-Catherine), rend encore plus spectaculaire l'utilisation des structures de la tragédie grecque.

Parler de la ville ne va pas de soi. « L'effet de vérité » est sans cesse perverti par le travail de sape des signes urbains.

> Si la ville est essentiellement un espace de désorientation, de mystifications, de trompe-l'œil, de signes pervers, si tout y est faux – alors aussi tout y est vrai, mais de cette vérité qu'ont la fiction la plus hallucinante, le rêve le plus exaltant et les fragments les plus détachés de leur contexte[5].

C'est par cet alliage de vrai et de faux, de profondeur et de *kitsch*, que Carmen devient pathétique. Elle veut sauver la *Main*, mais y a-t-il, justement, un quartier ou une rue plus représentatifs de Montréal que la *Main* ? On a beaucoup évoqué, à propos de cette pièce, la situation du Québec. On a vu dans la mission de Carmen une parabole de la situation québécoise. « The story is a political allegory. Carmen is Quebec », affirme *The Globe and Mail*[6], alors qu'Adrien Gruslin souligne l'importance de l'« aventure nationale » dans la pièce : « *Main* = Québec, Carmen = mission salvatrice[7] ». Carmen est perçue comme « le premier personnage de Tremblay à s'intéresser à ses semblables et à vouloir changer la collectivité[8] », à « s'accepter soi-même, [à] s'exprimer, [à] prendre en main sa propre destinée[9] ». Compte tenu de la situation politique qui prévalait au moment où la pièce a été jouée – d'abord quatre mois avant l'élection du Parti québécois, puis au milieu de son premier mandat, moins de deux ans avant le référendum –, cette interprétation s'explique. Il reste cependant que Carmen ne prend tout son sens que si on l'inscrit dans une problématique proprement urbaine.

C'est à travers le réseau de signes contradictoires et mensongers de la ville – et de la *Main* dans ce qu'elle symbolise pour la ville – que Carmen cherche à faire entendre une parole vraie. En ce sens, le cadre de la tragédie grecque n'est pas seulement la reproduction d'un modèle mais aussi la figure d'un manque, d'une puissance et d'une inéluctabilité qui lui échappera malgré tous ses efforts.

Comme Thérèse, personnage central d'*En pièces détachées* et de certains romans de Tremblay, Carmen cherche à échapper à la quotidienneté urbaine, non pas en quittant la ville, mais en s'enfonçant au cœur même de celle-ci[10], là où le travestissement, la mystification, la «guérilla sémiologique[11]» deviennent on ne peut plus ostentatoires. Si Thérèse échoue, les tentatives de Carmen s'avèrent beaucoup plus fructueuses, parce qu'elle joue le jeu de la fiction, acceptant un rôle (celui de la chanteuse western) qui lui réussit. Mais c'est par le biais de cette fiction, par le biais de l'artifice, qu'elle va tenter de révéler la *Main* à elle-même. Non pas en répudiant son rôle mais plutôt en l'accentuant : «J'ai l'impression d'être... quequ'chose de grand pis de fort... qui plane, pis qui regarde en bas en suivant le vent...» (*SCM*, 15) La simple chanteuse se transforme en héroïne puis, bien malgré elle, en martyre[12]. Les accents de vérité sont trop grinçants dans ce lieu. La *Main* se sera transformée superficiellement pour le grand retour de son idole – «Aujourd'hui, la Catherine s'est fait faire un lifting pis la Main s'est lavée! Carmen est là!» (*SCM*, 11) –, mais ce sont les seuls changements que peuvent supporter ceux qui, comme Maurice, détiennent le pouvoir.

Dans *Sainte Carmen de la Main*, la scène même est le lieu du mensonge. Les seuls événements «vrais» se déroulent en coulisses. Le spectateur n'entendra jamais la fameuse chanson de Carmen, puisque son tour de chant a lieu... pendant l'entracte. Il n'assistera pas non plus à l'assassinat perpétré par Tooth Pick. D'ailleurs, celui-ci s'empressera de venir sur scène pour raconter sa propre version des faits, qui masque la vérité. Dans cet univers factice, la réalité, ce à quoi on ne peut échapper, est à l'abri du regard de la foule.

Tout ici paraît relever de la simulation, du mensonge, du maquillage: fausse, la puissance de Maurice, qui semble craindre Gloria, Carmen et Tooth Pick – après l'assassinat, ce dernier dira à son patron: «J'ai encore fait ta job à ta place, Maurice, j'espère que tu vas t'en rappeler» (*SCM*, 80); naïves, les illusions de Carmen, qui paraît croire qu'elle peut s'élever seule contre le pouvoir; exagérées, les récriminations de Gloria contre son ancienne protégée, tout comme la haine de Tooth Pick à l'égard de celle-ci – elle a ri de lui un jour parce qu'il a un petit pénis...; outrée, l'admiration sans bornes du public à l'égard de Carmen; enfin, biaisées, les deux visions de la *Main*, l'une rédemptrice et idéaliste, l'autre cynique et méprisante, à propos desquelles s'opposent Carmen et Maurice. Et pourtant, on ne peut nier les accents de sincérité de ceux qui s'expriment dans la pièce. La vérité crue n'a aucun sens ici; c'est à travers le mensonge (volontaire ou non), l'artifice, que chacun parvient le mieux à exprimer sa bonne foi, à faire croire à ce qu'il dit.

Rien ne symbolise plus le faux que le genre même qu'utilise Carmen pour faire passer son message: la chanson western. Genre populaire évoquant la montagne et les vastes plaines du Far West, le western se situe aux antipodes du monde urbain[13]. Si les thèmes de l'errance, de l'exil, du voyage, sont aujourd'hui très prégnants dans l'imaginaire urbain, ils n'ont pas les mêmes connotations que dans les westerns où la fuite vers les grands espaces et la liberté acquièrent une dimension épique tout à fait différente.

Carmen polarise ici les oppositions, sert de pont entre l'univers sombre de la ville – telle qu'elle apparaît dans la pièce – et la liberté propre à l'imaginaire de la chanson western, qu'elle tente de transposer et d'adapter à la vie de la *Main*. Mensonge, certes, puisque les individus qui peuplent la *Main* n'ont rien des héros mythiques du Far West; mais ce mensonge fait partie d'un processus de revalorisation de la *Main* et de ses habitants, auquel croit

Carmen. Non sans raison, semble-t-il: ne sera-t-elle pas tuée elle-même de deux coups de carabine, comme dans la plus pure tradition du western? Il faut croire que le projet pouvait effectivement se révéler dangereux... Maurice avait bien averti la chanteuse, de manière prémonitoire: «Tu te rends pas compte que c'que tu fais-là peut se retourner contre toé!» (*SCM*, 58)

La voie ouverte par Carmen

La pièce se termine sur une note funèbre, par la mort de la chanteuse. Cette mort est «inévitable, fatale: c'est toute une société en place qui liquide Carmen par la main de Tooth Pick[14]». L'amertume de cette finale ne doit pas cacher cependant que cette pièce, par rapport aux précédentes de Michel Tremblay, se révèle par certains aspects beaucoup moins sombre.

Dans *À toi, pour toujours, ta Marie-Lou*, Carmen ne désirait qu'une chose, «s'en sortir», et pressait sa sœur, sans succès, d'oublier elle aussi le passé et de se tourner vers l'avenir: «En dix ans, chus devenue une autre femme...» (*AT*, 39) Dans *Sainte Carmen de la Main*, les six mois à Nashville auront accéléré le processus. Dans l'univers du Cycle des *Belles-Sœurs*, Carmen est le premier véritable personnage d'artiste. Elle prend la parole au nom de la collectivité, fait le choix de son propre langage et, ce faisant, elle refuse de se transformer «en chanteuse "exotique", instrument passif d'une aliénation culturelle rentable mais dévalorisante[15]». Au-delà de la métaphore politique, l'opposition entre Carmen et Maurice repose également sur le rôle et la place de l'artiste dans la société. Entre le défenseur d'une société de consommation passive, où le divertissement doit être roi et maître, et la chanteuse pour qui l'artiste est là pour susciter la réflexion, les ponts ne peuvent être rétablis. Le travestissement, parce qu'il s'inscrit à l'intérieur d'une démarche artistique, occupe une nouvelle place chez Tremblay. La fiction de l'art vise à révéler aux spectateurs une réalité sur eux-mêmes et se veut désaliénante.

Le rejet du passé, de la famille, n'a pas conduit Carmen à un cul-de-sac, mais lui a permis de jeter un regard neuf sur la société. Après tergiversations et réflexions, elle adopte finalement un point de vue critique, et c'est ce qu'on ne peut lui pardonner. Maurice la fera donc disparaître et préférera faire revivre une *has been*, en l'occurrence Gloria qui, elle, n'a rien retenu de son «purgatoire artistique».

Pour conclure, arrêtons-nous quelques instants sur l'onomastique. Le *Gloria* est une prière de louanges. Parions qu'elle s'adresse, ici, plus à Maurice qu'au public. *Carmen* est un chant, et un chant qui s'élève dans cette pièce. *Carmen sæculare*, «chant séculaire», était à l'origine, dans le texte d'Horace, une espérance de paix. Celle-ci se voit bafouée par le chant séculaire de l'oppression, dans laquelle une certaine chanteuse, dans *Sainte Carmen de la Main*, aura peut-être provoqué une brèche.

NOTES

1. Michel Tremblay, *Sainte Carmen de la Main*, Montréal, Leméac, coll. «Théâtre», nº 57, [1976] 1989, p. 60. Toutes les citations renvoient à cette édition.

2. Dans la religion chrétienne, on appelle «soleil» l'ostensoir dont la partie supérieure s'irradie en forme de soleil et au centre duquel on enchâsse l'hostie pour l'exposition du saint sacrement. Cette définition du mot mérite d'être soulignée dans la mesure où Carmen semble investie, par les gens de la *Main*, d'un rôle messianique, et où son spectacle, le soir de son retour, rappelle la communion.

3. Présentée par la Compagnie Jean-Duceppe, qui avait bénéficié d'une subvention de 90 000 $, la pièce fut retirée de l'affiche après trois représentations seulement, sans que l'auteur et le metteur en scène aient été consultés. Selon les explications officielles, le directeur de la compagnie aurait fait cesser les représentations aussitôt sous prétexte que les critiques étaient mauvaises. Selon certaines sources, les raisons auraient d'abord été d'ordre économique. (Voir Martial Dassylva, «La deuxième chance de "Sainte Carmen de la Main"», *La Presse*, 13 mai 1978, p. D-1.)

4. *Loc. cit.*, p. D-5.

5. Pierre Nepveu, «Montréal: vrai ou faux», *Lire Montréal*, Département d'études françaises, Université de Montréal, 1989, p. 15-16. Des raisons historiques font de Montréal une ville répondant particulièrement bien à cette interprétation. L'article de Pierre Nepveu en rend compte. Rappelons par ailleurs, pour

mémoire, que Montréal n'est pas une ville «naturelle», née du rassemblement naturel des hommes, mais une ville intentionnelle, pensée à distance et investie d'un sens et d'une mission sacrée.

6. Ray Conlogue, «Tremblay is a playwright in search of a soul», *The Globe and Mail*, 3 mars 1978, p. 16-17.

7. Adrien Gruslin, «"Sainte Carmen", une version améliorée», *Le Devoir*, 25 mai 1978, p. 14.

8. Gilbert David, «Sainte Carmen de la Main», *Cahiers de théâtre Jeu* , n° 3, Montréal, Quinze, 1977, p. 72.

9. Jean Cléo Godin, «Tremblay: marginaux en chœur», dans Jean Cléo Godin et Laurent Mailhot, *Théâtre québécois II. Nouveaux auteurs, autres spectacles*, Montréal, Hurtubise HMH, 1980, p. 175.

10. Les sentiments opposés ressentis par Thérèse à propos du Plateau Mont-Royal et du boulevard Saint-Laurent sont illustrés dans le roman *le Premier Quartier de la lune*.

11. L'expression est empruntée à Umberto Eco, *la Guerre du faux*, Paris, Grasset, 1986, p. 127.

12. À ce propos, on a aussi fait un parallèle entre la *Sainte Carmen de la Main* de Tremblay et la *Sainte Jeanne des abattoirs* de Bertolt Brecht. Dans les deux cas, une femme cherche à changer l'ordre des choses et en paye le prix. Voir, à ce sujet, l'article de Gilbert David, *loc. cit.*, p. 70-73.

13. Le mythe du Far West permet également de superposer deux cultures dans la pièce: l'épopée western et la grande culture européenne, à travers la tragédie grecque. Entre ces deux grandes figures-clichés, la renommée de Montréal, située dit-on à l'intersection de deux cultures, prend une connotation singulièrement *kitsch*...

14. Francine Noël, «Plaidoyer pour mon image», *Cahiers de théâtre Jeu*, n° 16, 1980.3, p. 42.

15. Jean Cléo Godin, «Tremblay: marginaux en chœur», *op. cit.*, p. 175.

DAMNÉE MANON, SACRÉE SANDRA

GILBERT DAVID

LE SUJET DÉLIRANT

> Parfois, l'enfant de la grosse femme disait:
> «Tu parles encore tu-seul, Marcel.» Et ce
> dernier répondait en haussant les épaules:
> «Toé aussi, tu parles tu-seul; j't'écoute pas!»
> *la Duchesse et le Roturier*[1]

> la vie la vie l'autre dans la lumière que j'aurais
> eue par instants pas question d'y remonter
> *Comment c'est*[2]

Au commencement était le verbe. Il n'est d'œuvre qui ne trouve sa matrice dans une voix originaire, obscure pulsion primaire de laquelle sourd le désir de *prendre* la parole. Cette parole fondatrice – qui fait «corps» – est celle d'un sujet aux prises avec l'opacité de son existence, un sujet créateur qui veut, d'abord pour lui-même, en découvrir, sinon en inventer, le sens. Mais, très vite, la parole d'Un seul se scinde, se dédouble, s'ouvre au dialogue. Même le soliloque n'échappe pas, comme on le sait, au dialogisme[3].

Aussi, sauf dysfonctionnement grave de la psyché, on ne peut parler qu'à un Autre, en dehors de soi ou au sein de sa propre conscience, qui alors témoigne tout de même d'un clivage[4]. Toute création se nourrit d'un tel potentiel de scissiparité, plus ou moins exacerbée, du sujet. Le monde de la rue Fabre grouille des *alter ego* (masculin, féminin, androgyne) et des projections artistiques (particulièrement dans l'univers du *showbiz,* mais aussi du côté des écrivains, des conteurs, des chanteurs à texte) du prolifique auteur montréalais.

Par ailleurs, on ne peut manquer d'être frappé par la récurrence des personnages qui font oxymore dans l'œuvre dramatique de Tremblay. Les personnages de plusieurs pièces se présentent en effet par paires et forment des couples aux composantes fortement contrastées, souvent contradictoires, dont la réunion dit plus que chacune des parties prise isolément. Il en est ainsi de Marie-Louise et Léopold, de Carmen et Manon, dans *À toi, pour toujours, ta Marie-Lou,* de Claude et Raymond, dans *Hosanna,* de Carmen et Maurice, dans *Sainte Carmen de la Main,* de Jean-Marc et Luc, dans *les Anciennes Odeurs,* d'Albertine (bien qu'ici démultipliée) et Madeleine, dans *Albertine, en cinq temps,* ou de Marcel et Thérèse, dans *Marcel poursuivi par les chiens.*

Il en va de même pour Manon et Sandra. Confessions[5] entrecroisées d'une dévote et d'un travesti, *Damnée Manon, Sacrée Sandra* invite par ailleurs à s'interroger sur la fonction particulière qu'a le monologue dans cette pièce qui a tout d'une maïeutique – celle de la connaissance de soi. D'autant plus que, pour la première fois, l'auteur y jette bas le masque et se désigne nommément par le prénom Michel en tant qu'ultime destinateur de la fiction dramatique (contre la règle qui veut que le drame reste, le temps du moins de la représentation, sans scripteur apparent[6]).

Cet aveu, forcément distanciateur par rapport à la structure fermée habituelle du «drame parlé», ne va pas, paradoxalement, sans une affirmation narcissique où pointe la revendication d'une signature. Cela se passe entre 1976 (année de l'écriture de *Damnée Manon, Sacrée Sandra*) et 1977 (année de sa création[7]), alors que Tremblay est, peut-on penser, en train de réévaluer l'ensemble passé (projeté?) de son œuvre et qu'il fait savoir publiquement la «clôture» du Cycle des *Belles-Sœurs,* amorcé en 1965[8].

En fait, *Damnée Manon, Sacrée Sandra* exhibe une première fracture, de nature explicitement autoréflexive, dans l'élaboration en cours du monde de Michel Tremblay. La fiction dramatique s'énonce cette fois comme issue d'un sujet en quête d'une authenticité qui puisse transcender le destin de ses créatures antinomiques. Dès lors, une fois réaffirmée son existence singulière de locuteur, tenant et aboutissant de son œuvre, sinon véritable démiurge[9], l'auteur des *Belles-Sœurs* pourra s'orienter vers la reconnaissance plus ou moins autobiographique de son lieu d'origine, en devenant,

entre autres, le chroniqueur bienveillant de la grande famille
mi-réelle, mi-inventée de la rue Fabre.

D'où cette espèce de liquidation ontologique à laquelle
«Michel» soumet deux des figures archétypales de son
monde, sous la forme d'un montage en parallèle d'instances
psychiques du Moi, à savoir le Surmoi (Manon) et le Ça
(Sandra). La pièce est donc le lieu privilégié d'une crise
ouvertement intime, et d'une tentative de dépassement du
blocage névrotique qui la constitue.

Or ce conflit, comme j'essaierai de le démontrer, n'est
pas que personnel. Il renvoie à une crise des valeurs autrement plus générale, typique de la culture (post)moderne : en
se substituant à Dieu, l'individu moderne voit s'ouvrir devant
lui le gouffre de sa liberté, dans l'exaltation et l'angoisse de
n'avoir plus que lui-même comme raison dernière de son
destin. Entre le silence de Dieu et le vertige hédoniste, le
sujet s'abandonne au double délire de son être désormais
clivé pour finir par commander, tel un *deus ex machina*, l'assomption conjointe de la folle de Dieu et de la folle du cul.

À double titre

Avec ses deux prénoms féminins (Manon/Sandra),
précédés chacun d'une épithèque assonancée, le titre para-
tactique *Damnée Manon, Sacrée Sandra* établit un parallélisme que confirme la structure en contrepoint de la pièce.
Plus encore, le titre construit, sous couvert d'une double
apostrophe affectueuse et familière[10], un paradigme opposi-
tionnel (damnée/sacrée) et un double oxymore qui annoncent la trajectoire discursive des deux personnages : pendant
que la «sainte» Manon s'enfoncera dans sa religiosité fétichiste pour déboucher bientôt sur une pathétique supplica-
tion, l'«obscène» et toujours entreprenante Sandra trouvera
le chemin sacralisé de ses origines où l'attend «le p'tit
Michel», désigné maître des jeux de la rue Fabre et insigne
dépositaire des confidences des femmes qui habitent cette
artère. De sorte qu'en noire complice de Manon – «ma
sœur... ma jumelle», affirme le travesti (*DS*, 62) – et au
terme de sa propre mise à nu, Sandra, maintenant identifiée
comme prête-nom de Michel, encouragera la pieuse vierge
à s'abandonner à l'extase mystique qui conclut la pièce sur

une éblouissante et déconcertante apothéose: «R'garde, Manon! R'garde! Sa Lumière s'en vient!» (*DS*, 66)

Monologues lyriques, espaces épiques

Mais, avant de chercher à comprendre pourquoi l'auteur a recours, contre toute vraisemblance, à une telle finale, qui tient littéralement du miracle, il vaut la peine de se pencher sur la forme même de cette pièce particulièrement ambivalente, qui tire sa force du tressage de deux modalités expressives: le mode lyrique et le mode épique.

Pièce en un acte à deux personnages, *Damnée Manon, Sacrée Sandra* comprend deux macroséquences. Dans la première (*DS*, 27-59), de loin la plus longue, Manon et Sandra s'ignorent l'une l'autre et, sauf pour deux répliques qu'elles disent à l'unisson (*DS*, 30-31), elles occupent chacune une sphère autonome d'où s'écoulent alternativement les mots de leurs soliloques parallèles. La seconde macroséquence (*DS*, 60-66), qui conduit à la fin de la pièce, débute avec la réplique-pivot de Sandra qui révèle son identité masculine d'origine et, surtout, qui établit un lien génératif entre Manon et le «p'tit Michel» devenu Sandra: «Manon qui était née le même jour que moë, presque à la même heure et à qui j'ai donné toute la passion dont j'étais capable, enfant fou que j'étais, son jumeau né d'une autre mère mais pareil à elle.» (*DS*, 62)

Si toute action dramatique est absente de la première macroséquence, on ne saurait en dire autant de la deuxième, très courte, alors que tout va se précipiter, puisque Sandra, après avoir significativement affirmé: «Si Manon avait pas existé, je l'aurais inventée » (*DS*, 63), se positionne par la suite, à la fois comme adjuvante (de la quête euphorique de Manon), et comme bénéficiaire projetée de l'ascension, pour ne pas dire de l'illumination de Manon, d'une manière qui ne laisse aucun doute sur l'implication de l'auteur, alias Michel: «Amène-moé avec toé parce que moé non plus j'existe pas! Moé aussi j'ai été inventée!» (*DS*, 66)

L'absence de conflit interhumain dans cette pièce délibérative ne doit pas amener à conclure à l'inexistence d'un enjeu dramatique. En effet, c'est la structuration musicalisée du duo (mode lyrique) ainsi que l'utilisation spatiale du montage narratif (mode épique), qui prennent ici la place du conflit conventionnel. D'un côté, «toute vêtue de noir», Manon, «dans sa cuisine complètement blanche», se bercera en racontant les hauts et les bas de sa foi, tout en interpellant Dieu directement. De l'autre, Sandra, «dans sa loge complètement noire [...] un travesti tout vêtu de blanc» (*DS*,37), se lime les ongles en faisant étalage de ses fantasmes de grande séductrice blasphématoire, dans l'attente de son amant noir.

Ainsi, Manon monologue vers le dehors – sa folie est excentrique – pendant que Sandra monologue vers le dedans – son désir est narcissique, quoique apparemment tourné vers «Chwistian». Toutes deux visent un interlocuteur, lointain ou immédat, qui assure à la parole individuée son nécessaire dynamisme. S'il est une tension des voix entrelacées, elle se trouve dans cet antagonisme topique des interlocuteurs, le «Dieu caché» – le «Haut» – de Manon et le «Christ noir» – le «Bas» – de Sandra. Les deux personnages sont donc confrontés à une absence abstraite/concrète. Et Manon et Sandra cherchent à se perdre dans le vide spirituel/sexuel d'une existence fixée dans des normes sociales mutilantes: l'annulation du corps pour la première (par idéal religieux), la surenchère érotique pour la seconde (par autodétermination de sa liberté).

Cependant, la juxtaposition apparente des deux discours n'empêche pas, au contraire, la contamination de l'un par l'autre, et vice versa. Manon érotise sa relation à Dieu jusqu'à la perversion fétichiste, alors que Sandra, toute à son rituel de souillure et à son culte de l'abjection, aspire néanmoins à la pureté virginale. Nous y reviendrons.

Au-delà de la thématisation de l'abjection et du sacré, commune aux deux personnages, tant le monologue de Manon que celui de Sandra convergent, dans la mesure où ils sont sous-tendus par le projet latent de Michel d'aller au bout de la connaissance de sa propre subjectivité. Par là, le conflit interhumain est suspendu mais non évacué, en ce que le drame devient plutôt un examen de conscience par réfraction, à travers la projection symbolique de deux *parleries* qu'effectue un «Michel» omnipotent, et que, par conséquent, il peut diriger à sa guise. Tout à fait conscient du caractère fabriqué, voire instrumental, de la situation de parole, l'auteur n'hésite pas à intervenir en bout de ligne en choisissant une résolution magique, proprement fantastique, qui dénonce objectivement l'impuissance de ses créatures. Le coup de théâtre final de l'élévation de Manon vers la divinité qu'elle vénère (cela reste toutefois ambigu) fait figure d'arrachement soudain au principe de réalité et apparaît ainsi comme un coup de force, une solution autoritaire (épithète qui a la même racine qu'auteur, justement) de Michel pour parer à l'angoisse engendrée par «la catastrophe où il est condamné à vivre[11]», situation qui définit, selon Peter Szondi, «le drame de l'homme privé de liberté[12]».

Manon et Sandra apparaissent en fin de compte, par l'effet de rétroaction que déclenche la divulgation de leur nature fictive, «inventée», comme les porte-parole de Michel. À ce titre, celui-ci se sert de ses personnages, qui se voient donc privés d'une partie de leur autonomie. Pourtant, par son fonctionnement épique, la pièce garde toute sa puissance critique et elle n'est aucunement affaiblie par l'irruption inattendue d'un auteur qui ouvre délibérément son jeu et se montre dans sa projection impudique sur ses personnages. Il faut se rappeler que «le monologue s'adresse en définitive directement au spectateur, interpellé comme complice et voyeur-"auditeur"[13]». En ce sens, Michel Tremblay, en pratiquant un tel retour sur lui-même et en s'interrogeant sur sa responsabilité d'écrivain, n'annonçait pas vainement la fin d'un cycle. Mais cette «fin» a pour nous, aujourd'hui, valeur d'un point d'orgue, d'un tournant. Le signal d'un retour à l'enfance, à la scène originelle, que confirme la suite de l'œuvre.

Cela dit, le monologue dédoublé de *Damnée Manon, Sacrée Sandra* fonctionne en fait à deux niveaux, selon le destinataire qu'on envisage. D'une part, le premier niveau épique d'une narration où le véritable sujet de l'énonciation est l'auteur, c'est-à-dire Michel, qui fait raconter à ses personnages ce qu'il veut transmettre de leur histoire sous forme de récits de vie[14]. «La pulsion au monologue, remarque Jean-Pierre Sarrazac, tient dans le drame moderne de l'*anamnèse provoquée*: volonté des dramaturges de rétablir pour le compte d'hommes et de femmes que la vie sociale a réduits à un "être-là" inhumain, une mémoire biographique en forme de protestation[15]. » Ainsi, il existe dans la pièce de Tremblay toute une chaîne d'anecdotes remémorées, par exemple l'achat de l'énorme chapelet par Manon ou celui du vernis à ongle vert par Sandra, qui n'ont de sens qu'en tant qu'informations ou commentaires clairement destinés au public et, au-delà, à la société tout entière. À cet égard, on s'aperçoit que le narrateur omniscient des «Chroniques du Plateau Mont-Royal» montre déjà le bout de son nez, mais en ne faisant pas secret ici de son point de vue. Au théâtre, l'approche épique est forcément anti-naturaliste, sans pour autant relever de l'adresse au public (car celui-ci n'est jamais visé nommément dans *Damnée Manon, Sacrée Sandra*). En revanche, il y aurait certainement lieu de relever l'importance qu'y prend le gestus, appelé par la partition textuelle, gestus suivant lequel l'acteur-personnage est en mesure d'établir une relation spatiale particulière à l'endroit du public, en se plaçant «seul à seul» face à lui, selon une technique d'isolement frontal du personnage monologuant, utilisée fréquemment par Tremblay, des *Belles-Sœurs* à *Sainte Carmen de la Main*.

D'autre part, le second niveau appartient clairement au registre lyrique en ce que les personnages témoignent alors non de ce qu'ils ont vécu auparavant mais de ce qu'ils éprouvent dans l'instant. Certes, une partie de ce que Manon et Sandra racontent de leur passé se trouve réactivée émotivement dans le moment même où ces derniers se remémorent, mais l'essentiel de leur présence singulière et de leur sensibilité propre passe dans leur régime verbal foncièrement exclamatif et hyperbolique. Leur parole se théâtralise en effet jusqu'à la caricature et se déploie en longues tirades excessives, intempestives, abréactives. À qui s'adressent, au fait, les vantardises libidineuses de Sandra et les appels désespérés de Manon ? D'abord à elles-mêmes, bien sûr. Il y a là, chez ces êtres exclus, ou du moins marginaux, la manifestation d'un incoercible besoin de se parler à soi-même pour chercher à se rassurer. De même, la revendication implicite de parler «tu-seul» à voix haute vise à provoquer le silence lui-même, au risque de passer pour folle, ce qui ne semble pas inquiéter outre mesure Sandra[16] et ce qui apparaît aller de soi pour la solitaire Manon qui a volontiers recours à la prière, une forme orale s'il en est. De cette manière, Tremblay déjoue à merveille l'invraisemblance rattachée au fait de parler seul, en juxtaposant deux espaces clos monochromes (cuisine complètement blanche/loge complètement noire), véritables *parloirs* intimes, tout à fait propices aux hallucinations et aux délires. Aux ratiocinations et aux ressassements[17]. Ainsi, l'espace intérieur de Manon et de Sandra ne fait qu'un avec leur espace extérieur. C'est dans ce double huis clos que la divagation se répand comme une seconde nature scandaleuse, nourrie d'artifices appuyés qui conduisent à la métamorphose de Sandra en «Immenculée Conception», et à la transe radicale de Manon, pourtant qualifiée par la précédente de «fausse sainte».

Manon ou le délire d'anéantissement

Manon cherche à disparaître, à quitter ce monde qui l'agresse pour se fondre à jamais dans le Corps divin. Son premier énoncé dit sa foi sans partage: «La solution à toute… c'est le bon Dieu.» (*DS,* 27) Peu instruite, célibataire qui se fait prendre régulièrement pour une religieuse, Manon a gardé la foi naïve de son enfance. Elle se croit sous la protection à toute épreuve de son ange gardien – «pis ça s'adonne que le bon Dieu l'a armé comme un vrai soldat pour me protéger des méchants» (*DS,* 34) –, et on ne s'étonne pas qu'elle ait transformé sa chambre en chapelle ardente où elle a installé une «statue grandeur nature de la Vierge Marie» (*DS,* 41).

Manon est toujours en attente d'un *signe* de Dieu qui, naguère, n'a pas daigné lui reconnaître une vocation religieuse. Sa paranoïa, qui la coupe du monde, prend sa source dans le silence mortifiant de la divinité. Aussi multiplie-t-elle les appels du pied – Manon ne se berce pas pour rien –, les reproches et les menaces à l'endroit de ce Dieu qui lui semble si indifférent, alors qu'elle n'est que dévotion à son égard. S'étant distribuée unilatéralement dans le rôle de servante de Dieu, Manon transfère son manque sur une panoplie d'objets religieux dont le gigantisme dénonce sa relation superstitieuse au surnaturel, et son idôlatrie. Trouve-t-elle par hasard sur son chemin un livre de messe au fond d'une poubelle, qu'elle interprète aussitôt cet incident comme un message divin lui enjoignant de se départir du gros chapelet qu'elle vient d'acheter à fort prix... pour ensuite se raviser, presque malgré elle, et non sans se sentir coupable – du moins jusqu'à ce qu'un autre «message» la rassure sur la légitimité de son achat ostentatoire.

Manon n'a pour ainsi dire d'existence que sous le regard omniprésent de Dieu, dont le silence la jette dans les interprétations les plus aberrantes et les explications les plus extravagantes. Mais si son délire obsessionnel, sa fixation, son fétichisme sont autant de symptômes d'un dérèglement qui s'offre à notre jugement, cela ne la prive pas pour autant de moments de grâce, ni d'un sentiment de félicité qu'alimente une certitude confondante que l'on pourrait nommer le syndrome de l'élue: «Si tout le monde comprenait ce qui se passe dans le monde comme moé j'le comprends... Mais y'en a pas gros qui savent comment déchiffrer les messages. *(Silence.)* On est pas beaucoup à comprendre.» (*DS,* 44)

C'est que Manon, dont la douce folie relève d'une aliénation matrilinéaire en tant que fille de Marie-Louise dans *À toi, pour toujours, ta Marie-Lou,* perpétue en elle le rejet du corps et de la sexualité de la mère, sans voir que cette mutilation inconsciente la pousse dans une religiosité compensatoire et dans un mysticisme perverti qui réclame son dû: «J'ai droit à mes jouissances! J'y ai droit! Chus t'habituée, asteur! C'que vous me faisiez, j'aime ça pis je veux que ça continue! On demande pas comme ça à une pauvre fille de se sacrifier pendant quinze ans pour la laisser tomber ensuite!» (*DS,* 58) Une fatalité est ici à l'œuvre, alors que Manon pense avoir choisi ce qui, en fait, l'a choisie, du plus profond de son enfance, en l'asservissant à son démon intérieur et en lui assignant une tâche d'expiation du mal qu'incarne métonymiquement Sandra, c'est-à-dire «[Michel] ce p'tit gars-là que j'aimais tant pis qui a suivi sa cousine folle dans son enfer!» (*DS,* 52) Sandra/Michel le sait bien en la désignant comme «[s]on antithèse, [s]a contraire» et en constatant: «À son allure j'ai tu-suite vu qu'est-tait inattaquable, inviolable, inabordable, lisse comme une pierre, glissante comme de la mousse, frette comme une banquise.» (*DS*, 63)

Inviolable? Par un homme en chair et en os, on ne peut en douter. Mais non pas s'il s'agit du Dieu «pésant» de son énorme chapelet, au séduisant crucifix, ou de Celui qui fait sentir sa chaude présence, sublime vertige de l'autosuggestion, quelques instants à peine après que Manon ait signifié, au sommet de son violent chantage, son désir d'anéantissement: «Vous devez savoir aussi ben que moé qu'y'a une partie de moé qui demande pas mieux que de se jeter dans le Grand Vide la tête la première! Choisissez!» (*DS*, 59)

Manon est littéralement prisonnière de sa parole schizoïde, enfermée dans sa croyance au point de fantasmer un rapt définitif, de souhaiter être aspirée pour de bon par Sa Volonté, elle qui n'a que trop «l'impression d'exister juste dans la tête de quelqu'un d'autre» (*DS*, 65). C'est alors que Michel, le créateur «révélé» de Manon et de Sandra, va prendre sur lui, dans un geste de compassion inouïe, de faire monter la dévote au «ciel» (mais n'oublions pas que le théâtre a aussi ses ciels de carton-pâte, ses cintres et ses machines) et d'en faire ni plus ni moins que la sainte Manon de la rue Fabre, parce qu'il a «trouvé quelqu'un de vraiment heureux à regarder vivre sa petite vie heureuse de souris heureuse au milieu de son enfance heureuse» (*DS*, 63). Et Sandra/Michel d'en conclure: «Pis ça me rassure. Sur tout.»

Si Michel a pris de la sorte le relais de Dieu – car rien ne prouve que celui-ci se soit manifesté *réellement*, sinon sous la forme ambiguë de la dernière didascalie, «une lumière très intense pendant cinq secondes» (*DS*, 66), que vient d'annoncer triomphalement Sandra, presque à la manière d'un régisseur de plateau... –, il se trouve à assumer, sans fausse pudeur et à visage découvert, le privilège de tout créateur de décider à loisir du sort de ses créatures. Cette volonté de puissance en acte, que Nietzsche liait intimement au destin de l'art[18], permet de confirmer, s'il en était besoin, que l'écriture dramatique de Tremblay relève d'une problématique de la postmodernité, non seulement parce qu'y est cultivée l'ivresse dionysiaque (parfois jusqu'au délire, comme on l'a vu), mais aussi en ce qu'y est combattue toute optique moralisante, si on veut bien se souvenir du fameux aphorisme nietzschéen: «Nous avons l'art, afin de ne pas périr de la vérité[19]. »

Sandra ou le délire de la séductrice

Accorder à Manon son salut éternel – dans l'ordre souverain de la fiction, s'entend – procède du respect total, bien ancré dans l'imaginaire de Tremblay, à l'égard de tout être qui vit d'absolu et qui va au bout de lui-même, souvent au prix de son équilibre mental ou de sa vie. Que l'on pense à ces «suicidés de la société» que sont, par exemple, Carmen et Marcel.

L'envers de cette existence, dans l'absolu et par lui, relève d'un univers du contingent, de l'accidentel et du dérisoire. Sandra habite ce monde sans foi ni loi, en en poussant la fausseté et la démence (à bien distinguer de la folie qui, elle, est visionnaire) jusqu'au paroxysme. Son délire est morbide, vulgaire, sinistre. Il empoisse.

Pourtant, peut-être parce que, contrairement à Manon qui a été «réinventée» par Michel, Sandra a valeur d'alter ego *et* de repoussoir, l'identité grotesque et hyperthéâtralisée du travesti garde quelque chose d'une folie généreuse et libertaire. Dure et tendre, Sandra connaît ses excès et ses faiblesses, de même qu'elle détecte comme pas une la médiocrité de son entourage[20], y compris chez son amant du moment que, par exemple, elle n'estime pas capable de décoder l'un de ses jeux de mots. Cynique et revenue de tout, Sandra revendique toutefois un mode d'être totalement irrationnel: «Moé, par exemple, j'connais pas ça, le pourquoi... de rien. Pis j'veux pas le savoir!» (*DS*, 28), et elle affecte de ne reconnaître que l'obligation de séduire: «"Tout pour plaire, rien pour écœurer" telle est ma devise.» (*DS*, 38)

Mais ce qui définit la fibre intime de Sandra, elle le proclame elle-même d'entrée de jeu: «Y'a pas de qui, y'a pas de quand, de où, de pourquoi, la réponse, c'est toujours le cul.» (*DS*, 27) Sur ce thème de la sexualité dévorante et des appétits sans limite de la libido, Sandra est intarissable, au point de provoquer un malaise devant l'expression graveleuse de son sans-gêne. Il vaut la peine de rappeler ici que la célébration du cul pour le cul est indissociable de l'homo-sexualité, du moins dans les pratiques de ce qu'il faut bien appeler la sous-culture *gay*, en émergence dans les années 1970 en Amérique du Nord. Le travesti Sandra, en tant que manifestation obvie du faux-féminin, se pose ainsi en arché-type provocant d'une sexualité élevée au rang de culte.

À cette époque d'avant le sida, le *gay lifestyle* éclate dans la culture occidentale comme une bombe hédoniste, vouée à l'éternelle et jouissante errance des partenaires d'un soir, à l'ivresse des corps anonymes et disponibles à volonté, au bonheur sans attache et sans responsabilités du principe de plaisir à perpétuité. S'il en est un, le scandale d'une vie consacrée à la recherche effrénée d'«une botte trois étoiles» (*DS,* 47) est inséparable de l'aura de souffre et d'interdit qui reste associée à l'homosexualité masculine. C'est une telle dérive sexuelle qui, de toute évidence, fascine et effraie Michel. D'où la contradiction à l'œuvre dans le personnage de Sandra qui n'a de cesse d'osciller entre les grandes manœuvres avilissantes de la folle séductrice et l'amour désintéressé de son prochain.

D'Eros, Sandra tire tous les artifices d'un rituel d'efface-ment de sa masculinité, qui l'occupe tout au long de sa confession devant «le miroir à trois faces comme la plupart du monde [qu'elle] fréquente» (*DS,* 38). Le seul organe à résister – on comprend pourquoi – à une telle entreprise de féminisation de son identité, c'est sa verge: «[...] la seule chose que j'ai jamais déguisée... eh oui, c'est ma queue. [...] Chus... resté ma queue. [...] Chus pas une femme par goût, chus pas une femme par besoin, chus juste une viande entremetteuse au service d'un bas-ventre goinfre! C'est la queue qui mène, moé, j'exécute!» (*DS,* 54) Sandra ne saurait être plus éloquente sur sa fixation phallique...

L'existence du travesti, s'il faut l'en croire, est tout entière orientée vers la conquête d'amants, qu'elle songe d'ailleurs à momifier comme autant de trophées macabres: «Chus l'esclave de mes sens! (*Elle éclate de rire.*) Quand chus pas en chasse, ou quand chus pas en train de fourrer, j'vis pas! Le reste du temps c'est du remplissage.» (*DS,* 55) Un tel régime donjuanesque – même une fois lesté de sa part d'exagération que le seul discours de Sandra ne permet pas de vérifier, pour ainsi dire, sur pièces – montre pourtant une faille de taille, dans le fait que le travesti épie et *envie* Manon, en lui attribuant l'accès à une lumière, celle de sa foi, qui ferait tout son bonheur. Il est difficile de ne pas entendre, en creux de cette étonnante déclaration de solidarité organique – «Si tout ce que le monde me conte à son sujet est vrai, pis c'est probablement vrai, c'est ma jumelle, j'la sens, j'la sais, c'est moé, si tout ça est vrai, je l'envie! Les gens heureux sont si rares.» (*DS*, 63) –, l'expression d'une nostalgie de l'enfance, dans cette période heureuse où le désir polymorphe ne s'est pas encore fixé sur un objet, et qui correspond, chez le garçon, à une fusion au corps maternel.

Cependant le délire de Sandra n'en reste pas au seul plan de la verbalisation outrancière de ses prouesses sexuelles et de l'arrogante affirmation de son état prétendûment permanent d'animal en chaleur. Le dérapage se fait sentir à travers la pulsion régressive qui détermine l'activité de maquillage de Sandra, avec en son centre un souvenir d'enfance: «J'ai revu ma cousine Hélène, quand j'étais petite et encore garçon, installée devant la commode de ma tante Robertine, qui se mettait du vernis à ongles vert! Pour faire chier sa mère!» (*DS*, 38[21]) À partir de là se met en place, d'une manière impulsive qui laisse deviner le travail de l'inconscient, un rituel mimétique (par la reproduction de l'*imago* d'Hélène) qui exposera peu à peu l'attraction pour la souillure (avec ses nettes références anales[22]) et, plus fondamentalement, l'amour-haine de la mère.

Ainsi, le délire de séduction de Sandra est pour le moins trouble. D'être à tous (les hommes à mettre dans son lit) et à toutes (les «cent autres visages de femmes que j'ai composés» (*DS*, 54)) ne va pas sans une dépense d'énergie très vite intenable. Cette extrême dépense érotique sans issue, tragique. Thanatos, sous la figure d'un «Christ noir», n'est pas destiné pour rien à des noces barbares (et incestueuses, remarquons-le) avec «Notre Mère à tous» (*DS*, 55), puisque Sandra ne peut échapper à son désir d'être le corps maternel, vierge et pur de tout attouchement, tout en s'offrant comme réceptacle d'une dessécration de l'Image sublimée mais «étouffante comme une journée de canicule» de son «énorme moman» (*DS*, 62): «Se soumettre au Noir en lui cédant, en lui sacrifiant l'image la plus pure, la plus sacrée de notre civilisation dégénérée.» (*DS*, 55)

On s'explique mieux alors le retournement du travesti qui, au moment même où il serait temps pour lui d'accueillir son beau Martiniquais, reporte son attention de «Sainte Sandra la Verte de la Vente de Feu» sur Manon, qui porte en elle la pureté de la vierge et qui est l'ombre portée de sa mère, Manon qui a pu en effet affirmer: «Vous avez exigé de moé que je perpétue ma mère qui était une sainte...» (*DS*, 57).

Sandra/Manon/Michel ne font donc qu'un. Mais cette unité supérieure se décompose en facettes contradictoires d'une identité en quête d'un *au-delà* à l'existence humaine, trop humaine. Tremblay, dans une œuvre qui n'a pas d'équivalent dans sa production à ce jour, se pose la question universelle de la finitude existentielle et celle, symétrique, de l'aspiration à une utopie salvatrice et apaisante. En même temps, malgré les apparences de son *happy end*, *Damnée Manon, Sacrée Sandra* ne résout rien. Car cette pièce s'achève sur une énigme, voire un *mystère*. Tentons de comprendre pourquoi.

La puissance de métamorphose

> Il semble que, dans l'évolution du mythe grec, les premiers homosexuels furent les hommes qui imitaient les femmes afin d'établir une relation aussi intime que possible avec la déesse suprême. Cette attitude était celle d'une société matriarcale d'où est issu le système religieux patriarcal avec Zeus à sa tête.
>
> *Jeu et Réalité*[23]

Sandra rêve d'une autre Genèse, d'un re-commencement, d'un Nouveau Testament qui se lirait, comme un livre ouvert, à même le corps crucifié de Christian sur son lit. Mais ces saintes écritures d'une humanité invertie qui régénérerait le monde font long feu. Comme s'il appréhendait l'impossibilité d'un tel renversement des choses, le travesti se réfugie bientôt dans la vision sordide d'une collection d'amants momifiés, ce qui en dit beaucoup sur la pulsion de mort qui tenaille cette fausse femme qu'une cruelle ironie fait se découvrir «déguisée en dose» (*DS*, 48).

Tout de suite après cette plongée dans le rêve éveillé de Sandra, Manon se débat avec le récit d'un rêve qui a tourné au cauchemar parce que s'y sont superposés un souvenir d'enfance de la «démone» Hélène et une image onirique de la statue grandeur nature de la Vierge Marie, affublée de lèvres et d'ongles peints en vert. Dans son rêve, Manon a d'abord été caressée par Hélène, qu'elle a ensuite ferme- ment repoussée à l'idée du «péché», jusqu'à ce qu'à Hélène se substitue Michel, qu'elle prend dans ses bras, en l'acca- blant aussitôt de reproches: «Michel! Michel! Pourquoi tu l'as suivie, elle! C'tait une folle! R'garde c' que t'es d'venu! Un dégénéré!» (*DS*, 52)

Ce scénario onirique se laisse facilement décrypter, si on veut bien admettre que c'est Michel qui tire les ficelles de la pièce, et qu'il semble prendre un malin plaisir à brouiller les cartes en occupant simultanément la place des deux personnages, lesquels servent ainsi de supports à une auto- analyse dévastatrice et, ce faisant, à une exploration percu- tante du «malaise dans la civilisation».

Car, finalement, deux Lois s'affrontent au sein de *Damnée Manon, Sacrée Sandra*. Celle de la déesse-Mère originaire, matrice de tous les possibles et de l'Imaginaire, et celle du Père éternel mais absent, le Dieu tyrannique et castrateur d'Abraham, de Moïse et de la Tradition révélée, tous évoqués dans le discours de Sandra/Manon/Michel. Ce Dieu jaloux dit toujours non à quiconque voudrait ne faire qu'Un avec la déesse, parce qu'il entend fonder un ordre social, qui ne va jamais sans tabou. Reste la transgression car, pour l'homme, le mystère féminin demeure entier, comme son Autre qui, pourtant, l'habite déjà dans les replis de sa psyché.

Dans *les Stratégies fatales,* Jean Baudrillard note:

Maquillage, narcissisme, séduction, hystérie attrac- tive: formes sacrées de la concupiscence, forme volage et sacrée de l'événement pur que la femme constitue pour elle-même à chaque instant. Par tous les soins qu'elle prend, elle se métamorphose en elle-même continuellement. Que reste-t-il à l'homme que de cher-cher à travers elle cette puissance de métamorphose?[24]

Damnée Manon, Sacrée Sandra ne constitue-t-elle pas la recherche, non du temps perdu, mais d'une telle puissance de métamorphose? Michel n'est-il pas Sandra[25], le mime imparfait du féminin, qui va prêter assistance à la métamor-phose de Manon en «événement pur»?

À la faveur d'une autoanalyse rien de moins qu'impu-dique, à laquelle ne manque même pas le signal d'un enjeu inconscient[26], Michel Tremblay fait plus et mieux qu'un drame de l'intime. En renvoyant dos à dos deux délires, celui de la déesse-Mère à travers Sandra, celui du Dieu muti-lant à travers Manon, il invente une troisième voie qui trans-cende la topique inconsciente (Ça/Surmoi) et s'autorise à opérer une transmutation de toutes les valeurs. Cet au-delà est certes un monde d'apparences mais, passée l'épreuve du retour du refoulé et des fantasmes fatals, il initie à la Séduction pure, celle «qui vous arrache à votre propre désir pour vous rendre à la souveraineté du monde[27]».

Dès lors, Manon peut s'élever vers son créateur, et Sandra, telle une pythie, peut bien proférer la formule oracu-laire par excellence: «Sa Lumière s'en vient!» Et, si le monde à venir garde encore son secret, Michel, au terme d'une courageuse liquidation de ses démons, se reconnaît comme suprême Illusionniste, en pleine possession de son pouvoir de métamorphose. Le théâtre, tendu entre un espace utopique et une volonté de puissance en tant qu'art, n'a pas d'exigence plus essentielle ni de résonance virtuelle plus fondamentale. À condition de se mettre à l'écoute de ceux qui ont pris le risque de parler «tu-seul».

NOTES

1.   Michel Tremblay, *la Duchesse et le Roturier*, Montréal, Leméac, 1982, p. 171.

2.   Samuel Beckett, *Comment c'est*, Paris, Éditions de Minuit, 1961, p. 10.

3.   Hamlet, dans son célèbre soliloque, se débat face à une alter-native morale.

4. Par exemple, suivant Benveniste, entre un «moi locuteur» et un «moi écouteur» (cité par Patrice Pavis, à l'article «Monologue» de son *Dictionnaire du théâtre*, Paris, Messidor-Éditions Sociales, 1987, p. 250). À ce clivage linguistique, il faudrait ajouter celui du masculin/féminin.

5. Le mot est utilisé par l'auteur dans une didascalie. *Damnée Manon, Sacrée Sandra*, suivi de *Surprise! Surprise!*, Montréal, Leméac, coll. «Théâtre», n° 62, 1977, p. 31. Dorénavant, toutes les références à *Damnée Manon, Sacrée Sandra* renverront à cette édition.

6. On pourrait certainement parler d'un «pirandellisme» patent, couplé à certaines influences brechtiennes, dans le théâtre de Tremblay. L'ancrage réaliste de sa dramaturgie est, trait marquant de sa manière, l'objet d'une constante déstabilisation/déréalisation dont le spectateur doit prendre acte pour saisir les enjeux fondamentaux, au-delà de la trame, souvent triviale, de l'action.

7. *Damnée Manon, Sacrée Sandra* a été créée le 24 février 1977, au Théâtre de Quat'Sous, dans une mise en scène d'André Brassard, avec Rita Lafontaine (Manon) et André Montmorency (Sandra).

8. On sait que cette «clôture» n'aura pas vraiment lieu, Tremblay ayant choisi d'ouvrir le chantier des «Chroniques du Plateau Mont-Royal», dont le premier volet, *La grosse femme d'à côté est enceinte*, paraît en 1978, et que le Cycle des *Belles-Sœurs* lui-même connaîtra les prolongements que l'on sait avec, notamment, *Albertine, en cinq temps*, en 1984, et *la Maison suspendue*, en 1990.

9. À l'époque où, vraisemblablement, il écrit *Damnée Manon, Sacrée Sandra*, Tremblay avoue candidement en entrevue: «J'suis en train de faire un ego trip à trente-quatre ans au lieu de le faire à dix-huit ans. J'suis en train de me prendre pour Dieu ces temps-ci…». Thérèse Arbic, «Entrevue avec André Brassard et Michel Tremblay», *Chroniques*, n° 22, Montréal, octobre 1976, p. 19.

10. L'auteur puise dans l'usage populaire québécois les interjections familières que sont «damné» et «sacré» qui, appliquées à des personnes, ont une connotation volontiers empathique, sinon valorisante. Le créateur de Manon et de Sandra indique par là son attitude foncièrement compatissante à l'égard de l'humanité, attitude à laquelle fait écho le cri du cœur de Sandra/Michel: «si vous saviez comme j'vous aime!» (*DS*, 62)

11. Peter Szondi, *Théorie du drame moderne* (traduction de l'allemand par Patrice Pavis), Lausanne, L'Âge d'Homme, 1983, p. 79.

12 *Ibid.*

13. Patrice Pavis, *op. cit.*, p. 251.

14. Qu'il soit bien clair que, dans notre esprit, il n'est pas question de confondre totalement le narrateur désigné «Michel» et l'auteur Michel Tremblay, même si la stratégie de ce dernier nous y pousse... Il y a dans cette posture, obliquement autobiographique et néanmoins masquée, un jeu fictionnel dont on ne peut être dupe, encore que ce brouillage identitaire en dise long sur la construction d'une «image de soi». (Voir Philippe Lejeune, *le Pacte autobiographique*, Paris, Seuil, 1975, p. 165.)

15. Jean-Pierre Sarrazac, *l'Avenir du drame, Écritures dramatiques contemporaines*, Lausanne, Éditions de l'Aire, 1981, p. 132. C'est l'auteur qui souligne.

16. Jouant sur le double sens du mot, le travesti s'exclame, dans les premières minutes de la pièce: «Maudit que chus folle!» (*DS*, 30) Un peu plus loin, Manon laisse tomber au milieu de ce qui est son premier soliloque: «J'me suis mis à rire comme une vraie folle!» (*DS*, 34)

17. Nul doute que Beckett soit passé par là, notamment l'auteur de *Oh les beaux jours*. Tremblay a beaucoup fréquenté les auteurs de l'Antiquité grecque, mais il n'a pas ignoré, loin de là, les modernes, d'Anton Tchekhov à Samuel Beckett, en passant par Bertolt Brecht, Luigi Pirandello, Eugène Ionesco... Évidemment, ces dramaturgies constituent un fonds intertextuel qui irrigue, plus qu'il ne la détermine, l'écriture dramatique de l'auteur de *Damnée Manon, Sacrée Sandra*.

18. Voir l'analyse éclairante que fait Martin Heidegger de «La Volonté de puissance en tant qu'art», dans son *Nietzsche*, tome I (traduction de l'allemand par Pierre Klossowski), Paris, Gallimard, coll. «Bibliothèque de Philosophie», 1961, p. 11-199.

19. Cité par M. Heidegger, *op. cit.*, p. 195.

20. Sandra a cette remarque assassine à l'instant où elle vient de fantasmer la crucifixion verte de son amant: «Si le silence pouvait tout envahir! La rue déserte, les télévisions éteintes, les radios mortes, les bébés gorgés de pablum, les parents bourrés de chips pis de coke, assoupis devant leur propre bêtise.» (*DS*, 46-47)

21. Notons ici que les personnages d'Hélène et de Robertine existent depuis *En pièces détachées*. Ultérieurement, Tremblay leur attribuera réciproquement les prénoms de Thérèse et d'Albertine, tant dans les « Chroniques » que dans son théâtre.

22. Notons les occurrences textuelles suivantes du discours de Sandra : « J'assume toujours mes gestes ça fait que me v'là pognée à me beurrer le kisser pis les ongles avec d'la marde verte ! » (*DS*, 40) ; « J'arais quasiment envie de m'en mettre dans le cul à'place du K-Y ! *(Silence.)* Ceux qui disent que chus pourrite jusqu'au trognon araient raison là ! Le cul vert ! » (*DS*, 45) ; « Après, j'vas écraser dans mes mains c'qui va rester du vert à lèvres pis j'vas y enduire le sexe de sang vert. Mes mains… vont être vertes de sang collant… » (*DS*, 46).

23. D. W. Winnicot, *Jeu et Réalité. L'espace potentiel* (traduction de l'anglais de Claude Monod et J.-B. Pontalis), Paris, Gallimard, coll. « Connaissance de l'Inconscient », 1975, p. 110.

24. Jean Baudrillard, *les Stratégies fatales*, Paris, Grasset, coll. « Figures », 1983, p. 185.

25. Michel Tremblay lui-même a déjà souligné en entrevue l'importance qu'avait pour lui la pièce qui nous occupe. À une question posée en 1981 sur la pièce préférée de sa dramaturgie, il répondit : « *Damnée Manon, Sacrée Sandra.* Tout d'abord, c'est la pièce dont je me sens le plus proche. Sandra c'est moi. » Jean-Michel Lacroix et Marie-Line Piccione, « Entrevue avec Michel Tremblay dans la Maison de Radio-Canada », *Études canadiennes*, 1981, p. 203. Cette référence est empruntée à l'étude inédite de Laurence Joffrin sur « *Les Vues animées* de Michel Tremblay : une autre vision de l'autobiographie » (1992).

26. Ce que pointent indubitablement les deux seules répliques dites à l'unisson par Manon et Sandra, avant le déclenchement de leur délire : « Des fois j'me demande à quoi j'pouvais ben penser avant de penser à ça ! » (*DS*, 30) ; « J'm'en rappelle pus… j'tais trop petite ! » (*DS*, 31)

27. Jean Baudrillard, *op. cit.*, p. 204.

LES ANCIENNES ODEURS

LAURENT MAILHOT

UNE PIÈCE INTIMISTE ET ROMANESQUE

> Conte-moi une histoire comme quand j'étais
> déprimé. Joue à mon père une dernière fois.
> *les Anciennes Odeurs*

Le titre déjà est significatif : nostalgique et concret. Présence immédiate du corps (odeurs) en même temps qu'éloignement (retour) dans le temps. Les deux protagonistes exhument[1] – ex-hument – «de vieux souvenirs et d'anciennes questions» (*AO*, 10). On pense naturellement à Proust ; il faut penser aussi à Baudelaire et à Süskind. À celui-ci surtout, car Tremblay insiste sur «toutes sortes d'images qui [lui] rentrent par le nez», savamment, systématiquement entrecoupées de silences. «J'sais pas pourquoi le passé sent toujours si bon» (*AO*, 38). Le nez occupe ici tout l'espace, ressuscite le temps perdu dans la cuisine, les draps, le vieux fauteuil de cuir, le tabac, l'eau de toilette de Givenchy. «Sens-tu mon parfum, là ?» (*AO*, 38)

N'est-ce pas là une fausse piste, trop facile, pour chiens domestiqués plutôt que pour chasseurs sauvages ? On peut suivre à la trace toutes les odeurs actuelles ou anciennes sans arriver nulle part, même en passant par l'amour, le sexe, la jalousie, l'amnésie. On peut retrouver beaucoup de «bons» souvenirs, mais où sont *les Beaux Souvenirs* sans *les Bons Débarras*[2] ? Où est l'affection sans la désaffection ? Le parfum a besoin d'air, et l'odorat d'espace. Luc et Jean-Marc demeurent trop embrassés, embarrassés, pour que leurs odeurs les révèlent à eux-mêmes. Elles actualisent et réactivent le passé sans engager l'avenir. Elles reconstituent sans construire.

Deux acteurs

Jean-Marc aurait, entre autres qualités pédagogiques, une «faculté stupéfiante à comprendre d'instinct un texte de théâtre pis à nous l'expliquer comme si on l'avait toujours compris» (*AO*, 57). Ce n'est pas du tout évident. Jean-Marc n'a pas le sens du comique (même s'il a un certain sens de l'humour), ni du drame ni de la tragédie. C'est un réaliste vaguement romantique. Son théâtre est «dans un fauteuil», et moins intérieur qu'intimiste, impressionniste, descriptif et petit-bourgeois. Jean-Marc ou le Second Empire. Jean-Marc ou le Monsieur aux camélias.

Luc est un peu différent avant de devenir à la fin une copie conforme, dans le rôle justement du correcteur de copies. Luc a quelque chose (la pose, les larmes, les petites blessures, les sentiments à fleur de peau) du très jeune romantique. Il n'a jamais été si heureux, en harmonie avec lui-même, qu'à l'époque où il préparait un Musset à l'École nationale de théâtre: «Personne; ce jardin est désert et j'ai fermé la porte de l'étude[3]». Il songe, avec «la gang» de sa classe, à remonter la pièce (et le temps), dix ans après, au Quat'Sous. «En tout cas, ça va être un choc pour tes fans. Sont tellement habitués à te voir faire l'épais à la télévision…» (*AO*, 41), lui fait brutalement remarquer Jean-Marc. C'est lui, lecteur, critique, répétiteur, professeur de diction, qui a la clef de l'étude; il n'a pas pour autant celle du théâtre de Musset.

Jean-Marc ne joue vraiment bien que lorsqu'il raconte. «Une fois, c'tait un p'tit gars qui avait honte de son père […]» (*AO*, 87) est sa dernière tirade importante. Luc pleure à ses pieds, à ses genoux, pendant que Jean-Marc évoque la fierté de son propre père lui montrant, au Steinberg du coin de la rue, la couleur profonde et uniforme des boîtes de soupe Campbell dont il a le secret et l'exclusivité à Montréal en tant que pressier: «Mon père a inventé le rouge!» C'est beau comme du Andy Warhol, pas comme du Stendhal, du Hugo ou du Musset. Cet objet, ce cri se détachent du registre habituel de Jean-Marc. La couleur du sang fait tache au fond des *Anciennes Odeurs*.

Quant à Luc, perdu entre l'art moderne et l'art romantique, il verse dans l'éternel mélodrame. Après avoir évoqué un instant Delacroix ou Géricault – «Un radeau de superbes corps qui m'ont servi une fois pis que j'ai jetés avant même qu'i'sèchent!» (*AO*, 59) –, Genet et Sartre – «le bienheureux poppers, l'hostie consacrée de la nouvelle sexualité», «un relent de volupté mal lavée un peu écœurante» (*AO*, 58) –, Luc dit goûter une certaine violence exotique, mais ses spasmes multiples sont brefs et ses peines d'amour durent «trente secondes». Ses mots dépassent certainement ses gestes, sinon sa pensée, quand il proclame avec une naïveté adolescente[4] : «j'éclate de joie ou ben donc j' m'abîme dans une insupportable prostration, mais j'avance!» (*AO*,59) Il n'avance que sur place, tournant autour de lui-même, dans la répétition théâtrale.

Luc a besoin de discours. Jean-Marc lui en fournit de toutes sortes. Il est une institution, et même plusieurs, à lui seul. Son «giron généreux et accueillant» est celui d'une mère, d'une grand-mère, d'un père, d'un frère, d'un ami. Professeur de français «qui jadis essaya de taquiner la muse» (*AO*, 54), Jean-Marc n'est ni un créateur, ni un producteur, ni un reproducteur, à peine un acteur. Un témoin intelligent, un spectateur actif (d'abord de lui-même), un gardien fidèle de la tradition (orale, écrite).

À cœur ouvert

La pièce *les Anciennes Odeurs* est évidemment à rapprocher du roman *le Cœur découvert* qui la suit de quelques années. Celui-ci est constitué, en alternance, des récits de Jean-Marc, les plus longs et les plus nombreux, de Mathieu, et brièvement, à la fin, du petit Sébastien (deux fois), de Louise et Gaston, sa mère et le *chum* de sa mère. *Récits de* ne veut pas dire ici monologues – même dans le cas de Jean-Marc, qui parle à la première personne tout en racontant aussi des scènes avec dialogues –, mais histoires d'amour ou «roman d'amours», suivant la détermination générique originale. Amour de Jean-Marc pour Mathieu, de Mathieu pour Jean-Marc et pour Sébastien, son fils de quatre ans, de Louise et Gaston l'un pour l'autre et pour Sébastien. Le roman tourne autour de ce saint innocent (nullement martyr), objet de toutes les complaisances, criblé des flèches de Cupidon. Double paternité, triple, quadruple tendresse. Une nouvelle famille québécoise est née[5].

La différence d'âge est faible entre Jean-Marc (38 ans) et Luc (32 ans)[6]. Pourtant, le premier joue par rapport au second un rôle de maître et de père. Professeur de cégep, correcteur de copies, fumeur de pipe, calme et réfléchi, Jean-Marc est un conseiller *cool*, un confident attentif, intensément présent malgré – ou à cause de – sa réserve. «T'as été mon maître à penser pendant sept ans» (*AO*, 54), lui dit Luc, reconnaissant. Maître à penser, à sentir, à jouir, à aimer. La relation de Luc avec Jean-Marc, quoique privilégiée, active et passive, est-elle si différente de celle que rêveraient d'entretenir avec lui plusieurs élèves, étudiants ou étudiantes, de Jean-Marc? Celui-ci séduit malgré lui. Mais ne cherche-t-il pas inconsciemment à séduire? À déborder son rôle de professeur de toutes les façons: homme, ami, amant, écrivain? Homme de théâtre (public) et de vie (privée), Jean-Marc joue sur plusieurs tableaux, dans des registres différents, la représentation qu'il se fait de lui-même. Avec un naturel trop évident pour n'être pas concerté. Avec une simplicité qui pourrait être duplicité.

Jean-Marc n'a rien d'agressif, d'autoritaire, rien d'un aventurier ou d'un conquérant, d'un Don Juan ou d'un Casanova. Devenu «raisonnable» par «défensive», pour ne pas trop souffrir de ses sentiments amoureux, Jean-Marc réagit plus qu'il n'agit. Il ne provoque pas vulgairement; il rassure, calme le jeu, rassérène. Ses amours sont beaucoup plus près de l'amitié que de la passion[7]. Sans être prétentieux ni triomphant, il est visiblement à l'aise avec lui-même et les autres, bien dans sa peau, heureux de l'image qu'il projette et qu'on lui renvoie.

Personnage subtil ou évanescent? Équilibré ou neutre? Tout s'additionne en lui sans se multiplier. Chaque être, chaque événement prend sa place sans rien heurter. Jean-Marc est un cadre efficace, un réceptacle parfait. Il reçoit et donne du même mouvement, dans un échange qui paraît finalement s'annuler. Homme d'habitudes, de tâches et de gestes rituels, Jean-Marc avance toujours un peu à reculons, en se reprenant, se répétant. Monogame, monologuant, il est seul avec d'autres. Ni fermé ni tout à fait ouvert, il entrebâille toutes les portes, laissant deviner à leurs odeurs, à leurs bruits, la cuisine ou la salle de bain, le bureau ou la chambre à coucher. Mais son domaine est le salon-salle de séjour, plus encore que la salle de classe. Un espace central, mi-privé, mi-public, dont il contrôle toutes les issues.

Petit père ou grand frère?

La situation qui amène Luc chez Jean-Marc, après trois ans de séparation, est la maladie mortelle de son père qui voulait faire ses adieux au «grand ami de son fils adoré». Ami, amant? Le père le savait tout en voulant l'ignorer. Ici se place le premier monologue sur l'incommunicabilité, l'étanchéité, la distance corporelle, affective, intellectuelle, entre le fils et le père. Au moment où celui-ci lui prend la main: «J'pense que j'i avais pas touché depuis l'âge de dix ans!» (*AO*, 45) À quoi, à qui touche-t-il alors? À un vieillard décharné, à un enfant fragile («l'est tellement p'tit!»), à un objet répugnant («Pis en plus, ça pue!»)? Luc touche à – ou se penche sur – son propre «avenir», dit-il, dans le sens de sa propre mort. Mais il y a autre chose: le souvenir physique, psychologique, psychanalytique, d'avoir «frissonné», enfant, en se tiraillant avec son père, et d'avoir «frissonné encore plus, plus tard, quand on m'a expliqué le complexe d'Œdipe, à l'école...» (*AO*, 46). Le rapprochement, scolaire dans tous les sens du terme, est trop aveuglant pour n'être pas suspect. Ce père, ce fils existent à peine, et leur relation est trop précisément esquissée, schématique, pour convaincre le spectateur ou le lecteur. Œdipe n'a pas su ici s'incarner. Le Sphynx parle encore dans le vide.

La prochaine tirade de Luc n'est pas loin du soliloque, même si elle s'adresse en principe directement à Jean-Marc. Le discours, tout aussi explicatif que le premier, est plus explicite, plus efficace: «Chus pus le joli disciple turbulent que tu traînais partout avec fierté parce qu'i' faisait des progrès stupéfiants grâce à tes doctes conseils et à tes soins paternels!» (*AO*, 57) Luc se caricature lui-même en pastichant les «doctes conseils» qu'on croirait transcrits d'une mauvaise copie: «t'es un admirable professeur qui transmet les choses avec un doigté et une tendresse émouvante; t'as

fait de moi un bon acteur» (*AO*, 57). C'est ici que la trans-
mission se complique en semblant se simplifier.

Au Québec, le prêtre remplace le père lorsque celui-ci,
colon colonisé, coureur des bois immobilisé, salarié, trans-
planté en ville, n'a plus la maîtrise de l'espace, de la langue,
de la parole, de la loi. Et le grand-père, ancien Canadien
défait, abandonné, nostalgique, ne peut racheter le père,
Canadien français sans trait d'union. Le théâtre et la télévision, prenant le relais de la tradition orale et de la chaire,
tentent de «réhabiliter la parole de la rue et du foyer, de
reconnaître les mots qui tissent le quotidien et les existences[8]». De Maman Plouffe aux *Belles-Sœurs*, une «ère de la
plainte» précède celle de la revendication. La langue de la
mère «prend le dessus», mais «la succession n'est pas assu-
rée pour autant[9]». Malgré la continuité de «l'intimité souf-
frante», de la détresse et du désenchantement, les orphelins
demeurent orphelins, et les bâtards petits délinquants,
marginaux.

Après Fridolin, Tit-Coq, Bousille et tant d'autres
«simples soldats», retours de guerre mélancoliques, le
monde (et d'abord la famille, la nation, le pays) est toujours
à reconquérir. Le fils devra devenir son propre père. Or c'est
«l'ère des frères», amis ou ennemis, affectifs ou politiques.
«Et les frères s'épuisent dans le combat et épuisent la
parole[10].» Par où, par qui recommencer? Chez Tremblay,
l'homme «doit se travestir en femme pour se faire entendre».
Ou en homosexuel[11], ou en acteur, ou en *artiste*. Dans *le Vrai
Monde?*, «il revient au père mais c'est le fils qui s'invente».
Qui invente, dans l'instant, son passé et son futur, son
double, son sujet. Sa liberté? Il clame «son désir de paternité, sinon son identité de père. Le père revient, certes, mais
son identité est minée, mise en question au départ[12]». Nous
avons toujours beaucoup plus de fils en quête de père que
d'hommes qui reconnaissent à la fois leur filiation et leur
paternité.

Les douceurs de la Passion

Jean-Marc, Luc: trois noms d'évangélistes (il ne manque
que Mathieu, à la génération suivante). *Les Anciennes
Odeurs* baignent dans une atmosphère palestinienne de

convivialité et d'humanité christique à la Renan: douces collines, lait et miel de la Terre promise, ciel bleu malgré la mer Morte et une petite tempête sur le lac de Tibériade[13]. «Soyez parfaits comme votre Père céleste est parfait»; «Aimez-vous les uns les autres»; «Faites ceci en mémoire de moi.» Aucune de ces phrases ne figure dans la pièce, mais les préceptes sont bien ceux d'une religion d'amour, de paix, de salut par la bonne nouvelle de la Parole.

Le lointain (de l'horizon, de la mémoire) est transformé en prochain immédiatement aimable, comestible. Dans son premier monologue important, Luc évoque des relents de «volupté mal lavée» et «l'hostie consacrée de la nouvelle sexualité» (*AO*, 58). Ces images sont un peu fortes, ces précisions un peu techniques, et Luc s'en excuse auprès de Jean-Marc. La plupart du temps, l'éclairage est indirect, la lumière est tamisée, l'atmosphère de la pièce[14] est claire-obscure, douce-amère, romantique à la façon néo-classique. On pense moins aux passions, aux naufrages (*le Radeau de la Méduse*) de Delacroix ou Géricault qu'aux fadeurs nazaréennes, aux pastels, aux contours vaporeux des peintres préraphaélites de l'Angleterre victorienne. Le ciel de Jean-Marc est-il ou n'est-il pas «uniformément bleu»? Les deux amis en débattent (*AO*, 54-55). Luc affirme que «[s]es ailes ont poussé». Est-il aigle, rapace, ange, serin? Rossignol, peut-être, ou perroquet.

Jean-Marc prêche[15] de toutes les façons: par l'exemple, en classe, dans son salon, en enseignant à Luc (et à Yves) les bonnes manières, la fine cuisine, le savoir-vivre. Jean-Marc est un professeur-né, non un prophète (de l'Ancien Testament), ni même un apôtre batailleur et convertisseur, comme Pierre ou Paul, mais un petit prêtre[16] laïque, un messager, un secrétaire, un fonctionnaire consciencieux et sentencieux:

> JEAN-MARC – Le passé, c'est le passé, Luc…
> LUC – Mon Dieu, t'es profond à soir! (*AO*, 35)

Un peu plus loin:

> LUC – Voyons donc! T'es pas mon directeur de conscience, que je sache! (*AO*, 42)

Jean-Marc n'est pas profond; il est large, doux, étale et solide comme la mer Morte. Il n'est pas le sel de la terre, mais celui d'un lac. Jamais loin du rivage, du port, Jean-Marc ne navigue ni ne dérive ni ne divague. Meilleur au gouvernail qu'aux rames, il se contente de marcher sur les eaux. Homme de beaucoup de foi et de peu d'espérance, fidèle, charitable, Jean-Marc est tout lait et tout miel. Il ne cesse de sourire et de faire sourire. «*Ils rient doucement tous les deux*» (*AO*, 37). «*Ils se regardent. Sourient*» (*AO*, 42). Luc est parfois *ironique*, Jean-Marc invariablement *souriant*[17]. Un(e) vrai(e) Jocond(e), sans tout à fait l'art de Vinci.

Luc, «ben naïf», dit en parlant de son père, hospitalisé à Notre-Dame-de-la-Merci: «j'voulais qu'i' meure le sourire aux lèvres, sans s'en apercevoir, pendant que j'i raconterais une histoire ou que j' m'agiterais autour de son lit en imitant ma tante Blandine» (*AO*, 44). C'est Jean-Marc qui s'en chargera, sans imitations ni grimaces, en racontant à la place de Luc l'histoire du «p'tit gars qui avait honte de son père» jusqu'à la découverte du fameux «rouge Campbell» qui attire sur lui toute la lumière (la chaleur) du tableau bleu et rose.

«Dans mes pièces, il y a toujours une dichotomie entre ce que tu vois et ce que tu entends[18]», déclarait Michel Tremblay. *Les Anciennes Odeurs* font exception. Tout est ici dans le duo, qui n'est pas un duel, dans les voix, dans l'écoute. Pièce radiophonique, pièce de chambre, comme on dit musique de chambre, *les Anciennes Odeurs* composent une sonate intime, intimiste. Une conversation sous la lampe. Sans aucun éclat et presque aucune action, aucune passion, sinon des reflets, des échos, des effluves. Les cris eux-mêmes, chez Luc, sont indirects, racontés, écrits. Une pièce romanesque au sens où, pour Tremblay, «le théâtre exprime le présent alors que le roman regarde le passé[19]». *Les Anciennes Odeurs* ne regardent, ne concernent que le passé et, à travers lui, un avenir qui lui ressemble comme un frère. Le présent – Yves, occupé à la cuisine – est absent, contourné, détourné. C'est ce qui fait à la fois la faiblesse et l'intérêt de la pièce.

Les Anciennes Odeurs existent assez peu en elles-mêmes, dramatiquement, théâtralement, mais elles ouvrent des perspectives nouvelles sur l'univers imaginaire de Tremblay. Le texte ne prendra tout son sens qu'avec *le Cœur découvert*, «roman d'amours», et *la Maison suspendue*, créée en 1990. *Les Anciennes Odeurs* constituent un lever de rideau, un changement de scène, de décor, de style et de ton. Ici, nul besoin de chœur, d'ode, de comédie musicale distanciée, comme dans *les Belles-Sœurs* ou le «cycle de la Main». La musique, aigrelette ou douceâtre, est ici dans le langage. Si l'opéra est, pour Tremblay, «l'absurdité complète, le théâtre parfait[20]», *les Anciennes Odeurs* sont l'anti-opéra, l'anti-théâtre, le prélude à une nouvelle chronique romanesque.

NOTES

1. Michel Tremblay, *les Anciennes Odeurs*, Montréal, Leméac, coll. «Théâtre», n° 106, 1981. Toutes les références à cette pièce renvoient à cette édition. Luc a gardé de leur cohabitation l'impression que Jean-Marc était «en train de [l']enterrer vivant» (*AO*, 39).

2. Suivant les titres de deux films de Francis Mankiewicz, scénarios et dialogues de Réjean Ducharme.

3. *Le Chandelier*, cité p. 40.

4. Sur la «sexualité adolescente» de Luc, voir aussi *AO*, 68.

5. Voir en particulier l'épisode détaillé («petite valise», «toutou», etc.) de la réception et de l'adaptation de Sébastien dans l'appartement du couple homosexuel (*le Cœur découvert*, Montréal, Leméac, 1986, p. 163-182).

6. «Écoute, chuis plus vieux que toi, mais je pourrais quand même pas être ton père...», dit Jean-Marc à Mathieu (24 ans) dans *le Cœur découvert* (p. 21).

7. Luc, de son côté, fait une différence entre ses sentiments et ses désirs: «J'baisais à gauche pis à droite, à la fin, c'est vrai, mais j'te trompais pas!» (*AO*, 53)

8. Naïm Kattan, *le Père*, Montréal, Hurtubise HMH, 1990, p. 94.

9. *Ibid.*, p. 95.

10. *Ibid.*, p. 96. Kattan nomme Lévesque et Trudeau, cite Victor-Lévy Beaulieu, Thériault, etc.

173

11. Il ne s'agit pas dans ce cas, chez Tremblay pas plus que chez René-Daniel Dubois, «d'un choix de sexualité mais d'une métaphore sur le lien de succession» (*ibid.*, p. 97).

12. *Ibid.*, p. 98.

13. Autre nom qu'on pourrait donner au lac Simon (Pierre) de Duhamel: voir *la Maison suspendue* et diverses allusions de l'œuvre romanesque.

14. Aussi bien du salon petit-bourgeois où est située l'action que du théâtre que se jouent l'un à l'autre (à eux-mêmes devant l'autre) Luc et Jean-Marc.

15. Luc aussi, à sa façon – «T'as toujours prêché pour le mystère pis la marginalité...», lui fait remarquer Jean-Marc (*AO*, 84) –, qui est celle d'un enfant de chœur.

16. «Et j'ai cru ré-entendre "la voix du pays du Québec qui était à moitié un chant de femme et à moitié un sermon de prêtre", comme à la fin de *Maria Chapdelaine*», note Alonzo Le Blanc à la fin de son compte rendu (*Livres et auteurs québécois 1981*, p. 196).

17. Voir les innombrables didascalies: «*Jean-Marc secoue la tête en souriant*» (*AO*, 34), «*Jean-Marc sourit*» (*AO*, 35), etc.

18. Roch Turbide, «Michel Tremblay: Du texte à la représentation», *Voix & Images*, vol. VII, n° 2, hiver 1982, p. 216.

19. *Ibid.*, p. 221. Tremblay dit aussi (je ne sais si Bakhtine serait d'accord): «Dans un roman, tu imposes ta vision du monde»; «J'écris un roman quand je veux parler au monde, moi en tant que moi»; «Quand j'écris un texte de théâtre, j'ai toujours conscience que ce n'est pas complet» (*ibid.*, p. 215).

20. *Ibid.*, p. 217.

Laurent MAILHOT

ALBERTINE, EN CINQ TEMPS

JEAN CLÉO GODIN

ALBERTINE ET LA MAISON DE L'ENFANCE

> Il sortit de la maison au moment précis où
> l'été commençait.
> *le Premier Quartier de la lune*

L'écriture d'*Albertine, en cinq temps*[1] survient après une quinzaine de pièces de théâtre et renoue, sept ans après *Damnée Manon, Sacrée Sandra* qui devait y mettre un terme, avec le Cycle des *Belles-Sœurs*. Notons aussi que sa parution coïncide avec celle du quatrième roman des «Chroniques du Plateau Mont-Royal», *Des nouvelles d'Édouard*[2], ce qui peut nous suggérer des considérations utiles, tant sur l'univers de Tremblay – après tout, Édouard et Albertine sont frère et sœur – que sur l'évolution convergente du romancier et du dramaturge: sous le titre commun «Michel Tremblay, le dramaturge et le romancier», Robert Lévesque et Jean Royer ne signaient-ils pas chacun un texte sur Tremblay, dans *Le Devoir* du 10 novembre 1984, soulignant par là ce point de rencontre peut-être unique dans l'ensemble de l'œuvre? À partir de cette convergence, roman et théâtre semblent diverger à nouveau, mais en se préoccupant l'un et l'autre, de façon évidente, d'un nouveau type de rapport entre le réel et le fictif. *Le Vrai Monde?* et *la Maison suspendue,* au théâtre, et *le Premier Quartier de la lune,* pour le roman, restitueront l'espace de la création dans un rapport (auto)biographique évident, qui prolonge un mouvement, amorcé dans *Albertine, en cinq temps,* de retour vers la maison de l'enfance. Aussi retrouvera-t-on le personnage de Madeleine dans *le Vrai Monde?* et, dans *la Maison suspendue,* ceux d'Albertine et d'Édouard. La Grosse Femme reparaît dans *la Maison suspendue* et dans *le Premier Quartier de la lune,* ces deux œuvres précisant plus clairement que jamais le fondement autobiographique de l'œuvre. *La Maison suspendue* constitue la figure la plus élaborée de ce nouveau rapport, le rachat de la maison ancestrale par Jean-Marc symbolisant le retour à l'enfance. Dès la seconde réplique de la pièce, la question est d'ailleurs posée par Mathieu : « C'est pour ça que tu l'as achetée ? Pour retomber en enfance ? » (*MS*, 11) Cette maison, où ils « retrouveront » Victoire et Josaphat, Albertine, la Grosse Femme et Édouard, c'est la maison de l'enfance à laquelle retournent Albertine et Madeleine, dans *Albertine, en cinq temps*.

La Madeleine de Tremblay

Les éditions successives de *Bonjour, là, bonjour* font voir un flottement dans la généalogie familiale dont l'œuvre s'inspire. Dans la première édition, les deux sœurs de Gabriel se nomment Albertine et Charlotte, alors que le prénom d'Albertine a été changé, dans la version de 1987, pour celui de Gilberte[3]. Cette correction réaffirme l'importance du substrat biographique, l'auteur sentant le besoin d'établir un rapport plus véridique entre le *personnage* et la *personne*, mais ne modifie en rien le sens de l'œuvre. Il paraît donc légitime de considérer Albertine/Gilberte et Charlotte comme les premières manifestations des personnages qui reparaîtront dans *Albertine, en cinq temps*. Deux sœurs qui rivalisent de mesquinerie, de mauvaise foi ou de ruse pour se gagner les faveurs de Serge et se souhaitent mutuellement une mort prochaine. Aucune allusion, de la part de l'une ou de l'autre, aux enfants qu'elles auraient eus : elles sont en tout conformes au modèle de la vieille fille revêche, acariâtre et frustrée. Cette Albertine ressemble bien à la plus désespérée des personnages d'*Albertine, en cinq temps*, celle de 60 ans, qui se gave de pilules pour oublier ses déboires et son mal de vivre. Mais Charlotte ne ressemble en rien à la Madeleine de cette dernière pièce. Qui est donc cette Madeleine ? Pourquoi surgit-elle tout à coup dans l'œuvre de Tremblay ?

Albertine, en cinq temps commence au moment où Albertine emménage dans une chambre qui sera sa dernière demeure terrestre. Elle part à la recherche du temps perdu et *se* retrouve à différentes étapes de son cheminement, sous différents visages. Chemin faisant, en traversant le village de Duhamel toujours associé, dans l'univers de Tremblay, à l'évasion vers l'enfance et à la figure maternelle, Madeleine apparaît... «J't'ai apporté du lait chaud. Ça va te calmer» (*ACT*, 23). C'est à la plus jeune qu'elle parle : l'Albertine de *La grosse femme d'à côté est enceinte* et de *Thérèse et Pierrette à l'école des Saints-Anges,* à qui le docteur Sansregret a prescrit un séjour à la campagne comme remède à la violence incontrôlable qu'elle déchaîne contre sa fille Thérèse. Dès ses premières répliques, il est clair que cette Madeleine est plus une mère qu'une sœur : elle est celle qui soigne, console, enseigne, moralise. Figure si parfaite, si équilibrée, si inhabituelle dans l'univers de Tremblay, figure d'autant plus étonnante qu'elle se substitue à la véritable mère d'Albertine, l'extraordinaire mais terrifiante Victoire. À 70 ans, Albertine reconnaîtra enfin qu'elle aurait eu besoin de la tendresse de Madeleine : «j'aurais eu besoin que tu me prennes dans tes bras, que tu m'embrasses...» (*ACT*, 48). Avec Victoire, était-ce imaginable ? Les deux personnages se rejoignent pourtant, puisque la jeune Albertine reconnaît la tasse dans laquelle Madeleine lui sert le lait chaud : «La vieille tasse de moman...» (*ACT*, 36). Et Madeleine trouve alors cette formule curieuse qui pourrait servir de métaphore à son propre personnage : «On dirait que c't'une vieille tasse neuve.» (*ACT*, 37) Madeleine est un personnage nouveau, inédit et étonnant, mais il y a en elle quelque chose de Victoire; quelque chose, surtout, de cette Grosse Femme condamnée à l'anonymat parce qu'elle est la mère des mères, éternellement enceinte parce qu'elle est la maternité éternelle. Oui, Madeleine apparaît dans l'œuvre de Tremblay comme une «vieille tasse neuve», la sœur maternelle qu'Albertine s'est peut-être inventée, plus compréhensive et sereine que Charlotte, plus tendre et chaleureuse que Victoire.

Personnage inventé ? Rien n'est moins sûr, si l'on en croit une anecdote racontée par Marianne Ackerman à son sujet. En 1985, alors qu'une équipe du Centaur répétait *Albertine, in Five Times,* Michel Tremblay est allé la rencontrer. Il avait apporté de vieilles photos : «Milky grey and white snapshots with '50s-style crinkly borders, they must have come from a family album : Albertine when she was young. Her sister Madeleine (Margaret in real life), all smiles[4].» Comme s'il avait voulu établir hors de tout doute la véritable identité de ses personnages, le dramaturge montre la photo de la *vraie* sœur ayant inspiré le personnage de Madeleine, et celle d'Albertine, celle-ci présentée comme identique au personnage : Albertine *jeune*, comme pour mettre en évidence le caractère maternel de l'autre, caractère réaffirmé dans *le Vrai Monde?* où la propre mère du dramaturge, également prénommée Madeleine, semble cette fois se substituer à la Grosse Femme...

«La vieille tasse de moman» introduit dans la pièce le souvenir de Victoire, figure maternelle apparaissant tout naturellement avec la tasse de lait chaud. Notons toutefois que c'est Madeleine qui apporte la tasse, et qu'elle l'apporte à la plus jeune des Albertine. Notons aussi que seule Albertine à 70 ans semble surprise de cette évocation : «Ça faisait tellement longtemps que j'avais pas pensé à elle!» (*ACT*, 37) S'opposent ici l'enfance et la vieillesse, peut-être le *je* conscient d'Albertine et son inconscient, mais surtout sa réalité présente et les quatre grandes étapes de son passé. «Quand moman est morte, dans son sommeil, comme un p'tit oiseau, dira Albertine à 60 ans, j'me sus sentie comme débalancée... (*Silence*) Un trou. Un vide.» (*ACT*, 39) C'est pourquoi l'évocation de la figure maternelle se traduit par l'image d'une maison vide dont les murs seraient imprégnés de la présence de Victoire, qui n'y est plus depuis longtemps. Une sorte de «présence de l'absence» dont le symbolisme est à la fois grave et complexe, car il s'agit de la maison de l'enfance, à Duhamel. On ne peut donc dissocier de ce symbolisme la quête du paradis perdu et, dans cette perspective, on comprend que la terrifiante Victoire gêne quelque peu. Aussi, c'est elle qui est en quelque sorte «chassée» de ce paradis. «Des fois, j'ouvre une porte pis j'ai l'impression qu'a vient de sortir de la pièce... J'ai envie de courir après elle... C'est fou, hein?» (*ACT*, 38) Fou? Tout simplement logique et nécessaire, comme il était nécessaire que ce fil d'Ariane de la mémoire fût déroulé par Madeleine. Et comment ne pas voir alors la discordance entre la «vraie» figure maternelle, dont seuls les défauts étaient «nourriciers» – «A' m'avait toujours… nourrie… de ses bêtises…» (*ACT*, 40), dit Albertine à 60 ans – et celle que Madeleine introduit dans la pièce, associée aux bonnes odeurs de sapin, aux nuits de pleine lune… et au lait chaud destiné à «calmer» Albertine? L'image de cette figure maternelle mythique chassant la mère de la maison de l'enfance est ici clairement lisible et, de toute évidence, cela bouleverse la vieille Albertine qui, à 60 ans, croyait avoir «pris la place» de sa mère et s'être débarrassée de son emprise. En un sens, Madeleine fait mieux : elle récrit le récit des origines d'Albertine.

Il faut donc accorder une attention très grande au choix de Duhamel comme lieu dramatique où Tremblay a imaginé la plus jeune Albertine, mais aussi la scène finale sous la lune : très clairement, Duhamel constitue l'«Éden romantique», le «séjour bienheureux au sein de la nature mère[5]» où Marthe Robert situe le «mythe familial de l'enfance[6].» Ce mythe transforme le rapport à la représentation dans le roman des origines, lequel «donne spontanément ses personnages pour des personnes[7]». Aussi le dramaturge n'hésite-t-il pas à exhiber la *photo* de Madeleine, dont on accentue encore la «réalité» en précisant qu'elle s'appelait dans la vraie vie Marguerite : voilà donc d'où vient cette Madeleine si différente de la Charlotte que nous connaissions, et dont on découvre qu'elle est plus authentique, plus *vraie* parce que l'auteur peut montrer la *personne* qui a inspiré le *personnage* qu'il nous décrit par ailleurs, dans une première didascalie, simplement comme une femme qui «*n'a pas d'âge. Elle sert de confidente aux cinq Albertine*» (*ACT*, 15). Confidente, Madeleine sert de miroir dans lequel Albertine peut voir ce qu'elle n'est *pas* devenue. Rôle secondaire peut-être, mais structurel, car la présence de Madeleine sur scène délimite rigoureusement, dans le récit dramatique, l'espace du dialogue. Avant et après, tout est monologue : récitatif d'Albertine à 70 ans au début, monologues parallèles des cinq en guise de finale, avant qu'elles ne se fondent en une seule sous «la lune, solitaire et rouge sang» (*ACT*, 103).

Albertine entre deux morts

Si Madeleine est «atemporelle», elle n'est pas de tous les âges : nous apprendrons bientôt qu'elle est morte jeune, probablement au début de la cinquantaine. Comme dans *À toi, pour toujours, ta Marie-Lou*, le dramaturge joue donc, ici, avec la frontière de la mort et crée un personnage qui est en même temps lui-même et son fantôme. Mais la mort de Madeleine ne préfigure-t-elle pas celle d'Albertine, laquelle est précisément celle qui aurait pu mourir, qui aurait souhaité la mort en l'envisageant comme une délivrance... mais qui continue à *vivre* ?

La vie et la mort, il n'est question que de ça dans les deux répliques d'Albertine à 70 ans qui servent *d'expositio* à cette pièce, dont la deuxième réplique s'ouvre sur cette étrange déclaration : «Y'a six mois, j'tais morte.» (*ACT*, 17) L'action de la pièce – le temps présent de la fiction dramatique – se situe donc entre ce qu'Albertine elle-même appelle ses «deux morts» et cette perspective donne son sens au découpage rétrospectif qui structure la progression dramatique et entraîne l'éclatement – justifié par des étapes décisives d'une vie découpée par tranches de dix ans – de l'héroïne en cinq personnages différents. Mais à bien y penser, cela fait d'Albertine – plus encore que de Madeleine – une morte-vivante, puisque celle de 70 ans ne fait qu'évoquer des étapes d'un passé révolu, que retrouver, au-delà d'une sorte de mort, quatre fantômes d'elle-même que seuls le souvenir et la convention théâtrale peuvent faire revivre.

D'où une structuration très complexe du personnage d'Albertine, un et multiple, fonctionnant à la fois comme actant et comme récitant. Ainsi les cinq premières répliques, réservées à l'Albertine de 70 ans, servent à exposer la situation dramatique, et on pourrait imaginer qu'elles soient dites par un observateur, un narrateur ou un coryphée. Non seulement Albertine explique-t-elle qu'elle vient d'emménager dans un «foyer» pour personnes âgées, mais elle prédit l'avenir – ce qui en reste, car elle sera «contente d'y rester» quand surviendra sa deuxième mort –, avant d'être entraînée dans un retour au passé de Duhamel. Pendant qu'elle parle, les autres s'installent, entrent dans leurs rôles, et les longues didascalies établissent clairement qu'un mur invisible sépare l'aînée des quatre autres, auxquelles Madeleine se joindra bientôt. La vivante Albertine *se* regarde à différentes étapes de sa vie ; en même temps, elle est celle qui se raconte à elle-même et aux spectateurs.

Il importe donc de noter que le *je* d'Albertine, dans cette pièce, n'est pas quintuplé comme le suggère la distribution ; il est plutôt dédoublé, celle de 70 ans établissant avec les quatre autres un rapport diversifié et multiple, mais que rassemble et unifie le souvenir. On sait que la structure dialoguée à laquelle Tremblay en est arrivé ne s'est imposée que progressivement, puisque les cinq lieux différents associés à chacun des âges auraient pu entraîner une sorte de présentation en aplat où «chacun vivrait dans son coin» et s'adresserait au public, sans interaction entre les personnages. Ici encore, c'est entre les deux versions et en consultation avec André Brassard que la solution retenue a été trouvée, celle qui consiste à «décider que le tout se passerait dans un *no man's land*, chaque Albertine entendant tout, réagissant à tout[8]». Mais le dialogue qui s'instaure maintient la place privilégiée de l'aînée qui, avec un art consommé, distribue les tours de parole, orchestre la «polyphonie de monologues[9]», commente les interventions des autres et, au besoin, intervient même avec force pour réorienter le récit.

Ainsi, seule l'aînée prend habituellement l'initiative d'interpeller l'une des autres, qui lui répond. La toute première de ces répliques est d'ailleurs révélatrice du type de rapport qui s'amorce, puisque l'aînée dit à la plus jeune qu'elle «parle drôlement». À partir de cette réplique, le dramaturge exploite un malentendu pour exposer le thème qu'il faut considérer comme central à cette pièce, celui de la *communication* et de la *compréhension*, Albertine entreprenant de *se* nommer et de *se* comprendre[10]. Mais justement, cela semble mal parti, puisque la plus jeune interprète comme un reproche – «si tu veux absolument qu'on parle mal!» (*ACT*, 22) – ce qui, dans l'esprit de l'aînée, est plutôt l'expression d'un étonnement ravi. À ce «parler mal», elle opposera donc aussitôt ce superbe «parler beau» qu'elle découvre dans sa vie passée, une vie où elle a «tellement été élevée à [se] trouver laide» (*ACT*, 23) que l'idée qu'elle puisse dire «des belles choses» ne l'aurait même pas effleurée. Dans cet échange qui met en jeu trois des Albertine, le clivage entre l'aînée et les autres[11] apparaît clairement, puisqu'elle provoque un questionnement qu'ensuite elle analyse et commente. Le dialogue s'établira éventuellement entre toutes, mais il est clair qu'il se fait à l'horizontale – entre «égales» – lorsqu'il va de l'une à l'autre des plus jeunes, mais à la verticale lorsqu'il s'engage avec l'aînée, dont l'ascendant se manifeste dès les premières répliques à sa manière discrète mais ferme d'*ordonner* : «Ayez pas peur… mais continuez… J'veux pas que vous parliez mal […] vous avez peut-être raison…» (*ACT*, 22-23) : autant d'expressions qui témoignent du rôle de coryphée qui double son personnage et qui lui permet d'ordonner, c'est-à-dire à la fois d'organiser et de donner des ordres.

Mais dès les premières répliques aussi, il apparaît clairement qu'en une seule circonstance les cinq parlent d'une seule voix : lorsqu'elles se retrouvent face à Madeleine. C'est ainsi qu'avant même les premiers dialogues que je viens de commenter, on les voit accueillir ensemble leur sœur Madeleine : «Ha, Madeleine !» (*ACT*, 19) L'unité du *je* d'Albertine se reconstitue dès lors qu'elle se retrouve face à l'Autre, à cette Madeleine qui est le sixième personnage mais le second actant. L'Autre, qui «sert de confidente aux cinq Albertine». Comme Œnone sert de confidente à Phèdre ? Peut-être, si on veut bien se rappeler que Madeleine est une sœur maternelle, comme Œnone était une nourrice. Mais là semble s'arrêter le parallèle, car Œnone intervient bien davantage dans le destin de Phèdre ; Madeleine se contente d'être l'«autre» et de recevoir les confidences d'Albertine.

Malgré les différences évidentes, ce rôle présente des ressemblances significatives avec celui qui est attribué à la Madeleine du *Vrai Monde ?* C'est en effet sur cette dernière que repose la définition du rapport entre la «vraie vie» et la fiction dramatique, entre la transposition de la vie familiale par le fils-créateur et la représentation que s'en fait la première intéressée, cette Madeleine maternelle à qui Claude soumet son manuscrit, pour commentaire… et qui refuse de se reconnaître dans cette transposition : «J'ai reconnu ma robe, Claude, j'ai reconnu ma coiffure mais j'me sus pas reconnue, moi!» (*VM*, 23) Commentaire extraordinaire et qui met en lumière le paradoxe d'une personne refusant son personnage alors que le dramaturge, lui, multiplie les efforts pour donner à ce personnage une crédibilité totale[12].

Madeleine surgit dans la pièce comme une «apparition», magique et instantanée, à la seule mention du nom du village natal, Duhamel. Mais elle attendra, pour disparaître, le signal donné par l'Albertine de 70 ans, qui lui dit en guise d'adieu: «De toute façon… ça vaut pas la peine de vieillir…» (*ACT*, 100). Notons d'abord que cette réplique n'était pas «nécessaire», tant il est évident qu'Albertine et Madeleine se sont comprises à demi-mot dans les deux répliques laconiques qui la précèdent. Il faut donc être particulièrement attentifs à cette formule qui contient et résume tout le récit: Albertine semble vouloir «consoler» sa sœur qui est morte jeune, mais elle en profite pour réfléchir au «vide» de sa propre existence, en suggérant même qu'elle envie Madeleine – celle qui disait préférer «un p'tit bonheur médiocre» à «un grand malheur tragique» – d'avoir connu d'un seul coup (et jeune) le passage définitif dans la mort. Si Madeleine «sert de confidente», c'est aussi et surtout parce qu'elle permet à Albertine d'instaurer un dialogue au-delà de la mort, «entre ses deux morts» à elle. De tous les personnages, Albertine à 70 ans est évidemment la seule à pouvoir le faire.

Aussi ne faut-il pas s'étonner qu'Albertine apparaisse comme le personnage-synthèse qui, dans l'ensemble de l'œuvre (romanesque aussi bien que dramatique), représente en quelque sorte l'axe du réel[13] autour duquel le fictif se construit. Elle apparaissait déjà sous le nom de Robertine dans la première version d'*En pièces détachées,* la seule œuvre avant *Albertine, en cinq temps* où elle figure au cœur du récit; partout ailleurs, elle reste en coulisses, comme en réserve de la création et laissant aux autres la vedette. C'est pourquoi le rapport à la vie et à la mort qu'elle établit dans cette pièce-ci doit être lu aussi comme un rapport du vécu au fictif, que le romancier-dramaturge sent le besoin, après vingt ans de carrière, de rétablir ou de corriger. *Le Vrai*

Monde? (pour le théâtre), *le Cœur découvert* et *le Premier Quartier de la lune* (pour le roman) confirmeront quelques années plus tard qu'*Albertine, en cinq temps* représentait en outre un exceptionnel point de convergence de ces deux genres pratiqués avec un égal bonheur par Michel Tremblay, qui ne cesse de développer un réseau référentiel, autocitationnel, entre l'un et l'autre comme entre le biographique et l'univers fictionnel.

Un roman pour la scène

Madeleine nous est présentée comme un personnage «atemporel» donnant la réplique au personnage démultiplié d'Albertine, lequel est caractérisé, justement, par ses âges successifs. Et lorsque Tremblay raconte la genèse de cette pièce, c'est d'abord de ce qui définit l'écriture romanesque qu'il parle: la durée, la «tranche de vie». Il a cherché à «prendre toute la vie d'une femme», comme l'avait fait avant lui Roland Lepage dans *le Temps d'une vie,* une pièce qui pourrait avoir été à l'origine du projet d'*Albertine*: «Michel Tremblay tient *le Temps d'une vie* de Roland Lepage comme un exemple de bonne pièce portant sur la vie entière d'un personnage[14]», et l'on comprend qu'il a clairement identifié la nature romanesque du projet, auquel il s'agissait de trouver une forme dramatique.

La réussite est prodigieuse, mais ce récit dramatique d'une structure particulièrement audacieuse et efficace doit tant à l'écriture du roman que Pat Donnelly a pu y voir «a psychological novel for the stage», ajoutant que, contrairement à O'Neill à qui il faut une durée de cinq heures «in order to bring the perspective of a lifetime to an evening in the theatre», Tremblay s'en tient à l'économie et à la concision de la poésie – «the spare discipline of a sonnet[15]». Mais cette forme dialoguée qui croise les tranches de vie, il est intéressant de noter que Tremblay la définit progressivement et qu'entre la première version de 89 pages soumise à André Brassard et la version définitive (de 129 pages), il est à Paris «en promenade dans les traces romanesques d'Édouard[16]». Les traces d'Albertine croisent donc celles de son frère, mais si cette convergence est significative, elle concerne moins la vie de famille du frère et de la sœur que le cheminement de l'écrivain. Car l'écriture d'*Albertine, en cinq temps* se situe clairement à un point de rencontre exceptionnel entre le roman et le théâtre, chez un écrivain dont toute la renommée reposait sur l'œuvre dramatique jusqu'à la parution de *La grosse femme d'à côté est enceinte,* en 1978. Le succès de cette œuvre et l'ampleur des «Chroniques du Plateau Mont-Royal» ont ensuite pu susciter des interrogations sur une réorientation de cette carrière, qui révélait un grand romancier mais semblait devoir laisser le dramaturge à l'arrière-plan. Avec *la Duchesse et le Roturier*, troisième roman des «Chroniques», un rapprochement s'amorce, alors que l'écrivain raconte l'activité théâtrale à Montréal, vue précisément par Édouard, qui cherche en vain à s'y intégrer. Il en reste cependant des traces, car le roman suivant nous montre les débuts «dans le monde» de celui qui deviendra la duchesse de Langeais. Aussi peut-on tenir *Des nouvelles d'Édouard* – tant pour la nature du récit que pour l'écriture –, pour le plus *théâtral* des romans de Tremblay, alors qu'*Albertine, en cinq temps,* son œuvre jumelle en quelque sorte, apparaît certes comme la plus *romanesque* des œuvres dramatiques. Et Tremblay, qui «avoue que ses Chroniques du Plateau Mont-Royal [...] l'ont beaucoup aidé à "comprendre" son *dramatis personæ*», semble rechercher ces convergences et déterminé à y revenir dans ses œuvres futures: «roman et théâtre, chez lui, vont continuer à s'interpénétrer[17]».

Convergences, interpénétration du dramatique et du romanesque. Nulle œuvre n'en témoigne de manière plus probante que *le Vrai Monde?,* qui se présente comme un roman qui aurait pu naître, comme la dramatisation d'une «tranche de vie» mise en abyme par les actants et leur créateur. Ces convergences fertiles, entraînant une remarquable transformation des genres, reposent cependant sur une redéfinition des rapports entre le fictif et le réel, laquelle amène l'auteur à rétablir, à corriger ou à préciser le substrat généalogique des personnages et, partant, les fondements autobiographiques de l'œuvre. Cela explique, par exemple, l'étonnante rencontre, dans *la Maison suspendue,* entre les trois protagonistes du *Cœur découvert* – roman où l'auteur a voulu «décrire ce qui se passait dans [sa] vie, [...] aborder cette chose merveilleuse qui, à la fin du xxe siècle, s'appelle la nouvelle famille[18]» – et les personnages qui appartiennent à la chronique familiale du début du siècle. Il faut voir là l'un des signes d'une inscription autobiographique (la *signature*, dirait Philippe Lejeune) de plus en plus insistante dans l'œuvre. Et ici encore, avec la parution d'un récit dramatique, coïncide celle d'un récit romanesque, centré, lui, sur une autre maison de l'enfance, cette «maison de brique brune de trois étages» qui est celle de la rue Fabre. Or, *le Premier Quartier de la lune* s'ouvre sur le regard que porte le jeune narrateur sur «une photo représentant la première seconde de l'été 1952 [...] photo en noir et blanc, aux tons très contrastés, et luisante, comme si on venait d'y étaler une couche de vernis» (*PQL*, 11). La photo du garçon de dix ans[19] nous ramène à celle d'Albertine et de Madeleine. Mais cette fois, on le sait, le garçon se nomme «dans la vraie vie» Michel Tremblay, et il ne cesse de nous ramener à la maison de l'enfance.

Notes

1. Montréal, Leméac, coll. «Théâtre», n° 135, 1984. Toutes les références dans le texte renvoient à cette édition.
2. L'achevé d'imprimer est daté du 15 octobre 1984 pour le roman et du lendemain pour *Albertine...*, chez le même imprimeur.
3. Et celui de Gabriel pour celui d'Armand.
4. Traduction: «Instantanés, en blanc et gris laiteux, avec rebords dentelés dans le style des années 1950, ils provenaient sûrement d'un album de famille: Albertine, dans sa jeunesse. Et sa sœur Madeleine (Marguerite dans la vraie vie), tout sourire.» Marianne Ackerman, «Albertine in English: Tremblay's latest on stage at Centaur», *The Gazette*, 12 octobre 1985, p. C-1. Notons que cette anecdote rappelle la célèbre carte postale «d'époque» utilisée pour l'affiche d'*À toi, pour toujours, ta Marie-Lou* à sa création, en 1971.
5. Marthe Robert, *Roman des origines et origines du roman*, Paris, Grasset, 1972, p. 113.
6. *Ibid.*, p. 64.
7. *Ibid.*

8. Robert Lévesque, «Michel Tremblay le dramaturge», *Le Devoir*, 10 novembre 1984, p. 31.

9. Pierre Lavoie, «Les cinq âges d'une tragédie», *Cahiers de théâtre Jeu*, n° 38, 1986.1, p. 80.

10. Pour une analyse plus détaillée de ce thème, voir mon article «Le 'tant qu'à ça' d'Albertine», *Quebec Studies*, n° 11, automne 1990/hiver 1991, p. 111-116.

11. On dit «les autres», mais l'expression elle-même prête à confusion, comme on le verra plus loin. Voilà un piège qu'il est difficile à l'analyste d'éviter, quand il s'agit de faire comprendre que cinq personnages n'en font qu'un en un sens, deux en un autre... et que ce n'est pas un mystère!

12. Son mari, dans les deux pièces, se nomme Alex. Et même si ce personnage ne semble pas absolument constant d'une pièce à l'autre, la récurrence du prénom et la mention de son métier de commis voyageur ne font que renforcer l'ancrage dans le réel tant de Madeleine que d'Alex.

13. «Albertine, sa tante qui vit toujours...», écrit Robert Lévesque (*Le Devoir*, 10 novembre 1984, p. 31), comme pour accentuer encore la vérité «biographique» de ce personnage.

14. Robert Lévesque, *loc. cit.*

15. Pat Donnelly, «Tremblay's "Albertine", spare, sublime poetry», *The Gazette* , 23 mai 1985, p. B-11.

16. Robert Lévesque, *loc. cit.*

17. *Ibid.*

18. Cité dans Odile Tremblay, «Michel Tremblay sans quartier», *Le Devoir*, 2 septembre 1986, p. C-14.

19. La périodisation décennale constitue également une constante significative lorsqu'il s'agit de marquer les étapes de vie transposées dans l'univers de la fiction: la vie d'Albertine saute de dix ans en dix ans, entre 30 et 70 ans, alors que *la Maison suspendue*, fondée sur des générations de quarante ans, passe de 1910 à 1950 puis à 1990 (année de publication de l'œuvre).

Le Vrai Monde ?

Jean-Pierre Ryngaert

Faut-il faire parler le vrai monde ?

L'effet gigogne

Difficile de lire *le Vrai Monde ?* sans s'arrêter au dédoublement de trois des quatre personnages et sans faire le lien avec *Albertine, en cinq temps,* autre exemple de répartition du discours entre plusieurs personnages numérotés. Michel Tremblay semble affectionner ces phénomènes de relais entre des énonciateurs à la fois semblables et différents. Dans *Albertine...*, le discours se reconstruit à travers le temps en fonction des différents âges du même personnage. Dans le texte qui nous occupe, les «doubles» s'affichent soit comme appartenant à la réalité, soit comme appartenant à une fiction, la pièce écrite par Claude. Dans les deux cas, l'écriture déclenche un effet de prisme, comme pour signifier qu'il n'y a pas un seul possible ni une seule réalité (un seul référent), mais que le *puzzle* ainsi obtenu traque au plus près la complexité du monde. Cette dramaturgie trouve peut-être sa source dans le désir d'échapper à l'effet de naturalisme créé par le langage. Dès que le personnage existe à travers plusieurs images, il échappe à l'identification univoque. On pourrait trouver dès *les Belles-Sœurs* un premier indice de cette tendance du dramaturge. Les héroïnes sont distinctes et pourtant elle se ressemblent ; elles ont un discours propre, mais elles s'unissent parfois dans un chœur qui en fait ainsi une seule entité. Aucune d'elles n'incarne à elle seule une héroïne, mais à elles toutes, y compris dans leurs écarts, elles participent du même modèle.

Dans les romans comme dans les œuvres dramatiques reviennent des personnages de la même *famille.* La saga Tremblay se construit parfois par l'allongement des parcours biographiques, par l'épaisseur temporelle, parfois par l'attaque du personnage sous un autre angle, à partir des mêmes données mais d'une situation différente. Un nom et quelques repères permettent d'explorer une nouvelle piste. Les passages d'un même personnage (ou de son double) d'une pièce ou d'un roman à l'autre traduisent la nécessité d'une remise en chantier, d'une autre issue fictionnelle comme une autre «chance». Dans tous les cas, c'est le multiple qui l'emporte grâce à des effets d'emboîtement qui donnent à voir différents aspects d'une même réalité par un jeu habile de facettes.

Ici, Tremblay ne manque pas de tirer parti avec humour de la structure classique que crée le théâtre dans le théâtre. Le plaisir du lecteur et celui du spectateur naissent des écarts qui séparent la réalité et la fiction, et des brouillages qui en découlent. Certains écarts annoncent cependant clairement la couleur et jouent pleinement leur rôle de différenciation entre les deux univers. Ainsi : « *Les personnages de la pièce de Claude sont habillés exactement comme ceux de la réalité avec, toutefois, quelque chose de transposé qui en fait presque des caricatures[1].* » Ou encore : « *On entend le troisième mouvement de la cinquième symphonie de Mendelsohn* [sic]» et « *On entend une chanson populaire de 1965.* » (*VM*, 17) Parfois, ce sont les personnages qui se croisent dans un étrange ballet, par exemple lorsque Madeleine II guette l'arrivée de son mari en soulevant le rideau et que c'est Alex I qui fait son apparition. Ailleurs, c'est le dialogue qui pointe ironiquement la situation théâtrale, comme lorsque Madeleine II déclare : «J'me retrouve au milieu d'une scène que j'avais pas prévue pis j'sais pas comment continuer.» (*VM*, 30) D'ailleurs elle ne continue pas, et le texte s'enclenche autrement. Tous ces effets de théâtre dans le théâtre, au-delà du plaisir qu'ils procurent, parlent déjà des choix opérés par un auteur. Un peu plus de caricature ? Un peu moins de familiarité, de vulgarité ? Un peu de «grande musique» plutôt qu'une chanson populaire, pour faire chic et parce que, décidément, le théâtre doit s'entourer d'effets culturels ? En dévoilant ses choix, en les dénonçant, en exhibant bien comment ils participent de l'invention mais aussi des modestes déguisements de l'imaginaire dès lors qu'il a été décidé que nous sommes au théâtre, Tremblay sourit des roueries naïves de Claude, auteur débutant qui endimanche ses propos quand il le croit nécessaire, mais aussi des siennes propres. Comme si plus personne n'était dupe de tous ces petits mensonges bricolés qui appartiennent inévitablement au monde de l'art. Ces précautions futiles, ces déguisements sans grande conséquence sont d'autant plus visibles dans la pièce de Claude et dans celle de Tremblay que les enjeux de la vérité et du mensonge se situent sur un autre plan. Ils jalonnent la composition de la pièce comme une fausse piste, parce que ce qui se *joue* vraiment, dans les écarts comme dans les similitudes, est d'un autre ordre. Le danger est ailleurs, dans l'apparition même d'un discours feint, dans le surgissement de l'écriture.

Le surgissement de la parole

«J'voulais te parler d'une chose que t'as oubliée dans ta pièce... le silence», dit Madeleine I. «Dans une maison comme ici, c'est la chose la plus importante, tu vois. C'est à cause de lui que les murs tiennent encore debout» (*VM*, 41), ajoute-t-elle un peu plus loin. Toute entreprise théâtrale consiste à faire surgir la parole et, dans les cas réussis seulement, à rendre cette parole inévitable, porteuse de nécessité. Le défi de Claude est qu'en écrivant une pièce, il a brisé le silence qui était la règle dans la famille. Il ne se passe pas grand-chose dans *le Vrai Monde?* en termes d'événements. Le vrai sujet de la pièce tourne autour de l'enfouissement de la parole, du formidable effort de l'un pour la faire surgir en perçant toutes les poches de silence, des autres pour l'enfouir et préserver l'état des choses telles qu'elles sont. Pourtant, dans les deux pièces, celle de Tremblay et celle de Claude, ça parle, ça commente, ça explique et ça justifie. Dire ou ne pas dire, dire quoi et dire comment sont les enjeux. Dans les apparences, à la surface des discours, les oppositions entre les paroles sont comme mineures et un peu cocasses. Puisque les vrais et les faux personnages se ressemblent, une partie de leurs discours n'exprime que de légers décalages, signes des inventions légères d'un auteur qui joue avec la réalité. Il est question d'un rôti de veau pour le souper de la vraie famille, d'un rôti de bœuf dans la fiction, d'une poche de blé d'Inde laissée dans le coffre de la voiture, d'un bouquet de fleurs arboré comme une excuse. Les petits rituels quotidiens qui agitent les personnages sont parlés de la même façon. Les plaisanteries des deux commis voyageurs se valent comme se valent les conversations autour de la «p'tite bière» ou du bain réclamé par l'arrivant fatigué, la préparation du repas à la cuisine. Un peu plus «graves» peut-être, mais tout aussi rituelles, les discussions autour du métier de Claude (pourquoi n'aurait-il pas été commis voyageur comme son père?), de son statut (il n'est toujours pas marié), autour des douleurs de la mère. Il n'y a rien là que les propos ordinaires ou «prises de nouvelles» qui marquent les retrouvailles familiales, même s'ils sont porteurs de tensions et reflètent les inquiétudes et les angoisses des uns et des autres. Ce ne sont que les banales lézardes dans le mur des apparences qui tiennent toujours debout, les micro-conflits habituels qui agitent les familles ordinaires. En revanche, la dramatisation des discours devient manifeste dans la fiction où ils explosent autour de la quête de la vérité et à propos de la façon dont les événements passés ont été reçus. Pour Alex I, tous ses comportements seraient de l'ordre de l'anodin, du tolérable dans une société où un homme a le droit d'avoir un peu de *fun*, surtout s'il a pris un verre de trop. Quelques pelotages de soirs de fête, quelques aventures minables – pas vraiment dites mais pas vraiment cachées, comme si elles allaient de soi – dans un hôtel éloigné.

Alex II est confronté aux mêmes actes, mais aussi à leurs conséquences, dès lors que celles-ci sont dénoncées par les autres personnages et que s'instaure un nouveau point de vue. Tous les actes «légers» se mettent alors à peser lourd quand ils sont envisagés du point de vue de leurs conséquences. Sa double vie, dans la pièce de Claude, le conduit à la paternité cachée (la Madame Cantin – catin? – de Sorel), au voyeurisme pervers, à l'inceste difficilement évité.

La fable saute d'un extrême à l'autre : dans un cas, rien ne serait vraiment grave, et tous les discours des personnages consisteraient à faire admettre à Claude qu'il n'y a rien là que des situations *normales*; dans l'autre, tout deviendrait dramatique et même mélodramatique, comme autant de titres pour une feuille à scandales : le brave commis voyageur avait un enfant caché à quelques milles de chez lui…; le père pris de boisson entraîne ses *chums* dans des hôtels pour voir sa fille danser nue…; ivre, il tente de violer sa fille de treize ans…; il battait sa femme et ses enfants… Cette fois, l'effet de distorsion joue à plein. Question de point de vue, pourrait-on dire, mais surtout question de langage : caresses innocentes d'un bon père à peine trop amoureux de sa fille, ou attouchements scandaleux d'un obsédé sexuel qui ne se maîtrise plus. La pièce de Claude ne fait pas le détail. En brisant le silence, elle noircit des faits qui n'étaient peut-être que grisâtres. Comme si la parole, une fois amorcée, ne pouvait plus s'arrêter et entraînait Claude vers l'excès. Les personnages qui se sont mis à parler échappent à l'imagination enfiévrée du jeune homme. Ça fait presque trop dans la caricature, se surprend-on à penser devant l'accumulation des méfaits du père minable, en fonction de schémas trop freudiens pour être tout à fait honnêtes, inventés par un jeune homme sans vie affective connue. Entre le Pirandello de *Six Personnages en quête d'auteur* et celui d'*À chacun sa vérité*, Claude lance ses créatures sur les pistes d'un discours qui serait enfin prononcé. Même les dénégations de la vraie Madeleine laissent perplexe lorsque, spectatrice muette de ce théâtre de chambre, elle assiste aux reproches de Madeleine II, ne nie pas toujours les faits, critique leur mise au jour : «Ces affaires-là, j'me les avoue même pas à moi-même; comment veux-tu que j'accepte de les retrouver dans une pièce de théâtre!» (*VM*, 33) Le véritable enjeu de la pièce vient bien de la question du point de vue sur ces paroles réelles ou imaginaires.

Deux fables inséparables

Au lecteur donc, ou au spectateur (mais la question de la mise en scène est une autre difficulté et je n'en traiterai pas ici), de faire le tri et peut-être de choisir. Le travail de Tremblay consiste à laisser flotter le sens, à veiller à l'équilibre des discours, à déstabiliser le référent. Le lecteur y gagne la possibilité d'une double identification, alternativement ou simultanément selon qu'il privilégie de minimiser les fautes d'Alex ou, au contraire, de les prendre au sérieux.

Deux fables entremêlées finissent par naître, mais elles ne sont jamais tout à fait sûres. Il semble parfois que l'une des deux va *prendre*, entraîner l'adhésion. Mais elles ne se solidifient jamais complètement, et quand elles semblent sur le point de le faire, c'est quand même pour rester transparentes et fragiles. Claude, jeune homme refoulé et trop sensible, à l'imagination un peu maladive, crée un univers où il caricature son père, dont il est manifestement jaloux. La famille est la victime d'un obsédé sexuel, alcoolique et irresponsable. Ou bien: Claude, jeune écrivain lucide et douloureux, par l'intermédiaire d'une forme théâtrale, fait surgir la vérité sur les rapports entre les membres de sa famille, alors que chacun s'efforçait de la taire. Nous n'avons pas à choisir et nous ne pouvons pas le faire, car les deux fables rejaillissent l'une sur l'autre et créent un effet de brouillage. Il n'est pas possible de trancher net comme je viens de le faire sans perdre le tressage des deux histoires qui aboutissent à un effet de flou, indispensable à cette dramaturgie. Brassés dans le même contenant, les ingrédients ne sont pas isolables sans risque de simplification. L'opération chimique réclamerait un réactif dont nous ne disposons pas, et pour cause, il n'y a qu'un seul personnage de Claude. Le personnage de Claude auteur est absent de sa pièce, et c'est par cette faille dramatique que s'engouffrent toutes les hypothèses. L'auteur n'a pas de regard sur lui-même ni sur sa propre création. On dit de lui qu'il est incapable de parler de lui directement, il est le «senteux» qui observe les autres, et même s'il emprunte à leur réalité de surface (le tapis usé, le rôti de veau ou le blé d'Inde) en faisant strictement son métier d'auteur, il frappe fort quand les vrais enjeux sont en fait dévoilés: la sexualité, la violence, l'absence d'amour.

Dehors et quand même dedans, Claude fait les frais de son non-engagement personnel. Ou plutôt, il s'engage dans le discours, pas dans les actes. La pièce qu'il donne à sa mère est un témoignage dont il sait qu'il peut mettre le feu aux poudres si les autres le veulent bien, mais lui reste en retrait. Parce que les autres ne le veulent pas, sa pièce retrouve son statut d'objet anodin, quelques feuillets couverts d'écriture, dispersés dans un salon. Ironie ou lucidité, il mesure soudain le caractère dérisoire de l'écriture et de sa parole. Ça ne marcherait que si les autres voulaient entendre, mais ils continuent à se boucher les oreilles, ils font le choix de *leur* réalité contre sa fiction. La bombe lui a explosé à la face, tant il est difficile de se repérer dans la réalité mouvante, dès lors qu'on se met en devoir de parler du «vrai monde» et de le faire exister. Le vrai monde se rebiffe quand on se met dans la position surplombante de faire parler ceux qui ne parlent pas. À la fin de la pièce, Claude est exclu, moqué par sa sœur, chassé par sa mère, littéralement castré par son père qui détruit le manuscrit. Tous s'entendent implicitement pour annuler la parole qui avait surgi, par l'ironie, la mise à distance ou la destruction pure. Celui qui parle pour les autres, celui qui se dresse hors du sein du groupe social pour en dénoncer les carences hérite souvent du double statut de saint et de renégat, en tout cas de bouc émissaire.

Au risque de retomber dans de vieux schémas critiques, il est difficile de ne pas chercher le Claude absent du côté de Tremblay lui-même. Trop de curieuses coïncidences y invitent. Il y a d'autant moins besoin d'un second Claude que le Claude de la «réalité», plus vrai que le vrai, figure déjà en situation de double. Ici, les figures s'inversent et se rabattent sur la silhouette restée dans l'ombre, celle du véritable auteur, celui dont nous lisons le texte. Comment ne pas penser donc, au jeune Tremblay des *Belles-Sœurs*, qui, en 1965, se levait et osait parler dans sa langue en plaçant sur la scène du monde des personnages qui n'y avaient pas encore trouvé place? Nous sommes alors en face de l'auto-analyse d'un auteur à qui une partie de la critique de l'époque a parfois reproché son «mépris» pour les personnages qu'il mettait en scène et son goût excessif à démasquer la veulerie. L'opinion d'alors n'avait pas toujours bien reçu des figures peu gratifiantes pour l'image du Québec ni la violence qui s'exprimait à travers l'usage insolite du joual. L'ancien typographe pose un regard lucide et sans doute amusé sur le microcosme familial secoué par la naïveté cruelle de celui qui s'attache à faire surgir sa vérité, au moyen d'effets de théâtre parfois un peu appuyés. Vingt ans plus tard, devenu spectateur de sa propre audace, Tremblay ne médite-t-il pas sur une exclusion qui l'a consacré écrivain et qui le renvoie à sa difficulté à parler de lui-même, sinon à

personnage écrivain la toute-puissance, le pouvoir de refaire l'ordre du monde, en abolissant notamment les frontières temporelles. La maison «suspendue» a échappé au temps, et c'est elle qui amorce, dans l'absolu, comme un habile «tricot» de fiction et de réalité[4], l'écriture du récit cosmogonique. Digne de «rachat», hors de toute valeur marchande, la maison, qui fourmille de drames, recèle la clé du mystère de toute «l'histoire du monde», le secret de la «faute originelle», relique-reliquat unissant à tout jamais les personnages-acteurs de ce «petit monde», que Tremblay pose comme celui de la genèse de l'œuvre, le seul «Vrai Monde».

Ainsi l'œuvre de *re-création* de Jean-Marc germera-t-elle dans les histoires de famille, au fil des heurts et des plaisirs, des chicanes et des fêtes qui en composent l'*arrière-plan*. La narration que fait Jean-Marc du rachat de la maison de Duhamel au tout début de la pièce est à lire, dans son mot à mot, comme le tracé indélébile du sens de cet essentiel retour aux sources.

JEAN-MARC – D'habitude, quand on achète une maison, on dit souvent: «Ah, les vibes sont ben bonnes... Aussitôt que chus entré là, j'ai senti que c'était la bonne place, que c'te maison-là m'attendait...» [...] Mais tu vois, quand chus venu visiter la maison, au printemps, c'est les vibes de ma propre famille qui étaient à vendre... J'achetais même du beau-frère de mon père... Depuis cent ans que c'te maison-là existe, c'est ma famille à moi qui s'est chicanée ici, qui s'est débattue, qui s'est réconciliée, qui a braillé, tapé du pied, joué du violon pis de l'accordéon, chanté des chansons à répondre, improvisé des nouveaux pas de gigue. Y'a eu des partys mémorables, des enterrements loufoques, un mariage, en particulier, d'une grande tristesse[,] qui a fait de mon grand-père mon grand-oncle... Mon père, ma grand-mère pis mon vrai grand-père se sont assis ici, comme nous autres, ce soir, mais pendant des années... Y'ont regardé le soleil se coucher... [...] Y'ont peut-être pensé, eux autres aussi, qu'y'étaient rien au milieu de rien, sans savoir ce qui les attendait, sans savoir où y s'en allaient... Eux autres, c'tait la grande ville qui les attendait pis y'étaient pas prêts à l'affronter, surtout pas

ma grand-mère qui s'est jamais remise d'être partie
d'ici... [...] Tout ça c't'à moi, Mathieu, ça fait partie de
mon héritage, c'est mon seul héritage, en fait. J'aurais
racheté c'te maison-là même si a' m'avait déçu après
tant d'années; même si le toit avait coulé pis que la galerie avait été pourrie... même si a'l'avait pus été habita-
ble. J'ai acheté tous ces souvenirs-là pour les empêcher
de sombrer dans l'indifférence générale. (*MS*, 13-15)

«Rien au milieu de rien»

La première indication scénique inscrit les deux personnages des années 1990 comme un point d'ancrage de la
pièce: «*Entrent Jean-Marc et Mathieu qui portent des baga-
ges.*» (*MS*, 11) L'itinéraire personnel du fils de la Grosse
Femme[5], son ressourcement, mène ainsi les deux «voyageurs», dès l'amorce de la pièce, à la maison de Duhamel.
L'amant de Jean-Marc, Mathieu, suivi de son fils Sébastien,
se retrouvent donc d'emblée avec leur guide aux abords de
cette «maison suspendue», sur le seuil, face à la galerie,
«rien au milieu de rien». À moins, bien sûr, que d'endosser
la démarche de Jean-Marc, professeur désabusé cherchant
à redonner un sens à son existence en écrivant l'histoire de
sa famille, à moins que d'y croire, d'en faire sa bible, ni plus
ni moins. Car c'est bien là que tout (re)commence: Jean-
Marc est venu passer l'été à Duhamel, pour écrire l'histoire
de sa famille, pour «ressusciter des fantômes» ou «en tout
cas, pour [...] essayer» (*MS*, 15). Il s'inspirera de Duhamel,
le lieu de la Création.

> J'vais m'installer avec une plume, du papier, là où tout a
> commencé. À la source de tout. Mon grand-père jouait
> du violon pour faire lever la lune, moi j'vais écrire pour
> empêcher le crépuscule. Y'a pas de vrai coucher de
> soleil, ici, on devrait pouvoir empêcher la nuit de tomber.
> (*MS*, 84)

«J'vais m'installer avec une plume [...] *on devrait
pouvoir* empêcher la nuit de tomber.» Voilà un intéressant
glissement du *je* au *on*: l'itinéraire individuel débouche sur
un pouvoir partagé, collectif. Par le fait et la force de la création, de la littérature. La dernière réplique de Mathieu précise

on ne peut mieux le parcours qu'il doit accepter de faire, en marchant sur les brisées de Jean-Marc:

> C'est vrai qui s'est passé beaucoup de choses dans cette maison-là... Des choses vitales pour ta famille, qui avaient rien à voir avec moi et dont j'étais peut-être un peu jaloux... mais tout ça me concerne maintenant parce que c'est important pour toi. C'est des choses qu'y va falloir que j'apprenne à... ajouter à ma vie. Cette maison-là est la cathédrale de ta famille, va falloir que j'apprenne à vivre avec... (*MS*, 117-118)

Mathieu, de peur que son propre fils «manque de famille» comme lui «en a manqué» (*MS*, 60), ne peut qu'endosser comme la sienne propre la démarche de Jean-Marc.

Le parallélisme entre le personnage écrivain et Michel Tremblay lui-même paraît évident, et la pièce se situe dans la suite logique de la précédente, *le Vrai Monde?*, qui, en faisant s'entrecroiser les dialogues et les actions de la «famille réelle» et ceux de la famille qui se trouve transposée dans l'œuvre de fiction, interrogeait la «vérité» de l'inspiration créatrice et la «fiction» de l'œuvre.

Qu'est l'auteur sans l'œuvre? Qu'est l'individu qui a perdu contact avec son passé, sa genèse, avec l'Histoire? Un être déraciné, «rien au milieu de rien».

Trois générations, deux lignées

La pièce convoque, dans un habile chassé-croisé, trois générations de personnages[6] (romanesques et théâtraux) de l'œuvre de Tremblay. Les ancêtres, Victoire, Josaphat-le-Violon et Gabriel, le fils issu de leur relation incestueuse, sont des années 1910. La Grosse Femme, épouse de Gabriel, son beau-frère Édouard, connu comme étant la duchesse de Langeais dans les autres textes, Albertine et son fils Marcel, que l'on sait être fou depuis *En pièces détachées*, vivent en 1950. Enfin, Jean-Marc, Mathieu et Sébastien sont des personnages contemporains, de 1990. Les trois enfants (Gabriel, Marcel et Sébastien), tous de onze ans, sont interprétés par un même comédien, et c'est à travers cet unique enfant à trois[7] visages que seront entre autres tissés les divers «passages» entre les générations.

Si Victoire et Josaphat n'ont eu ensemble qu'un fils, Gabriel, et une fille (dont on peut croire que Josaphat ignore même qu'elle soit de lui), l'intime secret et le déchirement du couple ancestral – dont la maison, empreinte de leur relation incestueuse, est restée suspendue entre ciel et terre, entre rêve et réalité, entre création et vérité – ont engendré, eux, dans l'œuvre de Tremblay, deux lignées de descendants, d'un ordre qui échappe à la simple procréation biologique.

La première lignée, «terrienne», héritière de Victoire, est celle des personnages que le sort, si ce n'est la pure hérédité, a abstraits de tout pouvoir d'imaginer, de toute habileté créatrice. Premier de la lignée, Gabriel, malgré son attrait pour les contes de son «oncle» Josaphat, était déjà marqué, enfant, du réalisme «terrien» de sa mère. Pour Victoire, le «rêve» se résume à vivre en soi et pour soi le bien-être d'une liberté «naturelle[8]».

VICTOIRE *lui montrant le coucher du soleil* – 'Gard' ça si c'est beau...
GABRIEL – Vous voulez toujours que je regarde ça, vous pis mon oncle Josaphat... C'est toujours pareil!
VICTOIRE – C'est jamais pareil, Gabriel! Y faut apprendre à regarder ces affaires-là! *(Pour elle-même:)* J'te dis que t'es pas comme ton pére, toé. Autant y'a le nez dans les étoëles, autant tu traînes le tien dans la grosse terre noére ou ben donc dans l'eau du lac Simon. (*MS*, 29)

Le réalisme de Victoire – qui, pourtant, avait su apprendre à s'ouvrir au rêve et à l'imaginaire de Josaphat – se transmue cependant en une hargne telle qu'elle fermera à tout jamais, et pour des générations à venir, les portes du rêve, après l'exode à Montréal. «Pourquoi tu vois toujours juste le mauvais côté des choses, Victoire?» lui demande Josaphat (*MS*, 105). Confrontée à «la fin de toute» (*MS*, 111) au moment où elle apprend la vente de la maison par un Josaphat inapte, à ses yeux, à prendre quelque décision d'ordre pratique que ce soit, elle transmet héréditairement ce fiel à sa fille Albertine, dont elle est enceinte: «Si t'es une p'tite fille, j'vas t'appeler Albertine [...] tu vas hériter de tout c'que j'ai de plus laid, tu vas hériter de ma toute rage d'avoir été obligée de laisser la campagne pour aller m'enterrer en ville…» (*MS*, 112) Dès lors, chassée de son paradis, Victoire «enfantera dans la douleur» une Albertine qui refusera la campagne comme toute autre forme de rêve, voire de bien-être, par quelque évasion que ce soit – *et ce n'est pas sa faute.*

> ALBERTINE – Voulez-vous ben me dire que c'est qu'on est venus faire su'a galerie, pour l'amour du bon Dieu? Y'a rien à voir! Y fait noir comme su'l'loup! On est venus regarder rien?
> ÉDOUARD – Bartine, franchement! […] Je le sais que tu manques de fantaisie pis d'imagination, mais y'a toujours ben un boute! Si tu vois rien, fais-toé accroire que tu vois quequ'chose […]
> ALBERTINE – J'avais pas le goût de venir icitte, moé! Ça me rappelle des mauvais souvenirs, icitte, c'est pas de ma faute! C'te galerie-là me rappelle des mauvais souvenirs […] Je l'ai déjà vu, le ciel! J'ai essayé de noyer ma rage dedans pis ça a pas marché, je recommencerai pas pour vous faire plaisir! (*MS*, 72-74)

Les autres enfants de Victoire, issus de l'irrémédiable déchirure, de la pire compromission, ne seront plus des «anges», comme Gabriel; il ne s'agira plus des enfants du rêve de Josaphat, mais des descendants «terrestres» (sans paradis), ceux de la dure réalité urbaine, de la nouvelle vie, du mariage avec Télesphore.

> VICTOIRE – As-tu pensé à une chose, Josaphat… *(Silence.)* As-tu pensé que mes autres enfants vont être de Télesphore? […] Quand j's'rai mariée avec Télesphore, Josaphat, ça sera pour de bon… (*MS*, 93, 95)

Héritière en droite ligne de cette Victoire sacrifiée, Albertine restera à jamais ancrée dans un réalisme «terre à terre», étendard d'une «vérité» maintenue avec vigueur hors de toute fantaisie créatrice, donc stérile.

La seconde lignée, «aérienne», puise à l'hérédité pater-nelle; c'est de la «descendance» de Josaphat qu'il s'agit, des «artistes» et des «fous» de la famille. En tête de ligne, Édouard la duchesse a hérité, marginalement, par une ultime échappée du potentiel créateur refoulé de Victoire, du caractère frivole et artistique de son oncle Josaphat:

> LA GROSSE FEMME – T'sais c'qu'on disait de ton oncle Josaphat... qu'y'avait le don de nous faire rêver...[...] Ben Édouard est un peu comme lui, Bartine. Ça doit être de famille... (*MS*, 94-95)

Édouard conjugue le réalisme maternel et, par ricochet puisqu'il n'est pas le fils de Josaphat[9], le goût «paternel» de la création, du renouveau perpétuel.

> ÉDOUARD – J'fais rien comme tout le monde, Bartine, rien, pis viarge que j'ai du fun à être le seul à faire c'que je fais! Y faut que j'aille charcher de l'eau, là, parce qu'on n'en a pas pour demain matin, ben j'vas aller cher-cher de l'eau comme parsonne est jamais allé charché de l'eau à Duhamel! C'est plate pour crever la bouche ouverte d'aller charcher de l'eau? Ben, j'm'en vas rendre ça intéressant, moé! C'est ça ma force, Bartine.
>
> *Il prend une pose dramatique et se met à réciter le songe d'Athalie en se dirigeant vers le puits suspendu.* (*MS*, 79)

Édouard, qui a hérité de la lucidité et de la volonté maternelles, endosse donc consciemment et volontairement les rôles que lui distribue son âme créatrice, héritage «pater-nel» tout aussi intempestif[10]. Albertine, quant à elle, ne peut agir que dans le sens contraire, déniant et dénigrant toute fantaisie, par la force de sa rationalité «terrienne» pure et dure. «C'est sûr que j'me laisse pas aller! Voyons donc! Y nous ment en pleine face! Vous le dites vous-même!» rétorque Albertine à la Grosse Femme qui prend le parti d'Édouard.

> LA GROSSE FEMME – Sers-toi de ton imagination.
> ALBERTINE – J'en ai pas! Pis j'en veux pas! Vous voyez c'que ça a faite à mon oncle Josaphat! Pis vous voyez c'que ça fait à mon enfant! Mon propre enfant est un mélange de mon oncle Josaphat pis de mon frère

Édouard, pensez-vous que ça me donne envie de me mêler avec eux autres pis de leu' dire envoyez, faites les fous on va rire? (*MS*, 98-99)

De Josaphat, les descendants héritent de la marginalité, de la folie ou d'un certain «don» créateur. Dans la continuité d'Édouard se profile le fils d'Albertine, Marcel, épris d'un chat imaginaire qui horripile sa mère mais qu'accepte Édouard: «Non. J'le vois pas. Mais j'peux faire comme si j'le voyais si tu veux…» (*MS*, 28).

C'est aussi en digne héritier de son «grand-oncle/grand-père» Josaphat et de son «oncle/tante» Édouard que Jean-Marc, de la troisième génération, s'inscrit dans la lignée «aérienne», littéralement et littérairement «accrochée» aux rêves et à la fantaisie du conteur, «suspendue»… Jean-Marc est prêt à revenir à Duhamel par la voie du récit; il s'agrippe à la maison suspendue comme à une bouée de sauvetage. Sur les traces de son père, Gabriel, qui avait fait ses «premiers voyages à Morial» suspendu aux lèvres de Josaphat-le-Violon, il accorde toute sa foi à l'œuvre, à la littérature qui dotera le bois rond de sa maison de la légèreté de l'écorce des canots de la chasse-galerie (*MS*, 38-48). Jean-Marc souscrit donc à la lignée «aérienne» par sa volonté de refaire l'ordre du monde, par son aptitude à «faire comme si», son goût de la création, son besoin vital du récit. Devant la maison suspendue, il saisit que seul le récit cosmogonique le dégagera des carcans d'une réalité accablante (l'université où il enseigne, et où il perd sa vie[11]). C'est à lui qu'il reviendra de réaliser la prophétie de Josaphat: «On peut pas s'empêcher de parler d'où on vient, Victoire, c'est pas possible…» (*MS*, 85). Le besoin viscéral dépasse largement l'individu: «*on* peut pas s'empêcher», souffle Josaphat à sa descendance. En outre, l'homosexualité de Jean-Marc le place dans la «lignée» d'Édouard, dont on connaît par ailleurs la fantaisie et le penchant prononcé pour la littérature et l'écriture, puisqu'il s'agit d'un personnage romanesque déjà connu des lecteurs-spectateurs de l'œuvre de Tremblay au moment de la création de *la Maison suspendue* en 1990.

La force des alliances

Outre les ancêtres et leurs descendants, la pièce met en scène trois autres personnages : la Grosse Femme, Mathieu et Sébastien, déjà connus des familiers de l'œuvre de Tremblay. Ces personnages, tous trois membres «par alliance» de la famille, ont aussi en commun d'être des personnages des «Chroniques du Plateau Mont-Royal» convoqués cette fois au théâtre[12]. Ils sont donc partie intégrante de l'œuvre à écrire de Jean-Marc.

Leur rôle dans la pièce est de soutenir sinon de conforter les membres de la famille dans leurs élans créateurs et fantaisistes. Nous avons déjà observé en ce sens les interventions de la Grosse Femme et de Mathieu, qui y trouvent de toute manière leur compte, quoique dans des registres différents.

La Grosse Femme accepte la vie et le bonheur par procuration ; elle est déjà initiée à ce genre de connivence par la littérature dont elle a fait une large part de son évasion et de sa lucidité, si l'on se rappelle le premier roman des «Chroniques». Mais elle se trouve plus allégée du poids de sa réalité par les frivolités d'Édouard, plus propices encore au rêve que l'univers des livres, parce qu'elles sont «partagées» ; le bonheur touche à la grâce s'il advient en «communion»...

> Les livres, ça coupe du monde, Bartine... On est tu-seul à rêver quand on lit. Pis les livres, ça se passe rarement ici... Édouard, lui, c'est comme si y vivait des affaires pour vrai, tu comprends, quelqu'un que je connais vit des affaires extraordinaires qu'y partage avec moi ! Y me fait rêver ici, tout ça se passe dans ma ville, des fois avec du monde que je connais... (*MS*, 97-98)

Mathieu, nous l'avons vu, finit par souscrire au projet d'écriture de Jean-Marc par compréhension, par amour, mais aussi pour se doter lui-même d'une famille qu'il sera en mesure de «transmettre» à son fils, Sébastien[13]. Quant à ce dernier, il fera confiance à Jean-Marc (et même au professeur qu'il est !), en lui demandant, non sans quelque hésitation, de l'aider à mener à terme un projet de création à la mesure de ses rêves d'enfant moderne: inventer un jeu vidéo.

JEAN-MARC – J'vas t'aider.

SÉBASTIEN – Non, non, j'ai pas besoin d'aide… Ben peut-être un peu pour le français, là, quand va venir le temps d'écrire le livre pour expliquer comment ça marche…

D'instinct, Sébastien sait qu'il a besoin de son père «d'à côté» pour «écrire comment ça marche»…

N'est-il pas intéressant de constater, en fait, que seule la génération de Victoire et de Josaphat, source du mal, est privée de telles «alliances»? Seuls comme Adam et Ève au paradis, les ancêtres vivent heureux jusqu'à ce que l'idée du bien et du mal fasse sombrer leur bien-être modèle dans le manichéisme du choix à faire (contre le rêve, pour la rationalité). C'est à l'impossible bonheur, à devoir choisir entre le bien et le mal, qu'est acculée Victoire qui, forcée de quitter son paradis, ne conserve, défaite, que la douleur de la connaissance (celle du paradis perdu) à oublier.

Adam et Ève avaient découvert la nudité qu'ils allaient devoir à jamais cacher après avoir cédé à la tentation (c'est-à-dire prêté foi au discours venimeux d'un tiers d'une autre espèce: le serpent) et goûté le fruit défendu de l'Arbre de la Connaissance du Bien et du Mal. Comme eux, le premier homme et la première femme du Monde de Michel Tremblay auront les yeux dessillés devant leur faute (l'inceste qui, pourtant, comme la nudité, était partie intégrante du Bonheur[14]) au moment où ils céderont – mais ce sera cette fois par l'acte de l'homme, Josaphat, qui vend leur bien (-être) – aux miroitements du faux bonheur urbain, à la perfidie du discours du qu'en-dira-t-on, nouvelle connaissance du bien et du mal. C'est le jugement d'un tiers absent, virtuel, qui les condamnera à vivre comme des parias malgré le mirage: «JOSAPHAT – En ville on sera pus des parias, Victoire.» (*MS*, 91)

La faute n'est peut-être pas (uniquement) celle qu'on pense… et c'est par la grâce des alliances nouvelles: avec la Grosse Femme, Mathieu et Sébastien, que la famille regagnera Duhamel, qu'elle *rachètera* plutôt le lieu même des origines de la création.

La création avait achoppé chez Victoire et Josaphat, parce que le couple avait cédé à la séduction qu'exerçait sur Josaphat ce qui s'est avéré être une mésalliance dont l'objet reste absent et masculin (on ne connaît Télesphore que de nom, et ce même dans l'ensemble de l'œuvre, si ma mémoire est bonne). Jean-Marc tentera, dans sa re-création du monde, de réhabiliter la femme qui l'a mis au monde (en faisant du rire de sa propre mère, la Grosse Femme, un symbole de la liberté créatrice). Mais cela ne mènera-t-il pas, paradoxalement, à l'éclosion d'une image forte du Père? Ce père, ce sera Mathieu – chose étonnante à première vue, étant donné l'exclusion du personnage des histoires de famille. Ce sera Mathieu qui, souhaitant pouvoir tout donner à son fils, c'est-à-dire la plus grande famille qui puisse exister, deviendra disciple de Jean-Marc. Homosexuel, l'Amant sera le Père, mais toujours sans la mère (le Père comme nouveau Dieu, dans une Trinité encore et toujours essentiellement masculine).

Au nom du père et du fils

Mathieu, envoûté par les histoires de famille de Jean-Marc, s'y livre corps et âme. Il a peur de ne pas être en mesure d'assurer le bonheur familial de son fils (son homosexualité l'exclut de la procréation dans l'ordre naturel), et cette crainte le ramène à sa propre enfance.

Il est capital de relire – à ras le texte – l'histoire de Mathieu, comme la mise en abyme de celle de Jean-Marc, car ce peut être là, me semble-t-il, une piste fort intéressante d'analyse de *la Maison suspendue* comme du roman *le Cœur découvert*, qui reste ainsi lié aux «Chroniques du Plateau Mont-Royal» dans son inspiration mais s'inscrit dans un monde nouveau : urbain, contemporain et homosexuel.

On me permettra donc de citer largement le texte «évangélique» de Mathieu, pour qu'il s'en dégage certaines clés.

J'ai peur que Sébastien manque de famille, Jean-Marc, comme moi j'ai manqué de famille! C'est mon seul enfant pis c'est assez évident que j'en ferai pas d'autres, hein? J'ai peur qu'y se sente tout seul avec moi comme j'me suis senti tout seul avec ma mère... Quand je pense à mon enfance... j'revois ma mère penchée au-dessus de la table de cuisine pis qui me dit: «Finis ton verre de lait...» (*MS*, 60)

De la coupe aux lèvres, il y a peu de distance entre l'histoire de Jean-Marc et le sort de l'homosexuel Mathieu. Lui aussi a une mère héroïque, bien qu'elle le soit par le fait d'un courage très contemporain, celui de la femme monoparentale. Enfant, lui aussi avait le pouvoir de créer, rêvait d'une famille (rêve qu'il qualifie déjà dans le souvenir comme un *fantasme*), d'une maison aux multiples pièces, d'un père prince charmant et présent (d'un Grand Père digne d'une certaine Grosse Femme sans doute).

Ma mère aussi était une héroïne, Jean-Marc, mais personne l'a jamais su! *(Silence.)* On a vécu tout seuls tous les deux pendant des années, elle à s'échiner pour m'élever d'une façon décente pis moi... (*MS*, 61)

Mon grand fantasme quand j'étais enfant c'tait d'avoir une énorme famille comme la tienne, justement. J'comprenais pas que ma mère ait sacré mon père là pour m'élever toute seule dans un trois et demie... J'm'inventais des frères, des sœurs, j'multipliais les pièces d'la maison... J'm'inventais un père aussi... Un père présent, pis aimant. Un prince charmant de père que j'aimais... comme j'aime mon fils aujourd'hui... au point de vouloir le manger. (*MS*, 61-62)

Chaque membre de ma famille inventée avait un nom. J'leur parlais, j'me chicanais avec eux autres, j'me battais avec eux autres, pis après on se tombait dans les bras en pleurant. J'vivais vraiment avec eux autres. J'exaspérais ma mère avec c'qu'elle appelait mes idées de fou... Mais j'avais besoin de tout ça pour survivre! Y'a rien de pire que d'être un enfant unique, Jean-Marc!(*MS*, 62)

Quand j't'ai rencontré pis que j'me suis rendu compte que tout ça existait pour vrai, pis à quel point c'était important pour toi, j't'en ai voulu, Jean-Marc. D'avoir vécu mon rêve... d'avoir des souvenirs collectifs, des souvenirs qui remontent au début du siècle... d'avoir tant de choses à raconter... Moi, j'avais rien à te raconter sur ma famille... Ma famille a pas de mémoire. Y'a pas de maison suspendue dans ma vie. Pis j'ai fait juste un enfant. Comme ma mère. C'est vrai qu'à l'époque j'pensais en faire d'autres... Y'était pas question que Louise et moi on fasse juste un bébé... On allait... On allait repeupler le Québec à nous autres tout seuls... Mon Dieu. Tout ça est dans une autre vie. Mon enfance. Mon mariage. C'est drôle, hein, chus vraiment heureux pour la première fois de ma vie mais j'ai peur. Pour mon enfant [...] J'ai peur d'être heureux à son détriment. (*MS*, 63)

J'voudrais être son père, sa mère, ses frères, ses sœurs... tout en même temps, tu comprends... J'voudrais que sa vie soit pleine de ma présence. [...] J'aime tellement l'entendre rire [...] son rire monte dans' maison... Tellement... tellement vrai! C't'un rire sans problème, sans questionnement, c't'un rire pour le pur plaisir de rire! [...] Si j'me retenais pas, j'irais dans sa chambre pis j'y dirais: continue, arrête pas, arrête pus jamais, ris, Sébastien, ris, ça m'aide à vivre! Mais chus pas capable de faire ça. Je l'aime au point d'avoir envie de le dévorer mais j'me retiens trop. J'me retiens trop avec lui, j'me retiens trop... Aïe, on est mal faite, hein... (*MS*, 65)

La tirade de Mathieu, véritable mise en abyme du désir absolu de création, constitue son évangile (et une épître à Sébastien?). Rappelons que l'Évangile, la «bonne nouvelle» du Nouveau Testament, est le terme qui désigne aussi quatre des livres qu'il contient: les évangiles. Il me semble on ne peut plus juste pour déterminer le texte de Mathieu qui comprend, et rassemble en un texte nouveau, les filiations mises au jour dans le texte de Jean-Marc (des évangiles de Jean et de Marc[15]?). Mais l'histoire de famille qu'il n'a pas été capable de s'inventer *pour vrai*, il se l'approprie de Jean-Marc, *justement* parce qu'il est de la lignée des Justes, de la juste cause sans doute. Et l'histoire qu'il s'écrit, digne enfant «fou» d'une mère héroïque mais incomprise, en entendant de la bouche de son Fils un rire «tellement vrai» qu'il ne peut qu'être le même que celui de la Grosse Femme (*MS*, 116-117), c'est à Sébastien qu'il la destine. «J'voudrais, dit-il, que sa vie soit pleine de ma présence». Derrière son désir affleure l'omniprésence divine et le mystère de la transsubstantiation, par la Communion, le «Prenez et mangez-en tous (et buvez-en tous), car ceci est mon corps (et mon sang), le sang d'une alliance nouvelle et éternelle...»

Mathieu, qui n'a pas compris, enfant, «que sa mère ait sacré [son] père là pour [l']élever toute seule dans un trois et demie», se place dans l'ombre de Gabriel, le père de Jean-Marc, qui sera «élevé» dans une «cave» de la «ruelle des Fortifications» en devenant le «fils» de Télesphore, si l'on en croit la prédiction de Victoire (*MS*, 92). Par l'effet de cette condensation[16], Mathieu sera, pour Jean-Marc, le «prince charmant de père», l'Amant/Père, celui qui lui donnera un fils, Sébastien, qui sera vraisemblablement persécuté, c'est du moins ce qu'en a dit l'Histoire...

La défaite est inscrite dans le sang de la lignée de Jean-Marc depuis l'ancêtre, Josaphat.

> On va s'en aller en ville, y va trouver un vrai père qui va l'élever comme un vrai enfant, une famille, une vie normale... *(Silence.)* Chus capable de faire lever la lune tou'es soirs, mais chus pas capable de garder mon enfant! (*MS*, 64)

L'œuvre proposera, en contrepoint de l'impossibilité de perpétuer, du «chus pas capable», le pouvoir d'inventer, mais elle sera vouée à l'éternel recommencement, lieu de prédilection du rêve, du cauchemar, de la folie. Au cœur de l'œuvre, mise à découvert par elle, l'homosexualité acceptée conduira à un nouveau récit; la fiction empêchera l'extinction de la race par les pouvoirs de l'imagination qu'elle s'accorde, car elle puise au Rêve.

Mathieu, en fait, est un personnage de la famille par alliance, qui deviendra dans l'œuvre un «alliage» nouveau. Il est le père et le fils, par sa filiation à Gabriel et par Sébastien. Il est *aussi* la mère: comme Victoire, il a connu «une autre vie», un mariage marquant... Il a fait un enfant unique, «comme [sa] mère ». Il a donné naissance à un *fils-mère*, Sébastien, dont le rire est en filiation avec le rire de la mère de Jean-Marc et dont l'enfance même, l'état bienheureux, ramène Mathieu au souvenir du *lait* qui le fera grandir sous le regard et par la volonté de sa mère[17].

Personnage-caméléon, qui confond tous les temps et tous les sexes, Mathieu est l'expression par excellence du rêve actuel : celui du pouvoir ultime de la création. «J'voudrais être son père, sa mère, ses frères, ses sœurs... tout en même temps, tu comprends...» Oui, Jean-Marc le comprend sûrement, puisque Michel Tremblay fera de Mathieu un nouveau lieu/lien de création, ici comme dans *le Cœur découvert*.

Mais Mathieu est d'une autre génération de personnages. Il fait référence à la vie actuelle de Tremblay, à son «histoire d'amours» dans la vraie vie, et c'est sans doute pourquoi nous sommes tentés de le désigner comme n'étant pas tout à fait du «Vrai Monde»...

La *création victorieuse*

C'est sur Jean-Marc et Mathieu que repose au départ la pièce, nous l'avons dit. Mais ces deux personnages s'efface-ront à la fin, tout comme la Grosse Femme qui a pour fonc-tion première (elle a été ainsi créée) d'être « à côté » et n'est là que comme catalyseur de la Création, celle d'autrui, celle qui la dépasse et dont elle se nourrit largement, et à laquelle elle prête toute son attention et son être.

La Grosse Femme n'agit qu'une seule fois en fonction d'elle-même, pour son seul plaisir, et c'est au moment où elle décide de se baigner dans le lac «originel», seule «baignoire» à la mesure de sa corpulence, seul lieu où, enfin, elle peut se laver autrement que «paroisse par paroisse», où elle peut atteindre au bonheur total. Cette baignade dans le lac Simon[18] est une scène digne d'être racontée, et il s'agit bien du premier véritable récit de Jean-Marc – de l'ordre de ceux qui donneront sens à son existence, comme œuvre de genèse.

Ainsi, donc, raconte Jean-Marc. Ce jour-là, malgré les précautions qu'elle avait prises pour s'éclipser des siens et «descendre dans le lac Simon», la Grosse Femme avait été vue par son fils. De ce fait, ce témoin est en mesure, par la force et le bienfait du souvenir (et de la création), de transcrire, pour le partager, le bien-être procuré par le contact rétabli avec la nature même du paradis perdu. Le «baptême» de la Grosse Femme constitue une scène d'élévation et de pure transfiguration.

> J'avais jamais vu un visage pareil!... A l'avait levé son visage vers le soleil [...] J'connaissais pas c'te femme-là, Mathieu. Depuis combien de temps c'te femme-là était pas entrée dans l'eau comme ça? Pis tout d'un coup, a l'a envoyé sa tête un peu plus par en arrière, pis a' s'est mise à rire... Un rire d'enfant content qui découvre l'eau d'un lac pour la première fois... Le paysage s'est soulevé, j'ai vu ma mère, le quai, le lac, les montagnes s'élever dans le ciel, comme dans les contes de mon oncle Josaphat pis j'me suis dit: la vie est pas compliquée. La vie a un sens. La vie a un sens, ma mère rit. (*MS*, 116-117)

Nouvelle grammaire du récit: la réalité du plaisir dont on se souvient s'accorde avec la vérité bénéfique et essentielle du monde de la fiction. Le souvenir précis de Jean-Marc est aussi «fort» que le don de Josaphat de convoquer la chasse-galerie. Jean-Marc a gagné dans l'eau du lac la «victoire» sur laquelle il misait, l'élément naturel pouvant accorder au lieu de sa propre conception, la Grosse Femme, la légèreté propice à l'élévation créatrice. La nature donc sera victorieuse, par la grâce de la Grosse Femme, mère de l'auteur Jean-Marc, pro-créatrice de l'œuvre elle-même[19].

Mais, nouvelle maxime: «l'œuvre[20] a ses raisons que la raison ne connaît pas», et les deux derniers personnages à parler sont Victoire et le petit Marcel. C'est à eux qu'il revient de boucler la pièce, et non, comme on aurait pu s'y attendre, à Jean-Marc et à Mathieu.

Du cœur de la «cathédrale» dont vient de faire mention Mathieu en parlant de la maison de Duhamel à Jean-Marc, Victoire fait ses adieux au lac:

> Adieu, mon lac! On s'en va. On t'abandonne. [...] R'garde-moé ben. C'est la dernière fois que tu me vois.

J'men vas. En ville. *(Silence.)* Josaphat! Josaphat! Appelle le yable! C'est le temps de partir!

L'éclairage change brusquement. Marcel sort de la maison avec sa cage. (MS, 118)

Ainsi son appel au diable, amer détournement de la chasse-galerie, passera-t-il le relais à Marcel, par la force d'un nouvel éclairage. C'est donc à l'enfant fou que sera confiée l'ultime réplique. Lui seul, par les vertus de sa folie, pourra transformer le cauchemar en bonheur, avec l'aide de Duplessis, son chat imaginaire, son «histoire», qu'il déposera sur son ventre, lieu par excellence de la création en puissance et d'où jaillit le rire.

Viens, Duplessis... Viens... Y dorment...[...] Sors, aie pas peur, y'a pas de danger... C'est ça qui s'appelle la campagne... [...] T'es trop beau... t'es trop beau, Duplessis... *(Il caresse le chat invisible.)* On va être bien, ici, tous les deux... Tu vas me montrer tout c'qu'y'a à savoir, pis moi j'vas te caresser... *(Il se couche sur le dos.)* Tu me chatouilles, Duplessis, tes moustaches me chatouillent... *(Il rit.)* Monte sur mon ventre... C'est ça... étends-toi sur mon ventre... *(Il caresse Duplessis.)* On est bien, hein... On est bien, ici... On est bien. On va... être... heureux.

On entend le violon de Josaphat. (MS, 118-119)

Cage en main, histoire et fiction au cœur, Marcel affirme que le bonheur est vrai – trois fois plutôt qu'une –; son rire fait écho au plaisir des autres enfants, au pouvoir du conteur d'investir le ciel, de faire se lever la lune, s'élever la maison, s'envoler les canots d'écorce, ainsi qu'au rire de la Grosse Femme, genèse nouvelle... C'est le regard que porte l'enfant sur son monde qui en exalte la beauté («t'es *trop* beau Duplessis[21]»); c'est par ces yeux qui recréent le monde que la vision devient positivement connaissance («Tu vas me *montrer* tout c'qu'y'a à *savoir*»). Marcel, le plus naturellement du monde, se couche au sol (les yeux au ciel) et fait monter Duplessis sur son ventre. Est-ce donc si fou que de changer de perspective pour voir autrement? Est-ce donc si fou que de choisir l'horizontalité qui rattache le corps à la terre et la verticalité du regard pour placer l'œuvre entre ciel et terre ?

Le personnage de Marcel, fils d'Albertine, c'est bel et bien le fou aux verres fumés d'*En pièces détachées*. L'idée de la folie est, dans cette pièce comme dans *la Maison suspendue*, signifiée par une vision différente, un changement de perspective. Claude/Marcel, dans la première pièce, croit devenir invisible en cachant ses yeux derrière des lunettes noires ; dans *la Maison suspendue*, Marcel se couche au sol pour rejoindre le paradis. Les pièces détachées ne se recollent-elles pas si on relit, à la lueur du changement de perspective lié au personnage de Marcel – et à celui de Jean-Marc –, la fin du *Premier Quartier de la lune* :

> L'enfant de la grosse femme se leva, s'approcha du bord du toit, se pencha au-dessus du vide. [...] il s'apprêtait à raconter [à ses amis] pendant tout l'été une histoire sans fin qui mêlerait tout ce qu'il savait : leur vie quotidienne à eux, celle de sa propre famille, les films qu'il avait vus, les livres qu'il avait lus [...] et le génie de Marcel qu'il s'apprêtait à piller.

> Cette histoire aurait pour héros un petit garçon et un chat dans une forêt enchantée et on croirait parce que désormais il savait bien mentir, que ce petit garçon était lui-même. (*PQL*, 281)

Jean-Marc, c'est Marcel ; Marcel, c'est Claude ; Claude, c'est Hosanna... Jean-Marc, penché dans le vide, sur le toit, fait signe à Marcel, étendu au sol, comme le Créateur commande à l'homme d'être sa plus parfaite créature.

Tel la clé de l'œuvre, sur le seuil de la maison suspendue, Marcel, contrairement à saint Pierre qui renia trois fois le Christ avant que le coq n'ait chanté, que le jour donc ne se soit levé, affirme à trois reprises, avant même que la lune ne se lève, au son du violon de Josaphat, que le bien-être se trouve bel et bien *ici*, dans la campagne originelle, dans la fiction évangélique du « Vrai Monde ».

NOTES

1. *La Maison suspendue,* Montréal, Leméac, coll. «Théâtre», n° 184, 1990, p. 11.

2. Le bois rond – rappelons-nous les «cabanes en bois rond» de nos premiers colons – élargit d'emblée à la Nation l'histoire familiale. C'est sous l'angle historique que nous devrions lire aussi la séparation déchirante de Victoire et de Josaphat, qui quittent Duhamel pour Montréal; cette rupture fondamentale fait écho aux misères engendrées par l'exode rural au Québec. (Voir à ce sujet l'article de Solange Lévesque, «La terre paternelle», *Cahiers de théâtre Jeu,* n° 58, 1991.1, p. 107-110.)

3. Ce choix formel n'est pas sans faire signe, me semble-t-il, à une certaine «règle des trois unités»: unité de temps et de lieu (une belle soirée de juillet, à Duhamel), unité d'action (tous les personnages sont confrontés à un choix vital: celui de la réconciliation ou de la rupture).

4. Par sa composition, alliage de réel et de surnaturel, *la Maison suspendue* se situe dans le droit fil de *La grosse femme d'à côté est enceinte* et des romans de Tremblay, ainsi que de certaines de ses pièces, dont *Albertine, en cinq temps* et *le Vrai Monde?* Se dotant, par l'écriture, du pouvoir fantastique des trois filles de Florence: Rose, Mauve et Violette, Jean-Marc retricotera la vie de ses ancêtres, pour en défaire certains nœuds.

5. Comme je l'ai déjà fait remarquer, dans un premier article sur *la Maison suspendue* («Le récit des origines», *Cahiers de théâtre Jeu,* n° 58, 1991.1, p. 119-125), la démarche de Jean-Marc n'est pas sans rappeler celle de Tinamer de Portanqueu, dans *l'Amélanchier* de Jacques Ferron, fillette qui cherche, en devenant écrivaine, à retracer ses origines et dont l'œuvre distingue le bon et le mauvais côté des choses en fonction de l'univers paternel et de l'univers maternel.

6. Sans doute peut-on établir un lien entre ces trois générations et les fantômes qui, au dire de Jean-Marc, hantent chacune des trois chambres de la maison.

   SÉBASTIEN – [...] Y'a-tu des fantômes au moins?

   JEAN-MARC – Certainement! Y'en a trois! Un dans chaque chambre. Un qui boite [le couple «boiteux», incestueux, de 1910 dont seront issus tous les malheurs], un qui est borgne [en 1950, Albertine se raidit, ferme les yeux et refuse toute expression de la déviation ou de l'imaginaire, alors que son frère Édouard a fait son domaine du monde marginal] pis l'autre qui a pas de tête... [en 1990, Jean-Marc, sans mémoire, a perdu le sens de sa vie et doit racheter ses souvenirs]

SÉBASTIEN – J'vas prendre la chambre avec celui qui a pas de tête [avec Jean-Marc, son père adoptif, en quelque sorte]... (*MS*, 17)

7. Le symbolisme du nombre trois (trios et trinité) semble une piste de lecture de *la Maison suspendue* qu'il vaudrait la peine d'explorer davantage que ce que je puis faire dans les limites de cette étude.

8. Victoire est farouchement attachée à la terre. Elle y a pris racine, s'y est ancrée, et c'est à la nature qu'elle a puisé ce qui lui paraît «naturel». Et rien dans la nature n'entrave sa relation incestueuse avec Josaphat. Mais, pour son frère, la maison est attachée au ciel, tandis qu'elle l'est à la terre pour Victoire. Le départ pour Montréal, irrémédiable déracinement, la fera mourir, comme tous les siens: «En ville, on sera même pus vivants, Josaphat! [...] j'veux pas y aller en ville! J'aime mieux être une paria en face de mon lac qu'une femme sans passé au fond d'une cave en ville!» (*MS*, 91-93)

9. Le père d'Édouard, si l'on croit les affirmations de Victoire dans *la Maison suspendue*, ne peut être que Télesphore. Cependant, dans *La grosse femme d'à côté est enceinte* (p. 242), Victoire, qui raconte à son fils sa conception, dans un bosquet du parc Lafontaine, ne nomme jamais le géniteur de la duchesse que comme «Ton père», ce qui laisse planer un doute sur la clarté de ses origines... Le roman et la pièce ne respectent pas les règles de la logique et restent de ce fait totalement inscrits dans la liberté fictionnelle.

10. Sa créativité se manifeste d'abord et avant tout par ses travestissements, par son homosexualité affichée. Édouard ne peut échapper à sa double identité (son héritage d'homme et de femme), et il lui est impossible d'unifier son être. Il accepte comme un sort l'ambivalence héréditaire, qu'il endosse et représente dans une éclatante manifestation. «Bartine, franchement! Chus de même, c'est toute! Y'a rien à faire, pis y faut surtout pas essayer de changer ça!» (*MS*, 109)

11. Lieu du «haut-savoir» désincarné, l'université agit sur Jean-Marc comme «Morial» sur Victoire: elle le contraint au ras du sol, le condamne au dessèchement, tue le rêve. «Y faut que je me prouve que chus capable de produire autre chose que des petits cours d'université. Que chus capable, moi aussi, de faire lever la lune, si je veux...» (*MS*, 102). À Duhamel, Jean-Marc se

réincarnera en un membre d'une famille vivante, et ce au milieu des morts, qu'il ressuscitera.

12. Voir *La grosse femme d'à côté est enceinte* et *le Cœur découvert*, notamment.

13. Issu d'un père homosexuel, Sébastien se trouve ni plus ni moins à être le fils «adoptif» de Jean-Marc. Dans la thématique d'ordre mystique qui se dégage de *la Maison suspendue*, une petite étude onomastique s'impose : Sébastien, qui porte le nom du saint qu'on associe au monde homosexuel, est le fils du couple que forment Mathieu et Jean-Marc, trois évangélistes en deux personnes... Pas étonnant, à vrai dire, qu'il revienne à ce couple d'entreprendre, dans la «cathédrale» d'une sacro-sainte famille, de récrire l'Histoire, depuis le péché originel. Plus largement, dans une œuvre qui prend racine ici dans celle que Jean-Marc a à écrire, c'est-à-dire celle, plus ou moins transposée, de Michel Tremblay, ces personnages sont «frères» (au sens religieux) d'une Sainte Carmen de la *Main*, d'une Damnée Manon et d'une Sacrée Sandra...

14. Dans l'œuvre de Tremblay, la relation incestueuse est «reprise» (si l'on peut se permettre l'utilisation du terme dans le contexte où le récit originel suit les autres œuvres) dans *Bonjour, là, bonjour*. Cela semble d'autant plus intéressant de mettre en relation *la Maison suspendue* et *Bonjour, là, bonjour* que l'on connaît l'ambiguïté du «bonjour» québécois, qui s'emploie aussi bien à l'arrivée qu'au départ, le matin que le soir, et qui, du fait, échappe à la mesure du temps...

15. Il ne manque ici qu'un des quatre évangélistes : Luc. L'œuvre de Tremblay l'a cependant convoqué, dans *les Anciennes Odeurs*, comme le premier amant de Jean-Marc ; ce dernier retrouvera cet ancien amant, sidatique et mourant, dans le roman *le Cœur éclaté* (1993).

16. J'emploie le terme dans son sens psychanalytique comme «un des modes essentiels de fonctionnement des processus inconscients [par lequel] une représentation unique représente à elle seule plusieurs chaînes associatives à l'intersection desquelles elle se trouve». (Jean Laplanche et J.-B. Pontalis, *Vocabulaire de la psychanalyse*, Paris, Presses universitaires de France, [1967] 1981, p. 89.)

17. Qu'on se rappelle la mère d'Hosanna (textuellement : Gloire à Dieu), qui ordonnera à son fils «grande *folle*» (qu'elle veut garder avec elle, lui, son bâton de vieillesse) de se les choisir beaux, ses amants, comme si, par substitution, elle pouvait tirer

quelque gloire ou quelque plaisir de la marginalité de son fils. (*HO*, 42) Qu'on se rappelle aussi Victoire, qui garde près d'elle et pour elle un Édouard dont elle a fait sa raison de vivre («Reste avec moé, mon homme, t'es toute c'qu'y me reste!» *GF*, 242), ce qui peut étonner après la lecture de *la Maison suspendue* mais qui pourrait s'expliquer par l'attrait de la marginalité, de la folie et de l'homosexualité dans l'ensemble de l'œuvre de Tremblay.

18. Je suis tentée d'établir un rapport entre la baignade au lac Simon de la Grosse Femme, que le récit cosmogonique de Jean-Marc retiendra comme une mémorable «élévation», et le baptême de Simon-Pierre, premier apôtre d'une longue lignée de frères chrétiens à être baptisé, consacré par la main même du Christ, fils du Créateur...

19. Avant la création de *la Maison suspendue*, l'œuvre des origines était le premier roman des «Chroniques du Plateau Mont-Royal», soit *La grosse femme d'à côté est enceinte*, ce qui confirme l'importance de ce personnage dans la genèse de l'œuvre de Tremblay.

20. *L'œuvre*, c'est bien *le cœur*. Jean-Marc ne délaisse-t-il pas l'université pour se consacrer à une tâche qui lui tient à cœur, à une écriture qui lui vient du cœur? Il me paraît assez significatif, en ce sens, que *le Cœur découvert* ne soit pas de la même facture que les autres romans de Tremblay. Cette œuvre d'inspiration réaliste et contemporaine n'est pas du même «cœur» que les autres chroniques, même celles qui surgissent en droite ligne du passé de Tremblay: *les Vues animées* et *les Douze Coups de théâtre*. Celles-ci demeurent filtrées par les effets du souvenir et jaillissent de la même source que les contes de Josaphat-le-Violon. Le cœur, découvert, est le fait d'une autre opération, de la transposition dans la fiction d'une tout autre réalité.

21. Le regard du créateur est d'ordre superlatif. («T'es *trop* beau» dit l'enfant à Duplessis; la beauté du paysage de Duhamel est magnifiée par les yeux de Jean-Marc, ce dont j'ai déjà fait mention dans *Jeu 58, loc. cit.*, p. 121.) L'absence du pouvoir créateur verse aussi dans l'exagération, comme en témoignent le refrain, dans l'ensemble de l'œuvre, du «chus pas capable de rien faire», et la réitération, par trois fois, du «j'me retiens trop» de Mathieu (*MS*, 65).

Marcel poursuivi par les chiens

Louise Vigeant

Une fuite sans fin

Le titre de la pièce agit comme une citation. Il convoque un déjà-dit. Marcel est le prénom d'un personnage connu dans l'œuvre dramatique et romanesque de Michel Tremblay. On le sait «fou», interné, depuis qu'en 1969 l'auteur nous l'a montré, dans *En pièces détachées*, caché derrière ses lunettes noires, paranoïaque, sans lieu, ne sachant s'il est à l'hôpital ou chez lui, persuadé que tout le monde veut l'empoisonner, adulte encore enfant pour qui le temps s'est arrêté. Mais quand? et pourquoi? On ne le savait pas. On percevait bien l'inquiétude de l'incompris, l'angoisse de celui à qui l'on a refusé l'existence, et qui s'en est exclu lui-même. La terreur, sans doute issue d'un profond sentiment de culpabilité, était palpable. Mais on ne savait pas de quoi Marcel se sentait coupable.

Michel Tremblay avait déjà lié folie et pouvoir chez Marcel. Certes, il s'agissait là du pouvoir des impuissants, si l'on peut dire, celui, tragique, que s'accordent ces êtres paralysés, inadaptés, qui décident de nier une réalité trop décevante et qui lui préfèrent les fantasmes. *En pièces détachées* se termine sur ces paroles de Marcel: «Moé, j'peux toute faire! J'ai toutes les pouvoirs! Parce que j'ai mes lunettes! Chus tu-seul... à avoir les lunettes![1]» S'il n'a pas de pouvoir dans la réalité, Marcel en aura dans l'imaginaire. Ainsi s'opère un étrange troc magique.

Mais quand on se rappelle que ces paroles constituaient sa réponse aux nombreux «Chus pus capable de rien faire!» des membres de sa famille, on ne peut que constater que les deux types d'impuissance se valent bien.

D'ailleurs, cette même phrase: «Chus pus capable de rien faire!», en voie de devenir le leitmotiv de l'œuvre de

Tremblay, on l'entendra dans la bouche de l'adolescent, dans *Marcel poursuivi par les chiens*, alors qu'il est au bord du gouffre, un pied encore dans la réalité – on ne peut que remarquer la lucidité avec laquelle il perçoit sa condition – et l'autre dans cet ailleurs incarné par les omniprésentes et éternelles «tricoteuses de pattes de bébés», ce néant où il ira doucement se retirer. Ainsi l'impuissance, et son corollaire, la fuite dans l'imaginaire, s'imposent-elles comme des thèmes centraux.

Marcel avait eu aussi le dernier mot dans *la Maison suspendue*, la pièce précédant *Marcel poursuivi par les chiens*. Enfant, il parlait à son chat imaginaire: «Viens Duplessis... [...] On va être bien, ici, tous les deux... Tu vas me montrer tout c'qu'y'a à savoir, pis moi j'vas te caresser... [...] On est bien. On va... être... heureux[2].» Le bonheur ne peut que s'inventer. Ce Marcel-là, l'enfant au bonheur habité par des chimères, on le connaissait, lui aussi, par les romans où Tremblay avait laissé voir sa sympathie pour ce personnage. Pensons à la fascination que Marcel exerce sur le fils de la Grosse Femme dans *le Premier Quartier de la lune*, ou à la pitié affectueuse qu'il inspire dans *La grosse femme d'à côté est enceinte*. L'auteur le plaçait alors dans la lignée des «rêveurs», comme son grand-père Josaphat-le-Violon, celui qui faisait «lever la lune», et son oncle Édouard, l'homosexuel obligé de s'inventer une vie parallèle. Les voyages dans l'imaginaire de Marcel nourrissaient même les passions d'écriture de son cousin..., préfiguration de Michel Tremblay lui-même. Marcel aurait-il «tout simplement» franchi un pas de plus que les autres? Pour lui, réalité et fiction n'allaient plus se distinguer, la pathologie l'emportant sur la créativité.

Vingt ans donc après *En pièces détachées*, un voile est levé sur les circonstances dans lesquelles Marcel s'est abîmé définitivement dans la folie. Michel Tremblay, comme il l'a fait pour plusieurs de ses personnages, a remonté le fil du temps pour combler les brèches de leur histoire. Avec *Marcel poursuivi par les chiens* (1992), il dira ce qui est arrivé à Marcel, alors qu'il était adolescent, avant d'être interné et de devenir l'adulte d'*En pièces détachées* (1969), après avoir été cet enfant «à la tête trop faible» des romans, entrevu dans *la Maison suspendue* (1990).

Peurs et impuissances

Dans *Marcel poursuivi par les chiens*, le jeune homme arrive en trombe dans l'appartement vide de sa sœur Thérèse, manifestement en proie à une grande angoisse. Petit à petit, le lecteur apprendra les causes de son émoi, en même temps que Thérèse, déjà soûle, revenue chez elle avant d'aller travailler. Michel Tremblay laisse entrevoir l'ampleur du drame en disséminant des indices révélateurs. Déjà perturbé par une enfance malheureuse où on le traitait de fou parce qu'il faisait des crises d'épilepsie, Marcel a toujours été fragile. Sa sœur le sait et voudrait bien le protéger. Mais comme elle est elle-même aux prises avec une vie décevante – on lui a imposé un mari par peur des qu'en-dira-t-on, sa mère est particulièrement avare d'affection, son patron, Maurice, l'exploite : malheurs qu'elle tente de noyer dans l'alcool –, Thérèse ne saura pas, cette fois, sauver Marcel de ses peurs. Au contraire, même, elle accentuera sa solitude quand, en échange du récit de ce qui lui est arrivé, elle lui révélera son propre secret. Elle avait caché à sa famille qu'elle était la mère d'une fillette, qui a maintenant trois ans. Marcel, qui avait toujours cru que Thérèse et lui n'avaient aucun secret l'un pour l'autre, reçoit cette confidence comme une trahison. Il se sent floué ; car, sous prétexte de se venger de sa mère en la privant de pouvoir «catiner» sa petite-fille, Thérèse a aussi privé Marcel de l'affection qu'il aurait pu donner à l'enfant, comme de celle dont il aurait pu être, enfin, l'objet.

De l'affection et de la considération, Marcel n'en a pas beaucoup eu dans sa vie. Il était raillé par tous, sauf par Thérèse et la chanteuse Mercedes. Celle-ci lui parlait et elle sentait bon ; mieux encore, elle laissait Marcel la regarder faire son spectacle des coulisses. Et voilà que Mercedes est morte, assassinée sans doute. Marcel a surpris Maurice les pieds dans le bain de sang où gisait la belle Mercedes.

Quand il avoue candidement à sa sœur penser à Mercedes lorsqu'il se sent excité par ce qu'on met, dit-il, dans ses «drinks», et bien qu'il manifeste clairement sa peur de «ces affaires-là», Marcel indique l'origine sexuelle de son traumatisme. Intolérable, la disparition de l'objet de son désir, dans des circonstances aussi violentes, viendra à bout de ses résistances. La pulsion de mort remplacera la trop faible pulsion de vie qui l'animait encore.

L'impossible vengeance

Comment ne pas puiser dans les autres textes de Tremblay, dont la trame intertextuelle est tissée si serré, pour alimenter notre connaissance des personnages de Thérèse et de Marcel ? Comment, par exemple, ne pas voir dans certaines phrases de leur mère, Albertine, des signes (germes, traces ou échos, la temporalité, ici, joue des tours) de ce qui arrive(ra) à ses enfants ? N'est-ce pas elle qui s'écrie : «J'espère qu'y'a d'autres mondes, parce que celui-là est pas vargeux![3] »? Marcel le croit, lui, dur comme fer. Et c'est elle aussi, cette mère ingrate, dont on sent que l'attitude est commandée par une grande frustration (mais pour laquelle la pièce *Marcel poursuivi par les chiens* ne donne que trop peu d'explications), qui a l'intuition qu'on peut réagir de différentes manières devant une même réalité : «Ça donne envie de chuchoter… – Non, ça donne envie de tout détruire![4] » Face au même malheur, ses propres enfants fourniront l'exemple de ces deux attitudes.

Alors que Thérèse cherchera à se venger de la pauvreté affective qui a marqué sa vie et des humiliations essuyées dans ce monde de la «mafia des pauvres», dominé par le trop beau Maurice, Marcel, lui, optera pour le silence effarant de la démence. Cependant, le frère et la sœur livrent un difficile et même combat pour la reconnaissance et le droit au bonheur. Tous deux chercheront le répit dans des «ténèbres» différentes, mais ni les excès d'alcool, les cris et tout le bruit dont s'entoure Thérèse, ni les esquives de Marcel ne sauront être des voies d'affirmation. Leur échec sera d'égale ampleur.

La vengeance contre un destin tracé d'avance est-elle possible ? Albertine en avait fourni la réponse : «Si t'es t'assez naïve pour penser que ta vie dépend juste de toi, tant pis pour toi! Vas-y, continue à penser que t'as le choix!» (*ACT*, 98) Le destin tragique des personnages de Michel Tremblay tient tout entier dans cette phrase. Et la pièce, *Marcel poursuivi par les chiens*, ne fait que le confirmer. Les personnages de Michel Tremblay sont des êtres marqués par une atavique inaptitude au bonheur.

Thérèse, qui a à peine moins de difficulté que son frère à supporter la vie, se réfugie elle aussi dans un monde artificiel ; toutefois ce n'est pas tant son alcoolisme qui l'anéantit que le fait que jamais elle ne pourra trouver les moyens de se sauver, elle le sait bien. Même en promettant à son frère de le venger parce que les Tooth Pick et compagnie l'ont ridiculisé, elle se trompe. D'ailleurs, Marcel n'en sera pas dupe et souffrira plutôt que sa sœur détourne son attention de lui pour se concentrer sur ce qu'elle perçoit comme une occasion de faire chanter Maurice. Florence, l'omnisciente, saura rectifier les faits. Non seulement Thérèse ratera-t-elle son scénario de vengeance à l'égard de sa mère qui, connaissant déjà depuis longtemps l'existence de sa petite-fille Johanne, continuera à la traiter comme une étrangère, mais le lendemain de cette soirée décisive pour son frère, Thérèse aura «un œil au beurre noir, une lèvre enflée… », claire manifestation des dispositions de Maurice qui «dira rien. Pis [qu'] y fera rien… pour le moment[5] ». On l'apprend dans *Albertine, en cinq temps,* Thérèse sera finalement assassinée, à l'instar de Carmen, d'Édouard et de Mercedes d'ailleurs.

«Les lunettes fumées»

Comme un Oreste tourmenté par les Érinyes, Marcel se sent continuellement harcelé. Pour fuir tous les «chiens» qui le poursuivent : les fiers-à-bras de Maurice qui pourraient bien lui faire subir le même sort qu'à Mercedes (n'a-t-il pas été témoin du meurtre ?), les policiers, assurément à la recherche d'un coupable ; pour fuir tous ceux qui, depuis sa tendre enfance, rient de lui, lui refusent tendresse et compréhension et, pourquoi pas, pour fuir tous les Godbout de la terre qui lui ont tué jadis son chat Duplessis, Marcel décide de devenir «invisible». Par la magie de ses «lunettes fumées». Ces si belles lunettes, qu'il a tant désirées qu'il s'est mis à parcourir tout le quartier jusqu'au *club* de la *Main* où travaille Thérèse, pour obtenir d'elle, il en est sûr, l'argent qu'il lui faut pour se les acheter. Mais cette aventure lui sera fatale. Témoin de la mort de Mercedes, il ne pourra supporter ce malheur additionnel. Pour lui, la folie s'impose comme une issue.

Marcel devient «invisible», par peur, par impuissance, par culpabilité. Culpabilité d'avoir désiré Mercedes, et de ne pas avoir pu la sauver, mais aussi culpabilité d'exister, sentiment de l'absurde nourri par une jeunesse difficile. Pour fuir la réalité – faite de blessures et d'humiliations, et maintenant particulièrement menaçante –, pour échapper aux tensions trop fortes, Marcel cherchera refuge dans les bras de Florence et de ses filles, Violette, Mauve et Rose. Imposante représentation théâtrale de son univers imaginaire, elles le poursuivent elles aussi de leurs voix depuis longtemps. C'est bien la perception de Thérèse qui, prenant graduellement conscience que son frère entend des voix, comme lorsqu'il était plus jeune, saura qu'il s'agit là d'un signe fatal que Marcel bascule dans cet «autre monde». Mais cet autre monde, parce qu'y vivent ces femmes maternelles et affectueuses, bonnes et accueillantes, est somme toute plus réconfortant qu'apeurant. Souvent, chez Michel Tremblay, la folie apparaît comme un choix instinctif de survie.

Le réconfort du chœur

D'emblée, la présence de Florence et de ses filles («elles qui tricotaient patiemment le temps» déjà dans *La grosse femme d'à côté est enceinte*, comme les Moires et les Parques), à qui Tremblay confie les premières phrases de *Marcel poursuivi par les chiens*, laisse présager que le monde imaginaire l'emportera sur le réel. Celles qui, de tout temps, veillent sur la descendance de Victoire, voient venir à elles, dans leur retraite d'un Duhamel mythique, un Marcel, «essoufflé», «nerveux», un «homme faite» qu'elles n'avaient pas vu depuis longtemps… Elles savent qu'un événement grave a bouleversé sa vie, dont les conséquences ne peuvent être évitées. Ce n'est que dans un deuxième temps que la réalité se manifeste, quand Marcel surgit chez Thérèse. Mais on sait déjà, comme les «gardiennes cachées», que Marcel devra accomplir son destin.

Les quatre femmes suivent Marcel dans cette difficile étape, tel le chœur dans la tragédie grecque. Informant le public du passé, commentant le dialogue entre le frère et la sœur, elles expriment leur attachement à Marcel, leur méfiance à l'égard de Thérèse, mais elles ne peuvent intervenir ; sauf

Florence, le coryphée, qui encouragera Marcel dans son récit: «Parle de tes lunettes fumées. Commence avec tes lunettes fumées. Ensuite ça va aller mieux, ça va être plus facile» (*MP*, 41) et qui, à la fin, lui tendra la main pour l'entraîner dans son monde fabuleux.

L'ambiguïté fondamentale qui habite le personnage de Marcel est ainsi nettement représentée. La construction de la pièce est, elle aussi, simple et efficace. Elle obéit au modèle de la tragédie antique où un chœur accompagne le dialogue de deux protagonistes, constituant l'action, unique comme il se doit, action qui se déroule en une nuit et en un seul lieu: l'appartement de Thérèse. C'est par l'échange entre Thérèse et Marcel – dialogue semblable à une suite de monologues – qu'on apprendra comment s'est joué le sort de ces deux êtres.

Le destin d'un «fou du quartier»

Incapable d'une haine aussi féroce que celle de sa mère Albertine, sûrement parce qu'il en a été l'une des principales victimes, et tout aussi incapable de la rage manifestement inutile de sa sœur Thérèse, Marcel choisit une autre voie d'autodestruction: il se soustrait au réel. L'auteur propose avec l'«invisibilité» qu'assure le port des lunettes un symbole probant de l'impuissance de ce «fou du quartier», qui assume enfin pleinement le rôle auquel on l'a si bien destiné.

Si *En pièces détachées* et *la Maison suspendue* se terminaient par ce qu'il faudra peut-être appeler un jour, sinon un éloge de la folie, du moins un hommage à l'imagination, qu'en est-il de la dernière phrase de *Marcel poursuivi par les chiens*? Bien qu'elle revienne à Mauve dans le texte publié: «... pis Maurice enverra pas ses chiens» (*MP*, 67), André Brassard aura décidé, à la création de la pièce en juin 1992, de la faire répéter par Marcel. Ainsi, celui-ci aura-t-il encore une fois le dernier mot, transformant la réalité à sa façon, pour se protéger d'un monde par trop cruel.

Jeune, Marcel avait pris l'habitude de «se réfugie[r] dans sa tête confuse pleine d'oiseaux qui crient parce qu'y compren[ait] pas le monde qui l'entour[ait] pis que le monde qui l'entour[ait] le compren[ait] pas» (*MP*, 28). Maintenant, juste après un dernier «cri de détresse[6]», la fuite sera sans fin.

Encore une fois, si vous permettez

Rachel Killick

Imagination, parole, théâtre

Chez Tremblay, tout est souvenir, mais dans aucune de ses pièces aussi explicitement, à autant de niveaux que dans celle-ci. Le titre a vite fait de nous le signaler : la formule de politesse se prête, par une exploitation habile de l'élasticité du « vous », à une multiplicité de lectures. Œuvre de commémoration et de célébration mais d'une envergure qui dépasse le point de départ occasionnel du cinquantenaire du Théâtre du Rideau Vert et des trente ans des *Belles-Sœurs*, *Encore une fois, si vous permettez*[1] rappelle à la fois : la mère, qui a transmis à son fils la vivacité de son imagination et ses capacités dramatiques ; l'écrivain en herbe des années 1952-1962 et l'auteur mûr, père du théâtre québécois moderne ; les camarades de théâtre, qui ont donné à ses pièces la consécration physique de la scène ; le monde du théâtre au Québec, ses institutions et son public ; et, les comprenant tous, l'héritage glorieux et toujours renouvelé du Théâtre, monde de l'illusion plus « vraie » que la « vraie vie » où les personnages de Tremblay, tenant tête aux Hamlet et aux Phèdre, prennent place parmi ceux des dramaturges de tous les temps.

Encore une fois, ma mère

Le titre évoque en premier lieu la mère, cette Rhéauna dite Nana, esprit plein d'entrain, qui a été la force motrice et la joie de vivre de toute sa famille et le centre de l'univers pour son petit dernier[2]. Disparue en 1962, au moment des vingt ans de Tremblay, elle n'a jamais pu connaître (ainsi que l'indique le Narrateur, *EUF*, 44), les pièces et les romans de son enfant. Elle les anime pourtant de toute sa verve, présente partout dans cette langue savoureuse dont son fils a hérité. Au cours des ans, elle s'y profile de façon de plus en plus distincte: sous une forme fictive d'abord, dans le personnage attachant de la grosse femme[3]; en son propre nom ensuite dans le vécu familial des écrits autobiographiques[4]; et finalement dans *Encore une fois, si vous permettez*, «en direct», sous son propre nom et dans toute l'épaisseur corporelle d'une représentation théâtrale.

Sa situation, telle que la pièce nous la montre, n'a, semble-t-il, rien d'extraordinaire. Femme d'intérieur des années cinquante, elle se trouve, telle qu'on la retrouve, «à sa place» dans la cuisine, préoccupée par la lessive à faire et les repas à préparer (*baloney* de la semaine, *rosbif* du dimanche), aux petits soins d'un mari qui ronfle, qui fume au lit malgré qu'elle en ait, à qui il faut donner chaque jour sa cuillerée de *Phillips Magnesia*. Sortant peu de la maison (c'est son fils qu'elle envoie faire les courses), elle est aussi «énarvée» que Germaine Lauzon par l'irruption de la société civile chez elle, n'arrivant guère à assimiler ce que l'agent de police est venu lui raconter.

Mais bien que Nana soit située dans le contexte historique de son existence montréalaise, ce n'est pourtant pas quelqu'un qui est «venu au monde en dessous du pont Jacques-Cartier» (*EUF*, 30). Comme l'a déjà raconté Tremblay au début d'*Un ange cornu avec des ailes de tôle* et comme il l'indique de nouveau ici, sa mère est un être en marge, étrangère par bien des côtés au milieu montréalais. Son enfance orpheline[5], passée en Saskatchewan auprès de sa grand-mère crie, de même que son éducation dans un milieu anglophone lui composent, aux yeux de son fils, le profil mystérieux d'une princesse méconnue, égarée dans un pays qui n'est pas le sien. Le narrateur d'*Un ange cornu avec des ailes de tôle* préfère, même à l'âge adulte, perpétuer cette atmosphère romanesque[6], mais Nana, de toute la force de son bon sens pratique, s'empresse ici de désabuser son enfant: «Chus venue au monde dans le fin fond des plaines de Saskatchewan... Mais ça fait tellement longtemps que chus t'arrivée ici que je m'sens comme une vraie Montréalaise... Pis j'te dis que j'me prends pas pour une princesse! C'est une chose qu'on peut pas me reprocher![7]» (*EUF*, 30).

Le narrateur de treize ans, cependant, comme le montre abondamment la pièce, n'a pas tort pour autant. Car sang bleu ou non, Nana est bien une reine – non pas de quelque tribu européenne ou autochtone mais du monde universel de la fantaisie. C'est par sa capacité de voyager dans sa tête, de s'envoler sur les ailes de l'imagination qu'elle se distingue de son milieu et qu'elle arrive à tromper la plate banalité de son existence. Elle possède en plus deux dons inestimables dont les «héroïnes» tremblayennes sont en général fatalement privées : la capacité de se mettre dans la peau des autres, que ce soit pour éprouver les sentiments d'une mère qui aura perdu son enfant, les souffrances d'une héroïne de roman (Blanche de Coëtquen) ou la réalité quotidienne d'une actrice (Huguette Oligny) ; la capacité, également, de donner forme à son imagination par la parole[8].

L'essentiel du personnage ressort dès le début de la pièce dans le comique du portrait fortement campé, proposé par l'histoire du morceau de glace «pitché» en dessous de la voiture[9]. Le chauffeur, sentant sa voiture passer sur quelque chose de mou, s'imagine que le morceau de glace mal lancé est un enfant qu'il vient d'écraser sous ses roues. Nana, voyant arriver la police dans sa salle à manger, imagine tout de suite que le pire est arrivé à son fils ou à un autre membre de sa famille. Le conducteur, lui, se remet de sa peur en appelant la police pour ramener les choses dans l'ordre. Nana, par contre, s'en sert comme d'un tremplin pour aller au-delà de la réalité, trompant sa peur dans un foisonnement de détails incongrus : «une police nu-pieds dans ma salle à manger !» (*EUF*, 12) et d'histoires plus exagérées les unes que les autres.

L'histoire de la tante Gertrude se faisant aplatir le bras dans le tordeur sert ainsi à distraire du choc réel causé par la visite de la police. La vision de son fils de dix ans transformé en bagnard portant caluron et pyjama barré, image qu'elle amplifie par des visites du dimanche à la prison permet de dépasser le mauvais comportement de celui-ci dans l'immédiat. À la limite, la transformation dans son esprit de l'enfant imaginé mort en un enfant mort «pour de vrai» prépare un espace de récupération émotionnelle lorsqu'on en viendra à lui rappeler que tout cela n'est après tout que pure imagination. Nana donc, au lieu de se laisser acca-parer par la réalité, s'en empare, en fait « sa pièce à elle ». Les moments désagréables et la monotonie du train-train quoti-dien s'abolissent, ne laissant derrière eux qu'une trace haute en couleur, tour à tour humoristique et tragique. Nana reprend de cette façon le contrôle de sa vie et, en faisant partager aux siens sa vision originale, crée du même coup chez eux le sentiment d'une existence plus intense et plus mouvementée que celle que leur propose la vie terne de tous les jours[10].

Encore une fois : création d'un dramaturge

La mère, qui par son verbe envahissant s'installe comme sujet de sa propre histoire, est aussi l'objet de l'écriture de son fils dans la pièce qu'il lui consacre. De la « pièce » créée *par* elle, on passe à la pièce créée *pour* elle et à l'examen d'un autre processus, le transfert à l'enfant du contrôle de la parole, la création, donc, de sa pièce à lui. Le Narrateur, ressuscitant les différents temps de sa mère, se retourne du même coup vers lui-même jeune, remontant le passé pour revivre les étapes de son accession à sa vocation d'écrivain et d'homme de théâtre. De même que les récits autobiogra-phiques composent une progression inéluctable aboutissant à la révélation de la vocation artistique, de même dans la pièce les épisodes se succèdent de façon soigneusement orchestrée pour faire ressortir l'équilibre changeant entre les capacités d'imagination et d'expression de la mère et celles de son fils, et l'accession de celui-ci à une existence et à une parole autonomes.

La pièce se structure en cinq épisodes[11] qui mettent en scène, directement ou indirectement, les 10, 13, 16, 18 et 20 ans du Narrateur. Dans le premier épisode, la parole est toute à Nana ; l'enfant de dix ans, un enfant comme les autres, qui tient à faire comme les autres, qui n'a pas mal agi « exiprès » en jetant le morceau de glace mais seulement pour avoir du *fun*, se laisse dire son fait, n'y intervenant que de façon minime. Nana, au contraire, fait preuve d'une virtuosité verbale exceptionnelle, déployant les pleines ressources de sa parole abondante, d'abord pour maîtriser la situation, ensuite pour affirmer son autorité parentale. Mais il ne s'agit pas que de réprimandes. Au-delà des semonces et des interdictions, Nana adresse à son fils deux leçons capitales: l'importance d'une parole à soi qui permet de dépasser les moments difficiles de la vie réelle; une mise en garde contre l'acceptation trop facile de la parole d'autrui. Faire comme tout le monde comporte le risque de perdre SA langue: «Si tout le monde décide d'aller se coller la langue sur un piquet de clôture gelé, vas-tu risquer de t'arracher le bout de la langue, pis de zozoter pour le reste de tes jours juste pour faire comme tout le monde?» (*EUF*, 11). Et il ne s'agit pas seulement des amis. La même chose vaut pour les histoires de la mère, qui, comme elle le lui annonce dans une dernière pirouette (*EUF*, 21), ne sont pas nécessairement à prendre, elles non plus, pour argent comptant. Car si Nana joue un rôle capital en stimulant l'imagination de son fils: «La mère de Jean-Paul Jodoin m'a demandé, l'autre jour, oùsque je prenais mon imagination...» (*EUF*, 17), il en va aussi d'une domination certaine: «Tais-toi pis écoute! Pour une fois que je prends la parole, ici-dedans!» (*EUF*, 13), à laquelle il devra se soustraire afin de pouvoir trouver sa propre voix.

Le deuxième épisode marque déjà un progrès important dans l'équilibre des pouvoirs. L'enfant de treize ans plonge, à la suite de sa mère, dans le monde imaginaire du livre, mais il tient maintenant tête à son mentor en mettant en question la façon facile dont Nana accepte les invraisemblances de sa littérature sentimentale préférée. Tout en conseillant à son fils de ne pas trop écouter les autres, de ne pas trop croire, même, à toutes les histoires qu'elle-même lui raconte, la mère reste une lectrice naïve, acceptant l'anecdote telle quelle, se réjouissant tout simplement du mouvement de l'intrigue et du jeu des sentiments, ne songeant pas à réfléchir aux constructions culturelle et formelle qui les sous-tendent. Son fils, par contre, a vite fait de repérer les invraisemblances et les inconséquences du récit de *Patira*, et ses questions sur la noblesse et la religion, en France, au Québec, chez les autochtones, ont pour effet d'amener Nana à des pensées plus subtiles – à essayer, par exemple, de faire la part entre la littérature et la «vraie vie»: «Ça aurait pas eu de bon sens dans la vie, c'est sûr, mais ça

avait du bon sens dans le livre! C'est ça qui compte!»
(*EUF*, 27), ou à voir dans le thème de l'orphelin, au-delà de
l'appel aux émotions, un moyen fonctionnel de contruction
littéraire : «Peut-être qu'y a des enfants abandonnés dans les
romans parce que c'est intéressant comme commencement
d'histoire» (*EUF*, 23). L'importance de cet épisode dans
l'évolution littéraire du narrateur se fait particulièrement
ressentir par le fait que Tremblay reprend ici, en préfigurant
sa démarche d'écrivain, un chapitre de son récit autobiographique *Un ange cornu avec des ailes de tôle*[12]. Ici, cependant, c'est Nana qui, encore une fois, a le dernier mot,
rétablissant l'autorité de sa parole en interdisant une fois de
plus au narrateur l'usage des sacres et en lui imposant
(nouvelle manifestation de la promptitude de la mère à
transformer la réalité à son goût) le « *little white lie*» qu'il doit
débiter au mercier au sujet des boutons.

Le troisième épisode reprend la réflexion sur les rapports
entre la vie imaginaire et la vie réelle, mais par un biais différent. Nana parle ici pour elle seule, le monologue rempla-
çant les «duologues» précédents, mais les pensées
auxquelles elle se livre sont entièrement commandées par
son fils, bien que ce dernier reste absent du plateau. Âgé
maintenant de seize ans, il sait à cette heure qu'il aspire à
une carrière dans le théâtre et, ayant déjà acquis une
certaine connaissance du métier, il est à même d'expliquer
à sa mère comment fonctionnent les comédiens quand on
monte une pièce en direct à la télévision. Dans le sillage de
leurs conversations, Nana, à la suite d'un téléthéâtre qu'elle
continue d'apprécier pour ses aspects extérieurs : «C'est vrai
que c'tait beau en titi, hein. Les décors... les costumes...
Toute comme en Russie au siècle passé. Pis c'tait une ben
belle histoire...» (*EUF*, 41), en vient cependant de nouveau
à des idées plus subtiles. C'est la mère maintenant, faisant
écho à son fils, qui, à partir de la vie double de la comédienne (personne privée/personnage de théâtre «public»)
cherche à comprendre la nature des rapports entre la vie de
l'imagination et la vie «réelle» et qui pose ces questions en
apparence naïves mais qui, pourtant, soulèvent des problèmes fondamentaux touchant l'essence du théâtre. La cession
progressive de la parole au fils est d'ailleurs doublement

marquée – de façon explicite sur scène par le commentaire extra-diégétique du narrateur adulte qui fait tristement observer que sa mère est partie sans avoir eu la possibilité de connaître le monde du théâtre où lui-même a depuis longtemps sa place – et de façon indirecte par le fait que cet épisode transpose au compte de Nana une expérience vécue en réalité par Tremblay lui-même, celle d'avoir entrevu Huguette Oligny et Jean Gascon en train de répéter *le Temps des lilas* de Marcel Dubé en 1958[13].

Le quatrième épisode, passant du pathétique au comique et du soliloque à un «duologue» renouvelé, revient d'abord sur la joie de la création verbale, mais la confronte aussi à la difficulté du projet théâtral et à la peur de l'échec. Assumant de plus en plus son indépendance, le narrateur de dix-huit ans échappe à sa mère sur le plan personnel: «Moman, j'ai dix-huit ans, là, j'en ai pus dix, chus un adulte consentant pis j'fais c'que je veux!» (*EUF*, 50). Il continue cependant de se plaire à écouter les morceaux de bravoure qu'elle débite, la poussant à se dépasser dans l'invention des métaphores, faisant provision (allusion auto-référentielle à la pièce) de ses trouvailles: «C'est pas mal beau, oui. J'vas m'en servir, un jour» (*EUF*, 47), pour son œuvre future à lui. Mais l'angoisse n'est pas loin. Au seuil de la maturité, devant la nécessité d'entreprendre la carrière théâtrale à laquelle il a tant rêvé, le spectre du ratage le hante. Le trio de l'oncle Alfred, de la tante Gertrude et de la cousine Lucille prend ici tout son sens. Ces fantoches, peu convaincants en tant que personnages à part entière, représentants isolés d'une réalité sociale plus large, figurent de façon caricaturale l'ambition théâtrale[14]. L'oncle Alfred qui essaie de faire du Fernandel ne fait pas autre chose que ce que fait le narrateur de treize ans, qui se campe en Edmond Dantès. La tante Gertrude, mère-poule si fière de sa danseuse de fille, s'offre comme la contrepartie exacte de Nana, préoccupée, elle, par les aspirations dramaturgiques de son fils. Lucille, finalement, petite danseuse mal prise dans un spectacle minable, tient un miroir avertisseur aux rêves du narrateur, qui doit prendre son parti de rire ou de désespérer.

Le dernier épisode se compose d'une histoire qui se veut comique, d'une histoire tragique et d'une double apothéose.

Par son récit burlesque de la mort de la tante Gertrude, Nana essaie de conjurer le spectre de sa propre mort. Cette fois-ci, cependant, à l'approche de l'ultime réalité, sa parole s'avère inefficace. «J'aurais voulu faire ma comique, comme d'habitude, pour te parler de tout ça… Inventer une histoire, faire la folle ou ben la dramatique… J'ai essayé, au commencement, avec l'histoire de la mort de ta tante Gertrude, mais… Non. Chus pus capable de faire ça. Tu peux pas… imaginer… l'angoisse» (*EUF*, 63-64). Cependant, en parlant de ses douleurs de mourante par le biais des douleurs de l'accouchement, ressemblance ressentie par elle comme une ironie des plus cruelles, elle fait le point sur le processus incontournable des générations qui oblige les parents à partir pour que leurs enfants deviennent enfin maîtres de leur propre existence. Le Narrateur «pose sa tête sur [le] ventre [de sa mère]» et la supplie: «Laisse-moi vivre ma vie comme je l'entends» (*EUF*, 60). Ce deuxième accouchement, autrement pénible que le premier du point de vue de la mère, puisqu'il s'agit maintenant d'une séparation définitive, comporte pour le fils, à côté d'un accablement profondément ressenti, non seulement un accouchement à la vie sociale indépendante, mais aussi, et surtout, la libération de sa propre voix. Le narrateur de vingt ans prend la relève de Nana, reprenant maintenant à son compte les ressources d'imagination et d'expression de sa mère: «J'te serai toujours reconnaissant de m'avoir laissé rêver, moman! Tout ce que j'ai, j'le tiens de toi! Moi aussi chus dramatique, moman, moi aussi j'me fais des grands monologues pour m'étourdir, moi aussi chus prêt à me moquer de tout pour éviter de faire face aux choses! C'est pas un défaut, moman, c'est une qualité, pis c'est peut-être ça qui va me sauver!»(*EUF*, 61) C'est l'heure pour lui de se mettre à l'œuvre. Le narrateur, immobile sur sa chaise depuis le début de la pièce, se lève enfin et prend la direction des choses. Pour faire face, il prend à son tour la voie de l'imagination, y apportant en plus la durabilité d'une œuvre écrite et susceptible de représentation publique. Le narrateur franchit ainsi l'étape qui fait finalement de lui le Narrateur, celui qui est en mesure, par sa parole, de modeler la réalité à son gré et, dépassant les bornes du cercle familial, de la transformer pour le grand nombre en quelque chose de plus «vrai» que la «vraie vie». Le transfert des pouvoirs est accompli: la parole du fils remplace celle de la mère. Les dernières répliques de la pièce le signalent sur le mode comique, Nana, abandonnant l'interdiction des sacres et adoptant enfin le langage de son fils au moment où elle prend son envol pour «le fun en maudit» du Ciel.

Encore une fois, mes camarades

Encore une fois, si vous permettez est donc «un ode à l'imagination[15]», qui s'exprime d'abord par la parole de la mère, ensuite par celle du fils. Toutefois, la dédicace de la pièce: «Pour Rita Lafontaine et André Brassard, à l'occasion du trentième anniversaire de la création des *Belles-Sœurs*. Je vous aime. M.T.» (*EUF*, 7) rend compte de l'importance capitale des artistes créateurs du théâtre dans la transposition du privé au public de cette parole originale. La mise en scène par André Brassard d'*Encore une fois, si vous permettez* commémore et prolonge un partenariat célèbre qui dure depuis plus de trente ans. Mais auteur et metteur en scène y ont ajouté pour la première saison de la pièce une dimension extratextuelle suggestive, celle de dédoubler les fonctions de Brassard en lui faisant jouer le rôle du narrateur/Narrateur dans la pièce qu'il est lui-même en train de diriger. Brassard prend ainsi doublement en charge la parole de son ami. En tant que célébrité, substituant sa présence corporelle à celle de l'auteur, il met discrètement en relief, tout en la distanciant, la part intime, l'enracinement de cette parole dans le vécu personnel et quotidien[16]. En même temps, puisqu'il n'est pas Tremblay, mais le figure tout simplement dans cette pièce où lui-même, Brassard, est le metteur en scène, sa présence sur le plateau fait sentir de façon concrète la puissance imaginative de la parole, tout en témoignant pareillement de l'importance pour cette parole de l'encadrement théâtral.

La longue association de Tremblay et de Rita Lafontaine et le choix de lui confier le rôle de Nana donnent lieu à un jeu analogue. Si la mère de Tremblay a transmis à son enfant le goût de la parole, c'est par l'intermédiaire de la voix des comédiens que cette parole s'est de nouveau faite chair. La voix de Rita Lafontaine en particulier a été une inspiration des plus importantes pour Tremblay[17]. Dans *Encore une fois, si vous permettez*, la voix de la comédienne et celle de la mère ne font plus qu'une, ce par quoi se réalise un double accouchement à la parole : celui du fils dont la formation comme sujet indépendant et parole créatrice autonome est le don de ses deux Muses, la mère et la comédienne ; celui de la mère qui, «fille» de l'imagination de son fils et du génie de l'actrice, renaît plus grande que nature dans la plénitude de sa vivacité et de son imagination théâtralisées.

Cet hommage de Tremblay à ses camarades de théâtre ne comprend pas que Brassard et Lafontaine et leur apport de vedette et de metteur en scène. L'illusion théâtrale nécessite également le travail et l'invention de tous les artistes et de tous les techniciens de la scène[18]. *Encore une fois, si vous permettez* honore leur talent et leur contribution essentielle en introduisant comme moment culminant de la pièce la recréation sur le plateau du monde de l'enfance de Nana, ce pays mi-réel, mi-imaginé de la plaine de la Saskatchewan. Cette mise en abyme qui rend visible à Nana ainsi qu'aux spectateurs non seulement les merveilles mais aussi les dessous du montage théâtral souligne encore une fois la puissance de la représentation théâtrale et sa différence d'avec la vie de tous les jours[19]. Ce n'est en fin de compte que par le travail des techniciens de la scène et de toute l'équipe théâtrale que la parole du dramaturge accède à l'existence physique de la scène et, en y accédant, l'emporte en plus saisissant, en plus «vrai» sur tout discours et tout spectacle de la vie réelle.

Encore une fois...
les cinquante ans du Théâtre du Rideau Vert

La célébration et la commémoration d'une mère aimée, d'un rêve réalisé de carrière dramaturgique et littéraire et du travail fertile entre camarades de théâtre ont eu comme point de départ deux fêtes bien précises : le cinquantenaire de la fondation du Théâtre du Rideau Vert et les trente ans des *Belles-Sœurs*, créée sur la scène du Rideau Vert le 28 août 1968. En fondant ce théâtre en 1948, Yvette

Brind'Amour et Mercedes Palomino avaient lancé une aventure qui confirmait l'émergence du théâtre professionnel au Québec. Vingt ans plus tard, en acceptant de faire jouer *les Belles-Sœurs*, elles avaient ouvert la voie au grand essor du théâtre québécois moderne. *Encore une fois, si vous permettez*, créée pour ouvrir la 50ᵉ saison du Théâtre du Rideau Vert, renvoie donc à cette longue association de Tremblay avec l'institution théâtrale à Montréal, qui a fait de lui le porte-parole de sa société et de sa génération. Le brio de sa Nana, qui est aussi son brio à lui, a triomphé des préventions de la première heure, et le parler québécois, à partir de cette parole tremblayenne, a eu droit de cité sur toutes les scènes du pays. La réussite a été tellement complète que Tremblay avoue «avoir l'impression de faire partie des meubles dans le paysage dramaturgique québécois[20]». Le transfert de la parole ne concerne ici que le rapport entre mère et fils, mais ne vaut-il pas aussi entre écrivains et artistes? Avoir l'impression de faire partie des meubles, serait-ce autre chose que d'éprouver le sentiment que d'autres s'avancent, à qui il va falloir tôt ou tard céder la parole? Trente ans après le moment capital des *Belles-Sœurs*, Tremblay revient vers le public québécois pour lui demander encore, dans la petite formule de politesse qui fait le titre de sa pièce de 1998, de continuer d'approuver sa parole, d'en confirmer la pertinence et de participer à l'aventure imaginative dans laquelle il est toujours engagé.

«Tout est possible, au théâtre» (*EUF*, 65)

En réfléchissant à sa place dans l'évolution du théâtre, Tremblay arrive tout naturellement à faire d'*Encore une fois, si vous permettez* non seulement une pièce de commémoration et de célébration ponctuelles, mais aussi une célébration du Théâtre en tant que tel. Le long monologue du Narrateur par lequel s'ouvre la pièce et que certains ont trouvé inutile, remplit en fait une fonction essentielle. Le vide initial du plateau qui figure l'espace virtuel du Théâtre se remplit peu à peu d'une multiplicité d'absences, d'un peuple de fantômes qui sont les grands personnages de théâtre de tous les temps et de tous les pays. Multiple et universelle, Nana prend place parmi eux, la femme montréalaise «toute simple» des années cinquante, se métamorphosant, par la parole créatrice du dramaturge et les trouvailles de la mise en scène, en la Femme et la Mère «de toutes les époques» et «de toutes les cultures» (*EUF*, 11). Sa vie et sa mort acquièrent du même coup une valeur exemplaire tant sur le plan humain que sur le plan artistique. «Un sage ne voit pas guiere moins son amy mourant au bout de vint et cinq ans qu'au premier an» a pu écrire Montaigne[21], et Tremblay réussit parfaitement à faire sentir tout le tragique de la souffrance individuelle et du deuil personnel qui sont le lot de tout être humain. Mais, par la personne interposée du Narrateur, il complète sa pensée en proposant immédiatement à Nana, ainsi qu'aux spectateurs, une compensation : celle du salut par l'art. Le théâtre donne corps à une illusion qui nous enlève, qui nous permet de dépasser les limites que nous impose notre condition mortelle. La «sortie» de Nana à la fin de la pièce, sa montée dans les cintres, figure cette apothéose par l'art. Par l'intervention de son fils, par la «sortie» du théâtre, la mort est abolie ; dans «sa pièce à elle», Nana vit encore, sa sensibilité et sa vigueur d'expression la faisant aimer par des milliers de gens qui n'ont jamais pu la connaître dans la réalité. Elle atteint ainsi à cette existence à part que ses réflexions sur Huguette Oligny lui ont fait confusément entrevoir et qu'elle aurait aimé que son fils lui fasse mieux connaître : «J'ose pas te demander c'que t'en penses, j'sais que tu veux traverser de l'autre côté, faire partie de leur monde, j'ai vu ça depuis longtemps... Quand tu seras là, si jamais tu réussis à y aller, pense à ça pis essaye de me trouver une réponse...» (*EUF*, 44). *Encore une fois, si vous permettez* apporte cette réponse en faisant de Nana, «une simple femme» montréalaise, un personnage qui est important dans la vie «des autres» et dont l'existence durable est garantie par la parole théâtrale de son fils.

NOTES

1. Michel Tremblay, *Encore une fois, si vous permettez,* Montréal, Leméac, coll. «Théâtre», 1998, 67 p. Toutes les références renvoient à cette édition. La pièce a été créée au Théâtre du Rideau Vert le 4 août 1998, sous un titre légèrement différent : *Encore une fois, si vous le permettez.*

2. C'est cette lecture qui est privilégiée dans la traduction de Linda Gaboriau, *For the Pleasure of Seeing Her Again*. Dans la pièce, pourtant, mère et fils se tutoient toujours.

3. À partir de 1978, dans *La grosse femme d'à côté est enceinte*, premier des six romans qui composent les *Chroniques du Plateau Mont-Royal*, ensuite au théâtre, dans *la Maison suspendue* (1990).

4. *Les Vues animées*, Montréal, Leméac, coll. «Récits»,1990, 187 p.; *Douze Coups de théâtre,* Montréal, Leméac, 1992, 267 p.; *Un ange cornu avec des ailes de tôle,* Montréal/Arles, Leméac/Actes Sud, coll. «Récits», 1994, 246 p.

5. Ou tout comme, puisque sa mère, Maria Desrosiers-Rathier, avait vécu dans le Rhode Island et que son père, «marin breton, [avait] vite disparu dans l'abîme du souvenir», *AC*, 15.

6. «Comment ma mère s'est-elle retrouvée à Montréal au début des années vingt pour épouser mon père? Je l'ignore. Je pourrais téléphoner à l'un de mes frères pour le lui demander, mais je préfère penser appel du destin, fatalité incontournable et aventures rocambolesques à travers l'Amérique [...] Je suis un enfant de Jules Verne, de Victor Malo et de Raoul de Navery, et j'ai toujours supposé avoir une mère de roman d'aventures.», *AC*, 15.

7. Clin d'œil peut-être vers *les Belles-Sœurs* et les airs de fausse princesse de la snob Lisette de Courval.

8. Capacité qui manque notoirement à Albertine, qui n'a jamais su s'exprimer et qui ne peut que hurler dans le vide sa rage et son désespoir.

9. Bien que je n'insiste pas, dans cette analyse, sur l'humour de la pièce, il est important de souligner combien cette «comédie en un acte» (sous-titre de Tremblay) peut faire rire au théâtre. C'est justement la force du personnage de Nana que de faire voir les menus incidents de la vie quotidienne sous leur aspect absurde. On rit en l'écoutant en partie à cause de ses exagérations ponctuelles, mais aussi parce que ces exagérations reprennent de façon humoristique les vastes inconséquences de la «comédie humaine».

10. Le Narrateur (*EUF*, 56) évoque «sa verve [qui] submergeait tout», de sorte qu'on restait «médusé devant cet irrésistible flot de paroles, ravi par son sens du *punch*, renversé par sa drôlerie». Dans *Douze Coups de théâtre*, Tremblay avait déjà parlé du «sens du drame et de l'exagération, cadeau de [sa] mère qui avait un talent extraordinaire pour transformer les petits revers

de la vie en grandes tragédies en cinq actes avec dénouement tragique et tout» (*DCT*, 247).

11. Rappel en sourdine des «cinq temps» d'Albertine?

12. *AC*, 133-147.

13. *DCT*, 106-107.

14. Bien que le Narrateur prétende, dans son préambule, que Nana va parler non seulement de sa vie à elle, mais de celle des autres : son mari, ses fils, la parenté, le voisinage, en fait il n'en est rien. Il n'y a que deux existences qui sont en cause : celle de Nana et celle du narrateur, son fils. La tante Gertrude, son mari et sa fille ne servent qu'en tant que repoussoir comique ou pathétique.

15. Hervé Guay, «Contes de sa mère», *Le Devoir*, 10 août 1998, p. B-8.

16. Tremblay a quand même accepté de lire le rôle du Narrateur dans une lecture d'une partie de sa pièce à la télévision en septembre 2000.

17. Voir l'article de Pierre L'Hérault, «Retrouver le temps», dans *Spirale*, février 1995, p. 18 : «"Tu m'as mise en mots", avoue [Rita Lafontaine]. "Je sais qu'en écrivant ma prochaine pièce, j'entendrai ta voix", répond [Tremblay].»

18. Tremblay a toujours insisté sur le fait que la réussite d'une pièce de théâtre dépend d'un travail d'équipe : «Au théâtre j'accorde aux autres une part de création qui est égale à la mienne ; au metteur en scène, aux acteurs, au décorateur, comme aux techniciens.» Jacques Larue-Langlois, «Le théâtre de Tremblay-Brassard, l'écriture», *Le Devoir*, 12 avril 1980, p. 19.

19. Brassard, dans sa mise en scène, a souligné aussi le caractère théâtral de la cuisine de Nana en lui conférant «un cadre de scène doré qui redouble celui du Rideau Vert». Hervé Guay, *loc.cit.*

20. Martin Bilodeau, «Immortelles *Belles-Sœurs*», *Le Devoir*, 4 août 1998, p. B-8.

21. Montaigne, «De la diversion» dans *Essais* III, 4e éd. Maurice Rat, Paris, Gallimard, coll. «Bibliothèque de la Pléiade»,1967, p. 814.

Rachel KILLICK

II

AUTRES TEXTES DRAMATIQUES

MICHELINE CAMBRON

LE CYCLE CENTRIPÈTE :
L'UNIVERS INFINI DES BELLES-SŒURS

Il est coutumier de voir dans les textes dramatiques de Michel Tremblay qui n'appartiennent pas au Cycle des *Belles-Sœurs* l'expression d'une diversité d'inspiration. Aussi a-t-on souvent opposé le Montréal de la rue Fabre à l'Outremont de la rue Champagneur, et présenté les incursions hors de l'univers des *Belles-Sœurs* comme la preuve du talent de Tremblay, capable de jouer sur plusieurs registres dramatiques et d'emprunter divers niveaux de langue. Ce n'est pas ici le lieu de discuter la conception de l'écrivain qui se cache derrière de tels énoncés. Cet impératif de diversité, voire d'éclectisme, nous révèle sans doute plus de choses sur la spécificité de la culture québécoise que sur l'œuvre de Tremblay elle-même. Mais, quoi qu'il en soit, cette conception – présente par exemple dans le titre *les Trois Montréal de Michel Tremblay*[1] – ne peut plus avoir cours. En effet, dans *la Maison suspendue*[2], le dramaturge a noué les fils épars des univers populaire et bourgeois, dévoilant une cohérence imprévue et remodelant les contours du Cycle des *Belles-Sœurs*, auquel on peut désormais rattacher *les Anciennes Odeurs, le Vrai Monde ?* et, bien sûr, *la Maison suspendue*. Les relations unissant les personnages se révèlent exclusivement familiales, et la pièce *les Belles-Sœurs* apparaît à la fois éponyme et emblématique de l'ensemble du Cycle. De la sorte, cette série dramaturgique fait désormais penser moins à Balzac, auquel Tremblay renvoie pourtant expressément à travers *la Duchesse de Langeais*, qu'à Zola et à son *Histoire naturelle et sociale d'une famille sous le Second Empire*, là où les liens familiaux agglutinent des récits en apparence disjoints.

Déjà, dans un premier roman intitulé *C't'à ton tour, Laura Cadieux*[3], Tremblay avait posé *les Belles-Sœurs* comme centre de son œuvre. Ce roman, long monologue où se mêlent, dans la bouche de Laura, des descriptions narratives, des discours directs et indirects et des commentaires sans qu'apparaisse une variation du niveau de langue selon les différents aspects discursifs, ne met en scène aucun des personnages du Cycle, quoique, malgré la différence de lieu – le bureau du médecin plutôt que la cuisine –, les personnages évoqués par Laura appartiennent à la même classe sociale que ceux des *Belles-Sœurs*: ils parlent le même langage. Mais brusquement, voilà qu'à la fin, Laura confie:

> J'm'ai dit que peut-être que la grosse Lauzon viendrait vendredi. C'est elle que j'aime le plus. (*LC*, 137)

Ainsi, ce qui au départ semblait renvoyer à un univers un peu différent, se trouve ramené, par le biais de Germaine Lauzon, dans le cercle des *Belles-Sœurs*. Et l'affirmation de Michel Tremblay, selon laquelle: «À travers elle [Laura] c'est beaucoup de moi que je me suis moqué[4]», nous conduit à penser que c'est Michel Tremblay tout autant que Laura Cadieux qui aime la grosse Lauzon au point de l'inscrire comme objet du désir, présence obsédante que l'on attend et qui viendra «peut-être», comme Godot.

Autotextes

Cela se confirme dans d'autres pièces, apparemment détachées du Cycle, où *les Belles-Sœurs* apparaissent également comme la référence obligée, l'autotexte essentiel autour duquel se déploient des récits qui s'y trouvent ainsi subordonnés de manière imprévue. Ainsi en va-t-il des *Héros de mon enfance*[5]. Cette pièce raconte, avec une intention démystificatrice évidente, une sorte de révolution au pays des contes. Les héros, Poucet, le Petit Chaperon rouge, Cendrillon, la Belle au bois dormant, le Prince, le grand méchant Loup et Anne (de *Peau-d'Âne*) s'y révèlent mesquins, un peu dépravés – ils raffolent des mots à double sens –, en somme pas du tout exemplaires. La cause de ces «inversions» de rôles – le mot peut être pris dans tous les sens, l'identité sexuelle de ces personnages étant «flottante» – se révèle être la fée Carabosse, qui apparaît «habillée comme Denise Filiatrault dans le personnage de Pierrette Guérin des *Belles-Sœurs*» (*HE*, 55). L'artificialité avouée de la scène finale où la fée Marjolaine remet tout en ordre, à l'encontre de Carabosse, ne parvient pas à effacer le pouvoir dramatique de Carabosse alias Pierrette Guérin. De sorte que c'est l'une des belles-sœurs qui tire les ficelles au pays des contes de fées.

De même, dans *l'Impromptu des deux «Presse»*[6], le point aveugle de la conversation entre l'auteur à vingt ans et le même à quarante ans est précisément la pièce *les Belles-Sœurs*, au sujet de laquelle le jeune dramaturge interroge son double, plus vieux de vingt ans, après une conversation à bâtons rompus au sujet du Québec des années 1965 et 1985 :

> C'est quinze femmes qui se réunissent dans une cuisine pour coller des timbres. T'en rappelles-tu ? (*IP*, 296)

Le sens de cet impromptu et son effet comique tiennent au fait que cette pièce sur des colleuses de timbres est immédiatement reconnue par le public – et par l'Auteur à quarante ans – comme étant *les Belles-Sœurs*, référence incontournable que Tremblay convoque et met tout entière en abyme sans même devoir la nommer.

Le recours intertextuel aux pièces du Cycle est parfois plus discret, comme dans *les Grandes Vacances*[7], une pièce pour marionnettes, où, à la fin, Angéline et Rhéauna, celles-là mêmes qui dans *les Belles-Sœurs* racontaient leur visite au «salon mortuaire», donnent au carnavalesque de la pièce (qui n'est somme toute qu'un long développement de la même scène dans *les Belles-Sœurs*[8]) une note finale tragique, lorsqu'elles évoquent la mort :

> ANGÉLINE – D'un coup y'a rien, Rhéauna !
> RHÉAUNA – Ça se peut pas.
> ANGÉLINE – D'un coup y'a rien !

Ce que les deux vieilles filles fatiguées de vivre se racontent n'a pas besoin du support des *Belles-Sœurs* pour avoir du sens : leur contentement d'avoir décidé d'un rite mortuaire (l'incinération), leur peur de la mort toute proche, leurs inquiétudes métaphysiques sont universels. Mais en choisissant ces personnages-là, qui sont associés à la scène mortuaire cocasse racontée dans *les Belles-Sœurs*, Tremblay joue subtilement d'un autotexte qui rattache la famille en deuil des *Grandes Vacances* à la cuisine de Germaine Lauzon, proposant de la sorte, simultanément, un envers tragique à la dimension carnavalesque des deux pièces. Ici, l'autotexte est plus obscur car, bien sûr, beaucoup de spectateurs ignorent l'identité dramatique de Rhéauna et d'Angéline, mais il n'en est pas moins réel.

Dans les trois cas précédents, l'inscription autotextuelle des *Belles-Sœurs* pose cette pièce comme un centre auquel on se trouve ramené tôt ou tard, alors que les autres pièces deviennent une sorte d'élargissement concentrique de la cuisine de Germaine Lauzon. Un «recyclage» en quelque sorte, comme on dit un recentrage. Mais, dans l'œuvre de Tremblay, le «recyclage» prend aussi une autre forme, celle de la reprise d'images ou de procédés dramaturgiques élaborés hors cycle, puis repris dans des pièces du Cycle.

Ainsi, *les Socles*[9], courte pièce en huit scènes de facture abstraite, semblent ne rien devoir à l'univers réaliste de la rue Fabre (même si la rédaction en fut à peu près contemporaine). En effet, cette lutte pour la liberté de deux chœurs, l'un de quatre garçons, l'autre de quatre filles, contre un père et une mère qui prétendent être à eux seuls le monde, présente un conflit vide de toute référence à un lieu et à un espace concrets. Ici, il n'est question que de maison, de fenêtres, de soleil, du dedans et du dehors et, dans son dépouillement, le drame a des allures métaphysiques lorsque les enfants tentent vainement d'abattre leurs parents juchés sur des socles.

Pourtant, dans ces quatre pages, on trouve deux procédés dramaturgiques et une image forte (le soleil couchant) qui seront repris et amplifiés dans d'autres pièces. Il y a d'abord les socles disjoints sur lesquels se tiennent les parents. Outre qu'il exprime la domination des parents, ce trait scénographique marque la séparation du père et de la mère malgré l'unisson de leurs voix, préfigurant la mise en place scénique d'*À toi, pour toujours, ta Marie-Lou*, où le père et la mère, séparés, chacun dans sa bulle, construisent de concert l'univers fermé dans lequel leurs deux filles, Manon et Carmen, se déchireront. C'est d'ailleurs dans *Sainte Carmen de la Main*, où se trouve confirmé le huis clos d'*À toi, pour toujours, ta Marie-Lou*, que Tremblay reprend le motif du soleil et les alternances rythmiques des deux chœurs qui appellent la libération. Alors que dans *les Socles* les enfants ne voient jamais que le coucher du soleil et aspirent à aller, de l'autre côté de la fenêtre, «vivre le soleil», les chœurs de la *Main* attendent que Carmen arrive, que le soleil se lève pour que vienne un jour de délivrance. Il s'agit, à n'en pas douter, de la même image, où le soleil, dans sa fulgurance, représente l'extériorité absolue dont l'accès sera refusé[10]. De plus, cette image est livrée selon un même modèle rythmique d'alternance chorale, plus rapide dans *Sainte Carmen de la Main*, plus lent dans *les Socles*, modèle fortement répétitif et incantatoire dans les deux cas. Pourrait-on aller jusqu'à voir dans *Sainte Carmen de la Main* et dans *À toi, pour toujours, ta Marie-Lou* les actualisations d'un modèle formel expérimenté dans *les Socles*? Chose certaine, cette courte pièce non encore jouée a été, pour Tremblay, une importante source d'inspiration, puisqu'il a repris le chœur des parents dans *les Paons*[11], faisant de la psalmodie de l'enfermement une cérémonie absurde qui sert de point d'orgue à une pièce dont le thème est emprunté à *Qui a peur de Virginia Woolf?* d'Albee, et la facture à Ionesco et à Arrabal.

Métatextes

Parallèlement à ces pièces marquées par le recyclage autotextuel (car, même dans le cas où il ne s'agit que de reprendre des procédés ou des figures, il y a encore autocitation), on trouve d'autres textes dont la fonction est précisément d'exposer et de justifier les partis pris éthiques et esthétiques du Cycle. Ces pièces, que je nommerai métatextuelles, sont fortement chevillées aux *Belles-Sœurs*, mais leur relation étant essentiellement contrapuntique, elle n'est lisible que dans le déchiffrement des polémiques qu'elles ont soulevées.

Première œuvre dans cette orientation métatextuelle: *Ville Mont-Royal ou Abîmes*[12], pièce présentée dans *l'Immaculée-Création*, production du CEAD réalisée pour protester contre la politique du ministère des Affaires culturelles. Cette pièce, à laquelle Tremblay donnait valeur de manifeste, est «une belle pièce d'un acte en bon français dédicacée à Madame Claire Kirkland-Casgrain», selon le sous-titre de la publication dans *Le Devoir*. En effet, Mme Casgrain avait refusé d'octroyer les subventions nécessaires à des représentations des *Belles-Sœurs* en France prétextant, semble-t-il, que la pièce était écrite en trop mauvais français pour être «bonne». La «bonne pièce, en bon français» vise donc à démontrer que l'emploi du «joual» était un choix dramaturgique lié au milieu où se passait l'action. *Ville Mont-Royal ou Abîmes* se passant à Ville Mont-Royal, la pièce est donc écrite «en bon français» avec des allusions à la culture savante (bourgeoise), et les personnages y boivent de la vodka plutôt que du «Coke». L'intrigue est simple. Une femme (Léonore), amoureuse du jeune amant (Étienne) de sa meilleure amie (Stéphanie), a peint en cachette un merveilleux portrait de lui, a demandé à son amie de révéler son secret au jeune homme, est devenue folle devant le refus de cette dernière et a tenté de se suicider. La scène se passe environ un an après cette tentative, alors que Stéphanie et Étienne visitent Léonore après une soirée à l'opéra. La conversation est tendue, Étienne et Stéphanie se disputent au sujet du malheur qu'il y a (ou qu'il n'y a pas) à être riche et blasé. Puis, Léonore, qui a monté son tableau au salon afin de révéler la vérité à Étienne, se dispute avec Stéphanie qui ne veut pas qu'Étienne l'apprenne. Enfin, Léonore dévoile son secret, et Étienne, transfiguré à la vue du tableau, a les yeux dessillés et court prendre Léonore dans ses bras. Rideau.

Il n'y a rien dans cette intrigue qui défende directement *les Belles-Sœurs*. En effet, Tremblay semble plutôt avoir préféré l'attaque. Car, que démontre la pièce sinon qu'il y a des gens qui ont accès à la «grande culture» – opéra, peinture – et qui, comme les chanteurs d'opéra «engraissés» et Stéphanie l'indifférente, ne savent pas la goûter? Tremblay suggère qu'il ne suffit pas de connaître l'art et ses codes pour vivre des émotions esthétiques. L'attaque nous paraît aujourd'hui fort indirecte mais, dans les débats qui entourent alors l'usage du joual, on confond parfois art et bon parler français. Frapper d'incompétence esthétique des bourgeois de «bon goût» revient donc à discréditer les jugements posés au nom des convenances, tout en chargeant la bourgeoisie de la dose de culpabilité qui lui sied bien en ces années de marxisme bon teint[13].

Manifestement, il ne s'agit pas encore là d'un véritable impromptu à la manière de Molière, dans lequel Tremblay exposerait sa conception de l'art et du théâtre tout en critiquant les conceptions adverses. Huit ans plus tard, au sortir du Cycle, Tremblay décidera de proposer son *ars dramatica*. Ce sera *l'Impromptu d'Outremont*[14]. Il reprendra (encore un recyclage) certains traits de *Ville Mont-Royal ou Abîmes*. Les sentiments contradictoires à l'égard du peuple, les discussions sur l'art véritable, la présence de l'opéra, la tentative de suicide et même – avec il est vrai une connotation d'échec plutôt que de succès – le motif de l'œuvre cachée. Mais, dans *l'Impromptu*, le projet est clair : des définitions de l'art s'affrontent, des valeurs sont discutées, et deux des sœurs Beaugrand, Lucille et Lorraine, mènent une attaque en règle contre l'élitisme et la prétention, qui sont ici confondus. Mais l'intérêt principal de la pièce – par ailleurs émaillée d'effets faciles qui embrouillent parfois le propos – réside à mon sens dans la reprise que Tremblay effectue, sur un mode mineur, de la structure dramatique des *Belles-Sœurs*. Le cercle est plus restreint, mais on retrouve dans les deux cas les mêmes éléments structuraux : l'attente, l'arrivée d'invitées, la dispute, l'arrivée de celle qui est devenue étrangère, les discussions sur l'art (ici la musique classique remplace le cinéma français), le dévoilement graduel des vicissitudes de la vie de chacune, accompagné de monologues, les discussions sur le passé, sur les enfants, sur le goûter ou les rafraîchissements, les chœurs (qui prennent dans *l'Impromptu* une forme musicale). Puis, à la fin, comme dans *les Belles-Sœurs*, on assiste à un chœur final, marquant la réconciliation apparente du groupe, chanté – il s'agit de « Jeunes fillettes, profitez du temps » plutôt que du *Ô Canada* –, et une salve de mitraillette se substitue à l'absurde chute de timbres.

Le huis clos féminin, l'avenir interdit, le déterminisme familial imposent aux personnages d'Outremont et de la rue Fabre le même étouffement. Comme si, en passant « de la cuisine au salon », comme le réclame à grands cris Fernande lorsqu'elle conspue le théâtre moderne (lire : le théâtre de

Tremblay), celui-ci changeait de décor sans changer de structure ni de problématique. C'est ici, je crois, qu'il faut revenir au modèle abstrait des *Socles* et des *Paons*: l'enfermement des enfants et l'oppression inconsciente exercée par les figures parentales éclairent les similitudes structurales entre *les Belles-Sœurs* et *l'Impromptu d'Outremont*, faisant voir que les lieux sont peut-être ici des décors autant que des citations du réel.

Intertextes

Les analyses précédentes démontrent à quel point l'œuvre de Tremblay est unitaire: personnages, figures, procédés, anecdotes circulent indépendamment du décor et du ton adopté. Pourtant, me semble-t-il, l'intérêt principal des œuvres hors cycle est de nous entraîner, malgré la force centripète des *Belles-Sœurs*, dans les voies d'une intertextualité plus large. En effet, dans ces pièces, Tremblay semble élaborer une sorte de stratégie «pour en finir avec la culture», qui exprime les relations que son théâtre entretient avec le reste de la dramaturgie, de la littérature, voire de l'art en général.

Deux exemples me paraissent nets: le premier est la pièce *Six Monologues en quête de mots d'auteur*[15], écrite pour les étudiants finissants de l'École nationale de théâtre du Canada. Il s'agit d'exercices faisant en raccourci l'histoire du théâtre mondial. Dès le titre, pastiche de l'œuvre de Pirandello, le ton est donné. Les monologues sont le fait de personnages de l'Histoire ou du Théâtre, qui font le point sur leur existence grâce à ces mots d'auteur que leur souffle Tremblay. D'intérêt inégal, ces morceaux ont quelques traits communs: la grande culture qu'ils évoquent est ridiculisée, les grands sentiments sont ramenés vers le «bas» scatologique ou sexuel et, surtout, les personnages sont animés d'une rage autodestructrice peu commune – que l'on retrouvera dans *Hosanna* et *Damnée Manon, Sacrée Sandra*. Dans tous les cas, Tremblay semble s'être attaché à prendre le contre-pied des images reçues: Thomas Pollock Nageoire est un cow-boy cultivé; Phèdre et Hippolyte brûlent de concert dans leur passion coupable; Dieu, malhonnête et veule, est dominé par un Méphistophélès boulimique;

Jeanne d'Arc a un remarquable cœur de pierre et recherche activement la béatification. Il n'y a guère que Néron et Martha (de *Qui a peur de Virginia Woolf?* d'Albee) qui restent dans leur rôle habituel : mais leur folie est ici montrée sans contrepartie, avec une violence verbale où fantasme et réalité se confondent.

À ce déplacement de valeurs, Tremblay surimpose une écriture en porte-à-faux où l'alexandrin sert à Phèdre pour dire : «J'ai perdu mon honneur dans mon assiette à soupe» (*SM*, 8), et où Martha use de toutes les ficelles du drame américain – alcool, invectives et gros mots – pour critiquer vertement le théâtre américain. Il s'agit d'un rabaissement systématique des idoles, dont les ridicules de Dieu (l'interlocuteur de Méphistophélès) et ceux de Jeanne d'Arc donnent toute la mesure. Tremblay use donc de thèmes et de modèles anciens pour les retourner. Mais une telle entreprise ne va pas sans paradoxe. Ainsi, l'usage du vers libre ou régulier, qui apparaît dans trois monologues, le recours au «vous» indéterminé, qui rappelle le nouveau roman dans le monologue de Méphistophélès, l'emploi d'un langage caractéristique de la «traduction française faite à partir de l'américain» dans le monologue de Martha supposent un détour par les sentiers d'une culture «élitiste», posée par ailleurs comme indigne et risible. De sorte que Tremblay donne l'impression de vouloir jouer sur tous les tableaux, d'emprunter à tous les codes, ce dont rendent compte les répliques finales, qui entrelacent *le Petit Chaperon rouge* de Perrault, le cinéma de Walt Disney et le théâtre d'Albee :

> Qui a peur de Virginia Woolf
> de Virginia Woolf
> de Virginia Woolf...
> *(en coulisse)* Moi, George, moi... (*SM*, 43)

Cette intrication des codes culturels, on la retrouve aussi dans *les Héros de mon enfance*, où les personnages de contes de fées, rassemblés dans une clairière par la malignité de Carabosse (celle qui est déguisée en Denise Filiatrault déguisée en Pierrette Guérin), se révèlent fort différents de ce qu'on en a toujours dit. Cette réécriture «pour adultes» des contes de fées cherche sans doute à faire rire, mais elle éclaire crûment le refus de Tremblay de circuler dans une fiction sans assise réaliste, assimile fiction et fausseté, et propose implicitement une idée que Zola n'aurait pas désavouée: lorsque la féerie, l'affabulation seront remplacées par une vision naturaliste des choses faisant appel à l'intelligence, alors la vie prendra enfin le dessus. La chanson thème de la pièce, «Existe-t-il un conte pas bête?», de même que toutes les répliques qui soulignent les ridicules des personnages fantoches, expriment ce rejet d'un certain type de fiction et, par contamination, d'une certaine culture insensible aux ridicules des contes pour enfants, dont l'un des défauts – et pas le moindre – est de se préoccuper de la correction du langage: «Dis pas merde devant les enfants.» (*HE*, 19) Est-ce à dire que Tremblay voue Perrault aux gémonies? Pas si simple. Après tout, l'idée – amusante et efficace – de la mort en vacances, qui soustend *les Grandes Vacances*, relève directement de l'univers des contes, malgré le réalisme des costumes. D'ailleurs, celui (ou celle) qui voudrait démontrer que Tremblay rejette la culture «haute» aurait fort à faire. Comment effacer de l'œuvre de Tremblay l'ombre de Pirandello, dont la pièce *Six Personnages en quête d'auteur* sert à la fois de titre (avec une légère modification) pour *Six Monologues...* et de modèle dramaturgique pour *le Vrai Monde?*[16]? Ou encore celle de Molière, dont Tremblay retient le titre *l'Impromptu* et la facture manifestaire? Que penser aussi de cet intérêt pour Nelligan, déjà suggéré dans le prénom Nelligan dont est affublé le fils de Fernande Beaugrand-Drapeau (*l'Impromptu d'Outremont*), «drop-out» de bonne famille?

L'examen du livret d'opéra *Nelligan*[17] est fort révélateur à cet égard. Nelligan est ici à la fois un personnage, une source intertextuelle (certains poèmes sont repris) et la reconduction du modèle psychotique des *Socles*, où les parents enferment leurs enfants dans le monde qu'ils ont imaginé. Dans le livret, cet enfermement se réalise pleinement, la biographie de Nelligan (qui fut interné) rejoignant le modèle dramatique élaboré ailleurs par Tremblay. Au modèle des *Socles* se superpose une conception conflictuelle de la culture, lisible à un premier degré dans l'opposition langue française/langue anglaise (la mère d'Émile est francophone, le père d'Émile est un anglophone, d'origine irlandaise), puis, plus profondément, dans le refus que des gens dits «cultivés» opposent à une poésie qui s'inscrit mal, apparemment, dans la tradition dont ils ont hérité. On retrouve ici la substance de *Ville Mont-Royal*: le rapport à la grande culture n'est jamais donné d'emblée, il doit être conquis de haute lutte, et ce sont souvent les plus iconoclastes (au sens strict: Nelligan vole dans une église) qui possèdent le sens esthétique le plus affirmé.

De l'absurde et du mythe

L'examen des pièces hors cycle – que j'ai ici esquissé – me semble propre à éclairer l'œuvre de Tremblay de manière radicale, puisqu'il expose les modèles dramaturgiques et thématiques de l'œuvre, ce qui permet de l'aborder dans une perspective génétique. De plus, la relation que Tremblay entretient avec la haute culture s'y trouve largement déployée, par le biais d'une intertextualité riche et nourrie.

Mais c'est peut-être l'examen des deux premières pièces de Tremblay qui me semble proposer les avenues les plus nouvelles. En effet, *Messe noire*[18] et *le Train*[19], qui constitue la toute première œuvre de Tremblay, sont toutes deux véritablement hors cycle. Rien ne semble permettre de les rattacher de quelque manière que ce soit aux *Belles-Sœurs*. *Le Train* est, à mon avis, un texte d'une grande richesse. On y trouve une esthétique et un propos qui en font un véritable manifeste de l'absurde. Dans un train – figure du mouvement absolu –, deux personnages, Monsieur X et Monsieur Z, sont dans le même compartiment. Monsieur X entre de force en conversation avec son vis-à-vis, imposant ses histoires, ses aphorismes, ses reproches à l'humanité, son cigare. Graduellement, il cherche à culpabiliser Monsieur Z, en proposant des interprétations à sa propre vie et en lui révélant ultimement son drame: il est resté un petit garçon, parce qu'il sait arrêter des horloges, le temps étant son pire ennemi. À ce moment, Z semble compatir silencieusement. Mais, brusquement, le train entre dans un tunnel, il fait noir, X panique et tue Z. La lumière revenue, X s'aperçoit de ce qu'il a fait:

Où vais-je le mettre ? Je ne peux pas le laisser là ! Je ne veux pas qu'on le trouve ! Mon Dieu je suis un assassin ! Me voilà avec un mort sur les bras maintenant. Je vais changer de compartiment et si on m'interroge je dirai que je ne suis jamais venu ici. Je suis un assassin. Je suis un assassin.

(Il met le cigare sur le corps du mort.)

Tu l'auras eu quand même ce cigare. (*TR*, 50)

Cette pièce baigne dans l'absurde, c'est-à-dire que tout s'y soustrait à l'élaboration d'un sens. La mort est présentée comme accidentelle, ainsi d'ailleurs que la présence des deux hommes dans le même wagon, et, malgré le sentiment qu'il a d'être un assassin, X ne semble avoir aucun remords. Il constate froidement : «Me voilà avec un mort sur les bras [...]» Le sens proposé pour le meurtre : obliger Z à prendre le cigare qu'il a refusé, est tout aussi absurde.

Il n'en va pas de même dans *Messe noire*, où il est également question de meurtre, et quatre fois plutôt qu'une. Le premier monologue, *Angus*, qui accompagnait à l'origine un ballet, révèle de manière allusive les meurtres commis par Angus, que la pleine lune vient chercher. Dans le second, *Wolfgang à son retour*, un père raconte qu'il a découvert que son fils est un assassin qui se nourrit du sang de ses victimes, de jeunes enfants. Wolfgang est entraîné par un homme très beau, Hans. Le père a connaissance d'une de ces escapades nocturnes et, au retour de son fils, voyant le démon dans ses yeux et son sourire, il le tue. Le troisième texte, intitulé *les Noces*, est le monologue agité, fortement exclamatif, d'une femme qui réclame d'un certain Wolftung qu'il tienne sa promesse de l'épouser. Elle a bien commis les sept meurtres exigés d'elle, les sept plus beaux adolescents du pays ont péri par ses mains. Elle a perdu son âme, son corps a vieilli, est ridé et laid, mais elle va épouser celui qu'elle aime au milieu de sifflements qui vont sans cesse s'amplifiant[20]. Le dernier, *Maouna*, est la longue malédiction qu'une sorcière, Maouna, lance à ceux qui l'ont condamnée, promettant du haut de son immortalité une terrible vengeance.

Ce qui frappe dans ces monologues, c'est que les meurtres y sont fortement ritualisés, trouvant leur sens dans un récit plus large, d'ordre mythique, ce dont le titre, *Messe noire*, rend bien compte. Or ce glissement de l'absurde vers un sens mythique me semble avoir dominé dans l'élaboration du Cycle des *Belles-Sœurs*. En effet, le Cycle, grâce aux multiples interactions qui le traversent, s'offre comme une vaste entreprise qui donne sens aux événements les plus disparates : il y a véritablement constitution d'une mythologie – ce dont témoignerait l'inscription intertextuelle de la tragédie grecque – et volonté de tout rattacher au «méga-récit» des *Belles-Sœurs*, sans laisser de résidu. Pourtant, à la fin des *Belles-Sœurs*, et de *l'Impromptu d'Outremont*, il y a bien une pointe d'absurde dans la chute de timbres ou dans les crépitements de la mitrailleuse. Mais ces échappées restent sans écho, comme une vaine invitation à sortir du Cycle, et, dans l'ensemble, tous les éléments dramaturgiques, même ceux qui paraissent les plus hétérogènes, s'inscrivent dans un vaste récit familial, les pièces hors cycle comme les autres.

C'est le propre du récit de sembler porter un sens, principalement parce qu'entre le début et la fin, il instaure un ordre autotélique[21]. Le récit mythique va même plus loin : il suggère un ordre – tragique ou apocalyptique, c'est selon – qui relie le Début et la Fin de l'Homme et du Monde. Au contraire, le modèle narratif de l'absurde récuse la possibilité – et la nécessité – de rattacher les actions à une trame qui leur conférerait un sens, c'est-à-dire à la fois une direction (une téléologie) et une signification. En laissant derrière lui, dans *le Train*, comme ce mort qu'on abandonne, l'absurdité des choses – et, au premier chef, de la mort –, Tremblay me semble avoir choisi la voie de la plénitude du sens, celle de la mythologie.

NOTES

1. Un film de Michel Moreau, les Films du Crépuscule, 1989.

2. Au sujet de cette pièce et des liens qui s'y nouent grâce au caractère cosmogonique de la maison, voir Lorraine Camerlain, «Le récit des origines», *Cahiers de théâtre Jeu*, n° 59, 1991, p. 119-125.

3. Ce roman a plusieurs fois été adapté pour la scène, et il y a même eu une adaptation pour la télévision en 1978 (Radio-Québec, CIVM-TV, le 24 décembre 1978, adaptation de Pierre Fortin et Guy Leduc). La dernière en date, celle de Jacques Crête, présentée au Théâtre de Saint-Jean-des-Piles durant l'été 1991, a la particularité de faire éclater le monologue en plusieurs rôles.

4. Extrait d'un bref texte de Tremblay, qui suit le roman dans l'édition originale, *C't'à ton tour, Laura Cadieux*, Montréal, Éditions du Jour, coll. «les Romanciers du jour»,n° R-94, 1973, p. 141.

5. Montréal, Leméac, coll. «Théâtre», n° 54, 1976.

6. Texte publié dans l'ouvrage du Centre d'essai des auteurs dramatiques, *20 ans*, Montréal, VLB éditeur, 1985, p. 285-297.

7. Texte inédit, créé pour les marionnettes du Théâtre de l'Œil en 1981. Il y aurait une étude passionnante à faire sur les frontières des genres chez Tremblay.

8. Tremblay a écrit une autre scène de salon mortuaire pour le film *Le soleil se lève en retard*.

9. Pièce non jouée, publiée dans *Canadian Theatre Review*, automne 1979, p. 53-60. La pièce y est reproduite deux fois, d'abord dans une traduction anglaise de Renate Usmiani, puis en français.

10. Ce soleil, on en trouve aussi la trace dans le titre du film *Le soleil se lève en retard*, le soleil étant en ce cas associé à une vie affective, sexuelle et sociale pleine et riche.

11. Inédit. Lecture au Centre du Théâtre d'Aujourd'hui le 2 février 1970. Dépôt au Centre d'essai des auteurs dramatiques (CEAD), 1969.

12. Publiée dans *Le Devoir*, le 28 octobre 1972, p. XVII. Produite par le CEAD le 8 décembre 1972.

13. À propos de cette polémique, je renvoie à mon ouvrage, *Une société, un récit. Discours culturel au Québec (1967-1976)*, Montréal, Éditions de l'Hexagone, 1989, p. 138-145.

14. Montréal, Leméac, coll. «Théâtre», n° 86, 1980.

15. Écrite pour les élèves de l'École nationale de théâtre et jouée par eux en février 1977. Je renvoie à un tapuscrit conservé à la bibliothèque de l'École.

16. C'est l'idée soutenue par Jean Cléo Godin dans «La littérature et le vrai monde», communication faite au colloque de l'Association des études canadiennes, en Irlande, au printemps 1991.

Micheline CAMBRON

17. La musique était signée André Gagnon. L'opéra fut créé le 24 février 1990 par l'Opéra de Montréal. Le texte a été publié : Montréal, Leméac, coll. « Théâtre », n° 181, 1990.

18. Quatre monologues extraits de *Contes pour buveurs attardés*, Montréal, Éd. du Jour, 1966. Les contes repris portent, dans le recueil, les mêmes titres que dans la pièce. Il s'agit de textes faisant partie d'une production présentée au Pavillon de la Jeunesse durant l'Expo 67, le 31 août, puis reprise au Théâtre du Gesù du 7 au 10 septembre 1967 par le Mouvement Contemporain. *Messe noire* avait été créée au Théâtre des Saltimbanques pendant la saison 1964-1965, par le Mouvement Contemporain (*cf. Cahiers de théâtre Jeu*, n° 2, Montréal, Quinze, printemps 1976, p. 44).

19. Drame en un acte écrit en 1959 et télédiffusé à Radio-Canada, CBFT, le 7 juin 1964. Cette pièce avait remporté le premier prix du Concours des jeunes auteurs de Radio-Canada.

20. Ces sifflements seront repris dans *les Paons*, où la montée dramatique s'accompagne aussi de bruits menaçants. On ne peut s'empêcher de voir là un rappel des *Bâtisseurs d'Empire* de Boris Vian.

21. Autotélique : « qui n'a ni fin ni but au dehors ou au delà de lui-même ; p. ex. le jeu pour le jeu, l'art pour l'art ». (André Lalande, *Vocabulaire technique et critique de la philosophie*, Paris, Presses universitaires de France, 1962, 9e édition, p. 104.)

la parole à celle de l'eucharistie, comme la mise en acte de la Parole divine, du sacrifice de l'Alliance et du repas de communion. Le mystère de la transsubstantiation eucharistique – l'hostie devenant corps du Christ, présence *réelle* du corps et du sang divins – s'accomplit sous les espèces du pain et du vin en cette occasion sacrée, action de grâce pour nouer ensemble la foi du croyant et la parole de Dieu. En cela, la messe est en effet la proclamation de l'événement fondateur de la communauté chrétienne. Les fidèles récitant et chantant à l'unisson les paroles sacramentelles de ce nouveau pacte fondé sur l'amour et la paix[2].

Or il est évident que la pièce de Tremblay, *Messe solennelle pour une pleine lune d'été*, ne s'inscrit pas, littéralement du moins, dans l'ordre du culte chrétien. Si la figure du Christ est convoquée, c'est dans la mesure où elle incarne l'amour. À cet égard, la pièce mime surtout la forme de la messe, donnant ainsi un cadre symbolique déterminé à la quête de la parole qui traverse d'ailleurs toute l'œuvre. Ainsi, la pièce est-elle divisée en quatorze chapitres qui sont là comme autant de parties de cette messe qui célèbre l'amour dans ce qu'il a aussi de charnel : 1. *Introït* ; 2. *Kyrie* (*lento*) ; 3. *Exultate Jubilate* (*allegro vivace*) ; 4. *De Profundis* et *Gloria* (*largo*) ; 5. *Dies Iræ* (*allegro agitato*) ; 6. *Lux Æterna* (*andante*) ; 7. *Libera Me* (*andante – animando un poco*) ; 8. *Sanctus* (*allegretto*) ; 9. *Recordare* (*adagio maestoso*) ; 10. *Liber Scriptus* et *Agnus Dei* (*allegro agitato*) ; 11. *Lacrymosa* (*lento*) ; 12. *Confutatis Maledictis* (*largo*) ; 13. *Offertoire* (*allegro agitato*) ; 14. *Ite Missa Est* (*largo*). Chacun de ces chapitres est marqué d'un mouvement musical, désignant ainsi sa parenté avec une messe de Bach ou de Mozart. Cette *Messe solennelle*, avec ces divers mouvements, met en scène onze personnages qui racontent ensemble ou tour à tour leur malheur, leur souffrance, leur désespoir ou leur bonheur, et qui, à l'exclusion de la veuve, forment cinq couples : celui, d'abord, des amants que l'on dirait magnifiques, Isabelle et Yannick ; celui de Jeanine et Louise, lesbiennes dans la cinquantaine, dont l'amour tourne au dédain ; le couple mère-fils, Rose et Mathieu, éprouvés par l'abandon de l'être aimé (comme l'est aussi la veuve) ; le couple père-fille, Gaston et Mireille, dont la vie se résume à l'impuissance et au sacrifice; enfin, le couple homosexuel frappé par le sida, Yvon et Gérard.

L'*Introït* dresse le décor de la pièce alors que les onze personnages sortent ensemble sur les balcons de deux maisons situées sur le Plateau Mont-Royal. Lentement et silencieusement, ils s'avancent pour contempler la pleine lune du mois d'août. Le *Kyrie* («Seigneur, prends pitié») nous donne ensuite à entendre les diverses voix qui s'unissent, se relaient et se répondent pour produire une forte impression d'unité, de cohésion, de fusion. Tour à tour monophonique et polyphonique, ce chant est celui d'un appel, heureux ou malheureux, à l'avènement de l'amour, qui voudrait se confondre avec l'apparition de la pleine lune. Ainsi, d'une parole à l'autre, d'un duo amoureux à l'autre, les diverses histoires se répondent sans que les protagonistes ne s'interpellent directement, telle ou telle réplique pouvant s'avérer ponctuellement pertinente, montrant ainsi les affinités qui les rassemblent. Cela donne au texte, à la pièce, l'effet de communion qui est le sien, d'autant plus que l'unisson semble s'accomplir à l'insu des personnages. Manière de supposer un ordre qui transcende les voix, Dieu les orchestrant selon l'harmonie de sa providence. Ce canon de voix qui a pour effet de briser la solitude des expériences, d'arraisonner la dispersion des paroles à la figure d'un événement rassembleur, restaure ainsi l'espace-temps de la parole partagée, lieu de la communauté. Le concert de voix ne tourne donc pas ici à la dissonance, mais se recentre plutôt sur l'amour; amour diversement malheureux (à l'exception de celui que vivent Yannick et Isabelle), au nom duquel il y a appel ou prière à Dieu: «Seigneur, Ayez pitié de nous!». De là, ce ton particulier à la pièce où se confondent désir et parole sacrée; car si chaque personnage évoque son amour malheureux, sa vie misérable ou son désespoir dans une langue qui n'a pas les tournures poétiques de la prière, il n'en reste pas moins que le ton de complainte et la résonance litanique des voix transforment malgré tout cette parole apparemment profane en prière. En cela, la pièce suggère que toute parole de désir (d'amour) est à sa manière une prière, l'ordinaire des paroles étant en quelque sorte transfiguré par l'authenticité de la passion qui les anime, retrouvant ainsi le chemin du sacré, comme lieu de vérité de la parole.

L'*Exultate Jubilate*, comme son titre l'indique, évoque l'exultation, la jubilation, le sentiment d'allégresse dont nous sommes témoins devant l'amour et la sensualité des amants, Yannick et Isabelle. La pleine lune sur le point de se lever coïncide ici avec la montée du désir, véritable hymne à l'amour, de cœur et de corps, qui s'intensifie suivant un crescendo au fur et à mesure que l'on s'approche de l'instant où la lune doit apparaître. Là encore, les paroles désirantes s'entendent comme une prière ; l'une et l'autre sont, en effet, appel et adoration du bien-aimé, de la bien-aimée. Parler d'amour est ici donné comme un acte de possession et de dépossession, comme une douce et délicieuse folie qui s'empare du sujet. Dans ce cadrage particulier, l'amour devient plénitude, appropriation absolue des êtres et des lieux. De même, l'acte d'amour, l'amour charnel, n'est pas confiné au seul espace intime et privé, mais se répand ici dans tout l'espace social pour mieux se révéler comme noyau véritable de la communauté. L'espace profane, dirait-on, se trouve envahi par cette geste sacrée où s'expose le corps glorieux de l'amour. Il va sans dire que le discours sur le corps – sur la chair – se veut en ce cadre déculpabilisé, joyeusement affranchi du péché auquel il se référait ailleurs, au nom d'une quête de pureté qui se confondait parfois avec la chasteté. La lune, nouvelle figure de l'hostie, n'est pas seulement l'incarnation du Christ-amour, mais aussi celle d'Éros au nom duquel le couple merveilleux est prêt à se damner : «J'te veux au ciel pis en enfer !» (*MSP*, 43). La messe devient presque blasphématoire puisque les amants ne craignent pas l'enfer, leur désir s'appropriant triomphalement tous les lieux : «J'te veux en dessous de l'évier !». «J'te veux pendu aux rideaux, enroulé dans le tapis, à côté de la balayeuse !» (*MSP*, 43). Tout l'espace profane se trouve en somme transfiguré par la présence glorieuse du corps amoureux. Dans le déroulement de cette messe, Yannick et Isabelle forment le premier duo. On peut les considérer, on l'a dit, comme les amants merveilleux de cette communauté. À cet égard, ils occupent pour ainsi dire le centre de cette célébration et incarnent la lumière éblouissante de l'amour, du désir accompli. Les autres couples, qui apparaissent par la suite en une série de duos malheureux, semblent tourner autour de cet astre magnifique.

Avec le *De Profundis* et le *Gloria*, les neuf autres personnages contemplent l'apparition de la lune tandis que les amants se sont retirés dans leur appartement. Leur parole n'est ici qu'une vaste complainte et s'entend comme une prière collective devant l'astre d'amour et de paix, comme un «chant» éblouissant et glorieux, malgré le sombre malheur qui, là, s'expose. Le *Dies Iræ*, deuxième duo, nous donne à entendre la complainte d'Yvon et de Mireille, l'un s'occupant de son amant sidatique, et l'autre de son père infirme. Duo mixte qui, contrairement à celui qui précède, est malheur, souffrance et désespoir. Vient ensuite le troisième duo, celui de Louise et Jeannine (*Lux Æterna* et *Libera Me*), où se révèle le dédain de Jeannine pour Louise. Récitatif en écho et en alternance où s'entend une violence refoulée que les autres personnages, tel un chœur, scandent en appelant la «Paix». Le *Sanctus* se laisse lire après comme une prière collective de libération à l'adresse de la lune. Parole ou prière qui joue là encore sur le jeu des alternances et des regroupements de voix, alors que le *Recordare* qui suit est, pour l'essentiel, un solo ou un monologue. Rose, mère de Mathieu, en appelle en effet au ciel pour mieux comprendre et accepter que son fils ait quitté femme et enfants pour un autre homme. Après ce solo, le *Liber Scriptus* et l'*Agnus Dei* remettent en scène la parole de tous les personnages qui en appellent à la miséricorde divine lors du jugement dernier. Solos, alternances, regroupements, ces prières se font ici encore polyphoniques. Cinquième duo de la pièce, le *Lacrymosa* est une complainte où s'expose l'amour perdu de Mathieu et de la veuve. Il est suivi par le *Confutatis Maledictis*, lieu du dernier duo, mixte, où Gaston et Gérard, le père infirme et le sidéen révèlent leur secret. Celui, de Gérard, qui a trompé Yvon pour un jeune amant de passage, figure idolâtrée du désir qui lui a probablement transmis le sida; acte dont pourtant il ne regrette rien tant son désir fut comblé. On entend ici l'éloge de la chair, du désir plus fort que la mort. Secret de Gaston, père de Mireille, ayant perdu ses deux bras dans un accident de travail, et pour qui l'avènement de la pleine lune est l'occasion de rêver d'étreindre encore quelqu'un, de vaincre ainsi l'impuissance. Ces deux secrets, comme deux longs solos ou monologues, retentissent d'autant plus lourdement que les autres personnages gardent pour ainsi dire le silence des lieux.

Vient enfin l'*Offertoire*, point culminant de la représentation (de la messe) alors qu'Yvon et Gérard dansent ensemble le tango devant les autres personnages admiratifs. Ce tango se veut ici égal au mystère de la transsubstantiation, alors que la fatalité de la mort semble conjurée par l'amour, voie de la rédemption. À cet égard, cette danse est le surgissement même du sacré au milieu d'un certain désastre amoureux, révélant de la sorte de quelle vérité est fait le monde. Nous sommes ainsi placés devant une fatalité provisoirement mise à l'écart, ou du moins suspendue, le tango permettant somme toute de faire «comme si» la dimension sacramentelle opérait. Comme dans le cas du sacrifice de la messe, invisiblement accompli à l'église par la parole performative de l'officiant qui retourne la mort en résurrection, cette danse est danse d'amour et de vie, et non pas danse funèbre.

La messe se termine ainsi par l'*Ite Missa Est* où tous les personnages reconnaissent ensemble, dans la même prière, que l'événement de la transsubstantiation a eu lieu :

> LES AUTRES, *tout bas*. Acceptez cette offrande que j'ai faite... du trop-plein de mon âme... J'ai transvidé le trop-plein de mon âme dans l'immensité du ciel... Mon âme s'est répandue dans le ciel... Mon âme s'est répandue sur vous... Vous m'avez écouté... Le ciel s'est glissé en moi... La transsubstantiation s'est opérée... Un peu de paix... Un peu de paix... du moins du soulagement... est descendu sur moi... Mon Dieu... Un peu de soulagement... a coulé... sur moi... un peu de paix... Seigneur... Vous m'avez accordé un peu de paix... Christ... Ayez pitié de moi... Acceptez mon tourment... transformez-le... complètement... en paix... en paix... en paix... (*MSP*, 118).

On peut toutefois se demander si la magie du Verbe a bel et bien opéré, si le sacré est advenu sur la scène.

L'appel au sacré

La forme rigoureusement construite et stylisée de cette pièce n'est pas nouvelle chez le dramaturge qui s'est déjà inspiré, par le recours au jeu des chœurs, de la tragédie grecque. C'était déjà le cas, notamment, pour les *Belles-Sœurs* (1965), *En pièces détachées* (1966) et *Sainte Carmen de la Main* (1975). Ce cadrage aura permis, entre autres, de donner forme à la parole informe, de rendre audible une parole dissonante à force de souffrances. Une telle stylisation permet sans doute, en effet, de jouer et de représenter ce qui autrement resterait imprésentable (irreprésentable). L'insistant et accablant «Chus pus capable de rien faire!» qui scande *En pièces détachées* – titre qui, là encore, désigne la parole même – constitue l'aveu d'impuissance que la magie d'un Verbe stylisé cherche malgré tout à dire, à transfigurer, pour la surmonter enfin, peut-être. Ainsi, le travail formel de la pièce permet-il non seulement de rendre supportable cette plainte, mais de la transformer en représentation, de traduire le non-dit (parfois honteux) en parole, premier pas vers l'assomption et le dénouement possible des conflits. D'où ce retour ponctuel, tout au long du cycle théâtral, d'une mise en scène fortement ritualisée de la parole, laquelle ne cesse en effet de revenir sur les lieux maudits de son désastre, la plainte se transformant alors en promesse de l'avènement d'une parole de réconciliation avec les êtres et le monde. Car le sacré désigne bien ce registre où la parole est reconnue dans sa performativité fondatrice et donatrice de sens, interdisant et limitant par le fait même la violence et son désordre. Il est ainsi la manifestation «originaire» du sujet, celle de son assomption en tant que *sujet-de-la-représentation*, là où il se saisit par la médiation d'une scène. Le sacré désigne en effet cet espace autre qui s'offre au sujet comme une scène tout à la fois accessible et interdite, nommable et innommable, faite de pureté et de souillure, d'adoration et d'abjection, là où l'ordre du monde repose sur une ambivalence fondamentale[3]. Ce lieu implique donc d'entrée de jeu la mise en scène, la monstration, la représentation. De telle sorte que l'espace religieux – celui du rituel mythique ou de la messe, par exemple – se révèle comme un espace déjà théâtralisé. On sait d'ailleurs, pour avoir lu Antonin Artaud, combien un certain art théâtral a voulu retrouver cette dimension du sacré qui se serait perdue, semble-t-il, avec l'avènement de la modernité.

Tremblay (re)trouve ici l'espace du religieux, dans la mesure où son théâtre a pour objet les enjeux symboliques de la parole. De la messe au théâtre, on remarque, en effet, une même mise en représentation du pouvoir performatif de la parole individuelle et collective. Pouvoir qui concerne autant l'institution du dicible que celle de la reconnaissance. C'est ainsi que, contre le désastre des paroles, ce théâtre ré-institue un cadre protocolaire, cérémonieux et liturgique pour mieux soutenir la nécessité d'un ordre symbolique, tant individuel que collectif.

La forte ritualisation de la parole à l'œuvre ici vient donc en réponse à une plainte mortifère qui ronge presque tous les personnages, miroir sombre de toutes ces violences que sont l'inceste, l'impuissance, la frustration, le ressentiment, la haine. Cette retrouvaille avec le sacré correspond en cela au désir de rejoindre ce qui, dans toute parole, appelle à être entendu et reconnu. Le désastre de la parole cherche en définitive sa *scène de vérité* et l'invente ponctuellement dans ce passage à l'acte religieux. En cela, dans ce théâtre, ce n'est pas le blasphème profanateur ni la parodie qui perturbe la référence à la scène du sacré, mais bien plutôt le sacré qui vient en quelque sorte au secours de la parole immonde. L'enjeu de cette mise en représentation n'implique donc pas une subversion que l'on dirait aujourd'hui carnavalisante, où le sacré et le profane échangent leur place pour mieux destituer la légitimité d'un certain pouvoir. Ce qui s'impose relève plutôt d'une nécessité anthropologique dès lors que l'expérience religieuse constitue la première scène où s'exerce la primauté de la parole (du symbolique), quand bien même elle serait celle de Dieu ou des dieux. De même, on comprend que la plainte des personnages rejoint la dimension religieuse de la parole puisque, en tant que parole de désir, elle résonne nécessairement comme une demande, une prière. Toute prière manifeste cette dimension de l'être désirant en tant qu'assomption d'un manque depuis lequel cependant il peut rencontrer l'autre (et Dieu) dans sa différence irréductible. Le théâtre de Tremblay vient buter sur cette fonction de la parole dans la mesure où la plainte des personnages témoigne justement de l'exigence de reconnaissance inhérente à tout sujet parlant. Ce théâtre de la parole impuissante se résout donc logiquement dans la mise en scène d'une parole glorieuse et triomphante dont l'énonciation soutient le culte d'une profération qui serait enfin effective.

Plongés dans le malheur, les personnages tentent de se resaisir à l'occasion d'une scène qui est en quelque sorte une *scène de vérité* et dans laquelle se révèlent non seulement les secrets et les frustrations qui entravent leur parole, mais aussi l'ordre transcendant qui fonde le monde. Ainsi, l'apparition de la pleine lune d'été est-elle l'événement qui, par-delà le *dés-astre* amoureux, révèle l'ordre (prétendu) véritable d'un monde fait d'amour et de paix. La plainte mortifère des personnages cède alors le pas à la grandeur de l'événement cosmique, devenant ici le paradigme du Tout Autre, de l'altérité radicale à laquelle tout sujet est nécessairement assujetti. L'événement cosmique rompt en effet la domination de la scène familiale ou amoureuse, brise le huis-clos fait de récriminations et de cris, pour mieux relier le sujet à une altérité qui impose une autre voix, promesse d'amour et d'harmonie. L'Autre scène, celle du sacré, apparaît comme venant libérer le sujet de ses impasses – sur le plan fantasmatique, du moins –, dès lors que cet événement lui rappelle que sa finitude misérable est pour ainsi dire tenue en respect devant le sublime spectacle de la nature (pour parler comme Kant). Comme si cette scène première de l'ordre cosmique – véritable *chant du monde* – imposait un silence respectueux à la bruyante plainte des personnages. Comme si la manifestation de l'événement cosmique, lieu tangible de la loi naturelle, apparaissait telle une *rédemption*, dominant la scène des paroles mortifères. L'apparition de la pleine lune équivaut donc au surgissement de la loi ou de la transcendance. C'est d'ailleurs ce qu'évoque la solennité de cette messe, puisqu'elle suppose une cérémonie empreinte de majesté où le pas lent, grave et sublime de l'officiant et des fidèles interrompt le désordre des voix et l'agitation destructrice qui a cours ailleurs, dans l'espace familial ou public. La messe, cérémonie au déroulement précis, trace une limite à partir de laquelle le sujet et le corps social dans son ensemble retrouvent une scène fondatrice. Ce que performe la messe, c'est l'événement même de l'*être-ensemble* de la communauté, et ce, par-delà l'éclatement et la déperdition des voix. Elle fait des destins particuliers une *même* parole promise à la rédemption. La présence ici du sacré ne saurait par conséquent être comprise comme un résidu honteux de la «grande noirceur» qui a façonné la culture québécoise. Le religieux est au contraire convoqué comme le registre d'une parole qui s'actualise à la fois comme un manque et une souveraine assomption du désir.

Ce théâtre, on l'aura compris, ne convoque donc pas la messe sur le mode parodique, mais par une sorte de nécessité interne selon laquelle la parole (entendue) est l'enjeu de cette mise en représentation. On peut avancer à cet égard que la citation de la messe ne s'inscrit pas ici dans une conception ludique et euphorique de la représentation où un simulacre succède infiniment à un autre, là où le monde est de toute façon sans fond et sans identité stable. Au contraire, ce théâtre est en quête d'une parole authentique susceptible de dénouer un sujet pris au piège d'une folle rêverie (Marcel), ou d'une réalité étouffante et brutale. Bien que marquée par les multiples registres du semblant (du jeu), l'œuvre de Tremblay est malgré tout en quête d'une *vraie-semblance*, pourrait-on dire, par laquelle le sujet pourrait enfin assumer son désir et se défaire des impasses où il s'abîme[4]. La scène attendue, appelée, jouée doit s'entendre ici comme étant celle de l'*authenticité* qui pourrait enfin légitimer la parole, la rendre effective, *parlante*.

On peut se demander, pour finir, si cet avènement du sacré, n'étant pas parodique, a pour autant vraiment lieu. Il est permis d'en douter. Car si la didascalie affirme qu'il y a là transsubstantiation, il n'est pas dit que l'appel au sacré donne lieu effectivement au surgissement du mystère. Bref, la chose est certes thématisée et même jouée, mais le spectateur (le lecteur) se laisse-t-il prendre au jeu? Le sacré apparaît en fait davantage interpellé, invoqué, mimé pour donner sens à la parole, plutôt qu'éprouvé au cœur d'une véritable expérience de symbolisation, avec ce que cela suppose d'analyse, soutenue par la mise en intrigue et le jeu des dialogues (rappelons-nous à ce sujet la leçon d'Aristote sur la tragédie dans sa *Poétique*). La plainte mortifère des personnages ne cherche pas à se résoudre par le travail même de la parole, de la représentation, laquelle est aussi en mesure de faire retour sur la part obscure (inconsciente) qui la détermine et l'assujettit. Ces personnages semblent plutôt confesser leur malheur comme une lourde fatalité, invoquant le théâtre du sacré pour apaiser (magiquement?) leur souffrance. En ce sens, d'une scène à l'autre – de la plainte mortifère à l'appel du sacré – il n'y a pas eu déplacement ni décentrement, comme si le sujet passait d'une parole impuissante à une autre, et que le sacré n'était que l'envers éblouissant de sa sombre histoire. Ainsi, de la plainte à la scène finale où est contemplée l'apparition de la paix, il n'y a au fond qu'une même passivité, une même résignation devant les malheurs de l'existence.

Notes

1. Michel Tremblay, *Messe solennelle pour une pleine lune d'été*, Montréal, Leméac, coll. «Théâtre», 1996, p. 49. Cette pièce a été créée par la Compagnie Jean-Duceppe le 14 février 1996.

2. On peut consulter à ce sujet l'ouvrage de Lucien Deiss, *la Messe. Sa célébration expliquée*, Paris, Desclée de Brouwer, 1989.

3. Comme le montre Roger Caillois dans *l'Homme et le Sacré* (en particulier, le chapitre 2, «L'ambiguïté du sacré»), Paris, Gallimard, coll. «Idées», 1950.

4. Marcel, Édouard et Carmen sont à cet égard des personnages exemplaires des enjeux symboliques qui sont en cause dans la mise en représentation du sujet. Alors que Marcel s'égare dans la folie d'une imagination supposée souveraine, Édouard manie le mensonge et la mythomanie pour mieux survivre sur la *Main*; tandis que Carmen, figure rédemptrice, cherche à se réapproprier le monde en se réappropriant sa langue. On me permettra ici de citer les articles dans lesquels j'analyse ces diverses postures d'un sujet aux prises avec cette question de la représentation: «L'épreuve de la France. Langue et féminité dans *Des nouvelles d'Édouard* de Michel Tremblay», *Études françaises*, vol. 31, n° 1, été 1995, p. 109-128; «L'Abîme du rêve. Enfants de la folie et

III

TRAJECTOIRE SCÉNIQUE

ANDRÉ BRASSARD :
LA MISE À L'ÉPREUVE D'UNE DRAMATURGIE

« Je ne serais pas l'auteur que je suis s'il n'avait pas été là, et il ne serait sans doute pas le metteur en scène qu'il est si je n'avais pas été là également[1] », a dit Michel Tremblay en parlant d'André Brassard. Non sans raison, car Brassard a, en effet, créé et repris toutes les pièces majeures du dramaturge, toutes celles dont l'action se déroule sur le Plateau Mont-Royal et « sur la *Main* », auxquelles on doit ajouter les deux textes périphériques que sont l'*Impromptu d'Outremont* et *les Anciennes Odeurs*[2]. L'apport d'André Brassard à l'œuvre théâtrale de Tremblay est double. D'abord, comme partenaire artistique privilégié de Tremblay, il a été à même d'influencer le dramaturge dans le développement de son œuvre. Ensuite, et c'est probablement là l'aspect le plus important, le théâtre de Tremblay nous a été révélé à travers les lectures qu'en a faites Brassard. Car, est-il besoin de le rappeler, un metteur en scène ne fait pas que traduire scéniquement le texte d'un dramaturge : il en définit le sens, il le *lit*. Porté à la scène, le théâtre de Tremblay est aussi le théâtre de Brassard.

Une rencontre

Vers 1970, Tremblay et Brassard étaient surnommés *The Dynamic Duo*[3]. Il est vrai que Tremblay et Brassard formaient le premier véritable tandem auteur-metteur en scène de l'histoire du théâtre québécois et que leurs propositions textuelles et scéniques étaient non seulement innovatrices mais remportaient un franc succès. Ce qui frappe, alors, comme l'a écrit Michel Bélair, c'est la « grande unité entre le texte et la mise en scène », le fait que « chacune des pièces de Tremblay apparaît comme un bloc dont on ne peut dissocier les éléments de mise en scène et le climat qui en résulte[4] ». Lorsque Bélair (tout comme Tremblay) emploie au sujet de cette relation artistique le terme d'« osmose », il pointe à la fois la perception générale de la collaboration entre Brassard et Tremblay et ce qui semble bien avoir présidé à cette démarche artistique commune.

Les deux hommes ont fait connaissance en 1964. Tous deux fréquentaient les théâtres et les cinémas d'art et d'essai et se connaissaient de vue. D'après Brassard[5], c'est Guy Bergeron (il avait fait le décor du *Tricycle* d'Arrabal, dans lequel Brassard jouait, à l'éphémère Théâtre de la Cabergnote), qui les avait d'abord présentés l'un à l'autre. Mais la véritable rencontre, comme Tremblay l'a souvent raconté, a eu lieu lorsque Brassard a croisé Tremblay dans la rue et lui a demandé «si c'était bien [lui] qui avait écrit *le Train*[6]» – cette pièce qui avait remporté le premier prix du Concours des jeunes auteurs de Radio-Canada avait été télédiffusée le 7 juin 1964. Même si, à ce moment-là, Brassard et Tremblay avaient déjà, chacun de son côté, entrepris une démarche artistique, Tremblay tient à préciser dès 1971 que «dans l'espèce de tandem Brassard-Tremblay, la chose extraordinaire, c'est l'amitié qu'il y a entre nous[7]». Cette relation d'amitié a permis aux deux artistes de s'enrichir l'un l'autre et a trouvé un de ses prolongements dans la collaboration artistique, ce que Tremblay a bien exprimé en 1982: «[...] je crois que l'on pourrait dire que nous avons été pendant longtemps le mentor de l'autre. Jusqu'en 1977, année de *Damnée Manon, Sacrée Sandra*, nous évoluions parallèlement. C'est après que Brassard a pris une autre tangente que la mienne[8]».

Cette amitié s'est développée sous le signe d'une complicité artistique qui a d'abord trouvé son champ de prédilection dans la critique de l'invraisemblable langue employée dans le cinéma québécois de l'époque[9]. D'ailleurs, Tremblay mentionne: «J'ai écrit *les Belles-Sœurs*, en fait, après avoir vu un film que [Brassard et moi] avions détesté. Pourquoi? Parce que personne au monde n'avait parlé la langue qui était employée dans ce film. Nous avons découvert cela ensemble[10].»

D'autres goûts communs ont aussi contribué au rapprochement artistique entre Tremblay et Brassard, en particulier leur fascination pour la tragédie grecque. À quinze ans, Tremblay avait été marqué par la lecture d'*Agamemnon*.

Tous deux, avant même de se connaître, avaient été impressionnés par *les Choéphores* d'Eschyle, spectacle monté par Jean-Pierre Ronfard au Théâtre du Nouveau Monde en mai 1962. En 1966, Brassard allait signer sa première mise en scène d'un texte du répertoire avec *les Troyennes* au Théâtre des Saltimbanques. De là, aussi, «le goût d'aller vers les chœurs» et le désir commun de «faire une pièce avec des madames [qui] parleraient en chœur[11]».

Entre l'écriture des *Belles-Sœurs* et la production professionnelle de la pièce au Théâtre du Rideau Vert trois ans plus tard, Tremblay et Brassard commencent leur association artistique. En 1965, dans la première version de *Messe noire*, un spectacle-collage de Brassard, on retrouvait un texte de Tremblay, *Maouna*, qui allait être publié l'année suivante dans le recueil *Contes pour buveurs attardés*. Et, surtout, en décembre 1966, le Mouvement Contemporain, une compagnie de théâtre que dirigeait Brassard, monte *Cinq*, un spectacle à partir de textes de Tremblay dans lequel on retrouvait une première ébauche du monologue de Berthe dans *Trois Petits Tours...*, ainsi que le duo des hommes-sandwichs, le trio des serveuses et le quatuor entre Robertine, Hélène, Francine et Henri, qui feront partie d'*En pièces détachées*. Même si ce spectacle se compose aussi de scènes d'un genre que Brassard identifie péjorativement comme «fantastico-français», Tremblay et Brassard viennent de créer ce qui n'existait pas encore: du théâtre en joual, donnant un prolongement dramaturgique à une démarche déjà entreprise en littérature, particulièrement à la revue et aux Éditions Parti pris[12].

Un monde en formation

Avec ses premiers textes théâtraux, *les Belles-Sœurs*, *la Duchesse de Langeais*, *En pièces détachées*, *Trois Petits Tours...* et *Demain matin, Montréal m'attend*, Tremblay met en scène deux milieux, celui du Plateau Mont-Royal et celui de la *Main*, ainsi que plusieurs «familles». Or on sait que les divers personnages de l'œuvre de Tremblay finiront par former un véritable réseau. Dans les premiers textes de Tremblay, l'existence de ce réseau est davantage de l'ordre de la virtualité; or Brassard affirme avoir eu une influence majeure sur sa concrétisation. Il faut cependant signaler que certains liens existaient chez Tremblay dès le début de son œuvre théâtrale : ainsi, dans la version pour la scène d'*En pièces détachées*, qui date de 1969, le personnage de Claude parle de « mon oncle la duchesse[13] ».

D'après Brassard, une première étape de la création du réseau s'est faite lors de la scénarisation du court métrage *Françoise Durocher, waitress*[14] dans lequel l'auteur et le metteur en scène ont, pour la première fois, « mélangé les univers » : on y retrouvait des personnages des *Belles-Sœurs*, comme Pierrette Guérin et Lise Paquette, ainsi que le trio des *waitress* d'*En pièces détachées*. Selon Brassard, une autre étape importante dans le processus d'intégration des divers mondes de Tremblay a eu lieu en 1971, à la suite du tournage d'un film de Jean-Pierre Lefebvre pour la série *Adieu Alouette*[15] de l'Office national du film ; pour la fête qui marquait la fin du tournage de ce film, dans lequel on retrouvait plusieurs scènes tirées du théâtre de Tremblay, il fut décidé que les personnages du film recevraient l'équipe de tournage dans une cour. « C'était la première fois, dit Brassard, que le monde de la *Main* – les travestis, les personnages que nous avions commencé à dessiner pour *Demain matin, Montréal m'attend* – et que les personnages des *Belles-Sœurs*, ces deux mondes-là se rencontraient. Cela s'était terminé par une bataille épouvantable. [...] Tremblay et moi assistions à ça du haut d'une galerie et, à un moment, nous nous sommes regardés et j'ai dit : C'est *ça* qu'il faut faire ! Et *ça*, ce fut *Il était une fois dans l'Est*[16]. » Il est intéressant de noter que c'est au cinéma et non au théâtre que s'est d'abord manifestée cette mise en place du réseau des personnages.

Brassard dit avoir été influencé à ce moment-là par le roman de Pierre-Jean Rémy, *le Sac du palais d'été*, qui lui avait fourni l'exemple d'une fiction où les personnages, sans tous se connaître, étaient tous liés. « Je pense que mon désir de rassembler les divers mondes du théâtre de Tremblay, d'en mettre en valeur les oppositions, d'en donner une vision globale, est à l'origine de l'unité que prendra son œuvre[17]. » Cette période de travail (de 1971 à 1975) semble bel et bien correspondre à la phase d'« osmose » entre les deux créateurs.

Après cette période, où le travail artistique semble en quelque sorte s'être exercé en continuité, la relation entre les deux artistes s'est cristallisée ponctuellement autour des productions. Bref, pour ce qui est de cette époque, on peut assumer que l'influence du metteur en scène sur l'auteur a été majeure, en ce qu'elle l'a encouragé à tisser des liens entre les personnages et les événements de son univers théâtral.

Comédiennes, comédiens

C'est aussi à cette époque que Brassard rassemble le noyau de comédiennes et de comédiens qui incarneront les personnages du théâtre de Tremblay. Bien sûr, au fil des distributions, beaucoup de noms circulent, mais certains reviennent avec régularité, ce qui permet de suivre un même personnage d'une œuvre à l'autre, ou encore prête vie à une lignée de personnages. Ces comédiens n'ont pas seulement incarné pour le public les personnages de Tremblay, ils ont aussi mis au point une manière de les jouer et, pourrait-on même dire, une façon de jouer. Il faut se rappeler que l'écriture de Tremblay, à la fin des années soixante et au début des années soixante-dix, exigeait des comédiens un jeu plus direct et plus impudique, pour lequel ils n'étaient pas nécessairement formés. Les comédiens avec lesquels Brassard a travaillé ont su (re)trouver une gestuelle inspirée du quotidien et (re)créer les ponts entre la langue de Tremblay et la parole populaire montréalaise.

Certaines présences ont davantage marqué les premières œuvres de Tremblay : mentionnons Denise Filiatrault (Rose Ouimet dans *les Belles-Sœurs*, Carlotta dans *Trois Petits Tours*…, Lola Lee dans *Demain matin, Montréal m'attend* et Hélène dans *Il était une fois dans l'Est*) ; Denise Proulx (Germaine Lauzon dans *les Belles-Sœurs*, Berthe dans *Trois Petits Tours*… et Betty Bird dans *Demain matin, Montréal m'attend*) ; Luce Guilbault (Pierrette Guérin dans *les Belles-Sœurs*, Hélène/Thérèse dans *En pièces détachées* et Carmen dans *À toi, pour toujours, ta Marie-Lou*), et Hélène Loiselle (Lisette de Courval dans *les Belles-Sœurs*, Robertine/Albertine dans *En pièces détachées* et Marie-Louise dans *À toi, pour toujours, ta Marie-Lou*).

Claude Gai a marqué la duchesse de Langeais, tout comme André Montmorency, Hosanna (qui doit aussi beaucoup à Jean Archambault) et Sandra. On doit également souligner les apports d'Amulette Garneau (dont Bec-de-Lièvre dans *Sainte Carmen de la Main*), de Sophie Clément et de Michelle Rossignol. Mais les deux comédiens dont la collaboration avec le tandem Tremblay-Brassard est la plus soutenue sont Rita Lafontaine et Gilles Renaud. De Lise Paquette dans *les Belles-Sœurs* à Marie-Lou et Gloria dans *la Trilogie des Brassard*, Rita Lafontaine a joué dans une dizaine de pièces de Tremblay, marquant de son talent atypique les diverses incarnations de Manon et d'Albertine, ainsi que de Madeleine I, établissant au sein des productions des pièces de Tremblay une sorte de continuité. Quant à Gilles Renaud, il a su mieux que personne incarner la masculinité trouble qui traverse le théâtre de Tremblay : Cuirette (dans *Hosanna*), Gabriel (le père de *Bonjour, là, bonjour*), Jean-Marc (cet *alter ego* de l'auteur dans *la Maison suspendue*) et Alex I (dans *le Vrai Monde?*).

L'auteur et le metteur en scène

Les textes de Tremblay sont très ouverts : « La grande qualité de mon théâtre réside dans le fait que le metteur en scène peut en faire tout ce qu'il veut[18]. » On peut lui donner ici raison : les pièces de Tremblay sont vraiment des systèmes ouverts, assemblages de structures et de rythmes, de personnages et d'actions, qui demandent impérativement d'être lus au sens fort du terme pour porter sens. De plus (« Je ne suis pas du tout un visuel[19] », avoue Tremblay), les indications scéniques se rapportant à la dimension scénographique de la représentation sont minimales, tout comme celles qui touchent le jeu. La matérialité de la représentation dépend ainsi énormément du metteur en scène.

Conséquent avec son écriture dramatique, Tremblay déclarait dès 1971 : « [Brassard] se mêle pas de mon texte, pis je me mêle pas de sa mise en scène[20]. » Au cours des années, la première partie de la proposition a quelque peu changé, mais la seconde, non : habituellement, Tremblay n'assiste qu'aux premières lectures et aux premiers enchaînements. Avec humour, Brassard confirme cet état de fait :

«Ça ne l'a jamais intéressé : recommencer, arrêter, poser des questions, ça le tanne. Il n'aime pas ça[21].» Tremblay, en 1988, précisait son attitude : «Certains crient que ça ne m'intéresse pas, que je hais les répétitions, ou que mon texte écrit, ça ne m'intéresse plus. Non, je les laisse créer. [...] Je ne crois pas du tout à l'auteur omniprésent à la gauche du metteur en scène, lui susurrant des choses à l'oreille pendant que cette "engeance paranoïaque" que sont les acteurs se demande ce qui se passe...[22]».

C'est à cause de son rapport de travail avec les acteurs que Brassard a dû articuler de façon claire les enjeux des textes de Tremblay. Au début de la collaboration entre l'auteur et le metteur en scène, ce travail d'articulation et de précision du sens n'existait pas ; le non-dit que permet toute complicité humaine et artistique en tenait lieu. De plus, il y avait chez Tremblay et Brassard un rejet somme toute conscient d'un travail dramaturgique passant par l'utilisation d'un outillage intellectuel précis ; c'est que tous deux assimilaient ce type de travail à «l'intellectualisme parisien» contre lequel, au cours des années soixante, ils étaient en réaction, le considérant comme une marque de colonialisme culturel. «Quétaines et fiers de l'être !» disaient-ils à l'époque avec une joyeuse férocité[23]. En pensant de la sorte, Tremblay et Brassard n'agissaient pas tant en novateurs qu'en héritiers de cette tradition théâtrale, cristallisée ici par les Compagnons de saint Laurent, qui voudrait que tout travail «intellectuel» menace l'authenticité de la démarche artistique.

Pour Brassard, la recherche du sens semble être liée à celle du fonctionnement de la pièce, à son articulation concrète, à l'évolution psychologique des personnages. Lorsque Tremblay a terminé l'écriture d'un texte, il le lui fait lire. Et le metteur en scène travaille à comprendre ce qui se passe, dans le texte, avant de chercher à désigner ce qui s'y pense : il faut que tout soit clair. Le metteur en scène demande ensuite à l'auteur des précisions sur ce qu'il saisit mal. Tremblay décrit ainsi le processus : «Ce qu'il me dit surtout – parce que je lui raconte, avant, ce que la pièce va dire, ce que je pense qu'elle va vouloir dire – son argument ultime : "Tu m'avais dit que cette pièce voulait dire ça, y'en manque un bout. " C'est un argument irréfutable[24]. » Ainsi, il peut arriver que Tremblay récrive certains fragments. Cela peut aller jusqu'à l'ajout d'une scène complète : lors du travail sur *le Vrai Monde?*, Brassard a convaincu Tremblay qu'une scène manquait, soit la confrontation entre le père et le fils. Tremblay a écrit la scène qui termine la pièce. Cette scène, une confrontation manichéenne où tout le mal est rejeté sur le père, n'est pas celle que Brassard attendait : le metteur en scène a beau exprimer ses désirs, il laisse le champ libre à l'auteur. Tremblay se sent libre d'accepter ou de rejeter les suggestions de Brassard : ainsi, dans *la Maison suspendue*, le metteur en scène aurait souhaité un conflit dramatique plus fort entre les personnages de Jean-Marc et de Mathieu.

Dans le travail de répétition, Brassard joue beaucoup avec le texte. Par exemple, dans son ouvrage sur le metteur en scène, Claude Lapointe décrit les déplacements que Brassard a effectués à même le texte d'*Albertine, en cinq temps* :

> L'atelier d'Albertine a surtout servi à Brassard pour sa prise de possession du nouveau texte. Il l'a tourné sens dessus dessous, l'a démoli, reconstruit différemment, comme s'il manipulait un jeu de blocs, un casse-tête. Lors des vraies répétitions, ayant saisi la structure de l'œuvre, il lui a rendu sa forme originale... ou presque[25].

En effet, Brassard aménage les textes de Tremblay (et des autres auteurs qu'il met en scène) selon les exigences de sa mise en scène. Claude Lapointe fait remarquer qu'il utilise particulièrement les redites, les coupures et les entrecroisements de scènes. Ces altérations du texte original ont habituellement pour but d'augmenter l'efficacité théâtrale du texte. L'auteur et le metteur en scène ont passé une sorte d'accord tacite : Tremblay laisse Brassard modifier le texte pour la représentation, mais il publie la pièce comme il l'entend.

Brassard va supprimer ce qu'il perçoit comme des indications scéniques déguisées pour les remplacer par une action ou simplement une onomatopée. Il va couper des phrases pour corser davantage la tension dramatique ; par exemple, dans *l'Impromptu des deux «Presse»*, il a supprimé une première allusion que fait l'auteur à vingt ans sur le sujet de sa pièce pour ne garder que celle qui clôt la dernière réplique: «Qui c'est que ça va intéresser, quinze femmes qui collent des timbres![26]» – ce qui, à cause de l'effet de surprise, est beaucoup plus fort[27]. Si les coupures peuvent, à l'occasion, être mineures, elles sont parfois importantes: selon le comédien Gilles Renaud, l'équivalent de trente-cinq minutes de ce qui a été publié n'a pas été joué lors de la création des *Anciennes Odeurs*[28]. Pour ce qui est des créations, il s'agit là d'un cas exceptionnel. Par contre, pour les reprises, Brassard se permet plus de libertés; ainsi, lorsqu'il a remonté *l'Impromptu d'Outremont* en anglais au Centre Saidye Bronfman l'année suivant sa création, non seulement les quatre rôles féminins étaient-ils joués par des hommes, mais un bon tiers du texte avait été coupé.

Bien entendu, les modifications les plus significatives sont celles qui altèrent le sens. Car il existe un écart idéologique entre Tremblay et Brassard, que Tremblay résume ainsi: «Brassard cherche à montrer que l'homme n'est pas condamné. Moi, je suis convaincu du contraire[29].» Le travail théâtral de Brassard s'articule autour de la notion de choix. Le théâtre, pour lui, doit montrer que la marche du monde n'est pas inéluctable et que chaque parole, chaque geste n'est qu'une possibilité parmi tant d'autres. (En cela, il est proche de l'esprit du théâtre de Brecht.) Et la représentation théâtrale doit mettre en évidence ces diverses possibilités d'agir, faire comprendre et sentir que le monde peut changer et être changé[30]. Ainsi, dans la production d'*Albertine, en cinq temps*, le metteur en scène a supprimé la réplique d'Albertine à 70 ans qui précède l'épilogue: «De toute façon… ça vaut pas la peine de vieillir…[31]» «C'est la seule fois où nous nous sommes démarqués philosophiquement. Parce que c'était par rapport au destin et que je refuse d'admettre que ça existe, le destin[32].» Mais on peut aussi voir ce refus de l'inéluctable dans la suppression qu'a faite Brassard, lors de la création de *l'Impromptu d'Outremont*, de la salve de mitraillette sur laquelle se termine la pièce.

Au-delà de cette divergence de vue fondamentale, il faut aussi remarquer que l'ensemble des moyens scéniques mis en œuvre sert une vision du monde qui s'oppose à celle de l'auteur. Parmi ces moyens, il faut signaler particulièrement la direction d'acteurs ; pour Brassard, les personnages peuvent toujours agir autrement qu'en a décidé l'auteur. Avec les comédiens, il explore en répétition ces autres possibilités, afin de montrer le trajet de chaque personnage, placé devant une série de choix. Ainsi, le désespoir de Tremblay est continuellement relativisé par des orientations scéniques qui indiquent la possibilité de prendre sa vie en main, celle d'échapper au désespoir.

Un lecteur privilégié

Pendant de nombreuses années, on peut dire qu'au Québec, Brassard a exercé un quasi-monopole de la mise en scène des textes de Tremblay, non seulement pour les créations mais aussi pour les reprises. Mais depuis le début des années quatre-vingt, d'autres metteurs en scène, au Québec, ont abordé avec pertinence les œuvres de Tremblay : pensons en particulier à André Montmorency (*À toi, pour toujours, ta Marie-Lou*), René Richard Cyr (*Bonjour, là, bonjour*), Lorraine Pintal (*Hosanna*), Serge Denoncourt (*les Belles-Sœurs*), Brigitte Haentjens (*Bonjour, là, bonjour*) et Denise Filiatrault (*les Belles-Sœurs*). Mais il demeure que personne d'autre jusqu'ici n'a réabordé de façon globale l'œuvre de Tremblay, y conférant un sens qui se démarque-rait franchement de celui qu'a défini Brassard ; c'est toujours lui qui, en outre, assure la création des nouvelles pièces. Il fait remarquer qu'il est difficile pour lui d'avoir à dégager le sens des œuvres à mesure qu'elles jaillissent, sans posséder le regard rétrospectif que la connaissance des pièces qui suivent permet d'avoir. En préparant la mise en scène de *la Maison suspendue*, Brassard, faute de connaître la suite, avouait son incapacité à dire avec certitude s'il s'agissait vraiment là de la fin d'un cycle. C'est dire que Brassard ne considère pas l'œuvre de Tremblay comme une juxtaposi-tion de pièces mais comme un système fictionnel en conti-nuelle transformation, comme une matière complexe et inachevée qui approcherait de plus près, à chaque étape, de sa signification globale. Et Brassard est là, aux aguets, cher-chant à distinguer, dans la constellation de signes que lui propose régulièrement l'auteur, ceux qui le guideront dans cet univers en expansion.

Comme le fait remarquer Gilbert David, «[Brassard] s'est davantage affirmé lors de ses nouvelles mises en scène des œuvres de Michel Tremblay[33]». Pourtant, ces nouvelles lectures de pièces de Tremblay (pensons en particulier aux diverses reprises de *Bonjour, là, bonjour* faites autour d'une table), même si elles sont très personnelles à Brassard, ne sont pas des relectures radicales; Brassard s'y place toujours comme interprète et ne cherche pas à se substituer à l'auteur. Et parfois même, l'interprète ne propose pas de nouvelles pistes; *la Trilogie des Brassard*, par exemple, demeurait à l'intérieur de champs interprétatifs déjà définis.

Pour Brassard, l'œuvre de Tremblay, que ce soit dans sa phase «affirmative» jusqu'à *Damnée Manon, Sacrée Sandra*) ou dans sa phase actuelle, qui lui apparaît être plus interrogative, tourne autour d'une constante: «[...] le besoin de se réaliser de ces personnages-là. Ils ne savent pas comment s'y prendre parce qu'on ne le leur a pas dit, qu'ils n'ont jamais eu de modèle et qu'ils ont essayé pendant presque dix ans d'êtres eux-mêmes en se déguisant. [...] Et à partir du moment où l'on sait qu'il est inutile de se déguiser, il faut essayer de trouver qui l'on est[34].» Ainsi, les incertitudes identitaires sont, pour Brassard, ce qui constitue la trame du théâtre de Tremblay, incertitudes qui vont se nicher jusque dans des œuvres «volontaristes» comme *l'Impromptu d'Outremont* dont le sens réel ne serait pas tant la critique avouée de la vieille droite que l'incertitude d'une culture déchirée entre l'opéra et les *clubs* de la *Main*.

Avec soupçon et passion

On s'arrêtera un instant sur les concepts d'affirmation et d'interrogation que Brassard appose aux œuvres de Tremblay. Brassard, on l'a bien vu, est un artiste du soupçon, des possibilités multiples, un artiste du doute, dont l'univers est interrogation. Pourtant, c'est à partir du moment où l'œuvre de Tremblay devient, selon le metteur en scène, plus interrogative, qu'il se détache du dramaturge. Si Tremblay, comme on l'a lu précédemment, dit qu'après *Damnée Manon, Sacrée Sandra*, «Brassard a pris une autre tangente que la mienne[35]», il dissimule ainsi la nouvelle tangente qu'il prend lui-même à ce moment-là, avec la parution du premier tome des «Chroniques du Plateau Mont-Royal».

À partir de ce moment-là, qui commence en fait par le «j'ai… été… inventé… par… Michel» qui donne son sens à la conclusion de *Damnée Manon, Sacrée Sandra*, Tremblay, utilisant des doubles fictifs (l'enfant de la Grosse Femme/Jean-Marc, Claude), se place au centre de son œuvre romanesque, puis théâtrale. La parution de textes autobiographiques (*les Vues animées*, *Douze Coups de théâtre*) renforce cette stratégie, où Tremblay se positionne lui-même comme ultime sujet de son œuvre, théâtre y compris[36]. Or Brassard ne souhaite visiblement pas tenir compte de cette dimension de l'œuvre de Tremblay, dont il semble conscient, mais qu'il évite comme axe de travail, comme base de lecture. Dans son refus de contribuer au travail de mythification du dramaturge, Brassard fouille, en effet, ce que ces œuvres peuvent avoir d'interrogatif.

Si les collaborations entre André Brassard et Michel Tremblay ont pu être perçues comme des blocs monolithiques, c'est qu'elles l'ont été pendant un certain temps. Malgré leurs divergences de vues sur les finalités de l'art dramatique et sur le sens de l'œuvre de Tremblay, l'association entre le dramaturge et le metteur en scène semble encore féconde. La multiplication des reprises de pièces de Tremblay par d'autres metteurs en scène (depuis quelques années, il y en a au moins une par saison) montre deux choses : à quel point l'œuvre de Tremblay se prête à des visions scéniques différentes et à quel point les mises en scène de Brassard ont établi une lecture fondamentale des textes. Car c'est par rapport à la «manière Brassard» de monter Tremblay que les autres mises en scène sont reçues. (Chose certaine, Brassard se considère peu influencé dans son travail par ces nouvelles mises en scène.) Et si Brassard a cessé d'être un *alter ego* scénique pour devenir un lecteur privilégié, ses préoccupations personnelles éclairent et mettent sous tension une œuvre qu'il lit à la fois avec soupçon et passion.

NOTES

1. Pierre Lavoie, «"Par la porte d'en avant..." Entretien avec Michel Tremblay», *Cahiers de théâtre Jeu*, n° 47, 1988.2, p. 66.

2. Il est plus simple de nommer les pièces de Tremblay que Brassard n'a pas créées : *Trois Petits Tours...*, *les Paons*, *les Héros de mon enfance*, *les Grandes Vacances* et *le Gars de Québec*, ainsi que la version scénique du roman *C't'à ton tour, Laura Cadieux*.

3. Le surnom de Batman et Robin dans la bande dessinée et la télésérie *Batman*.

4. Michel Bélair, *Michel Tremblay*, Montréal, Presses de l'Université du Québec, coll. «Studio», 1972, p. 69.

5. Entretien avec André Brassard par l'auteur, 25 juin 1990.

6. Paul Lefebvre, «Tremblay/Brassard. Les beaux-frères», *MTL magazine*, septembre 1988, p. 70.

7. Rachel Cloutier, Marie Laberge et Rodrigue Gignac, «Entrevue avec Michel Tremblay», *Nord*, n° 1, automne 1971, p. 67.

8. Roch Turbide, «Michel Tremblay : Du texte à la représentation», *Voix & Images*, vol. 7, n° 2, hiver 1982, p. 218.

9. Michel Bélair mentionne *Caïn*, *Trouble-fête* et *la Corde au cou*, *op. cit.*, p. 67.

10. Entretien avec Michel Tremblay par Pierre Lavoie, *loc. cit.*, p. 66. *Caïn*, un film de Pierre Patry réalisé en 1965 d'après un roman inédit de Réal Giguère, aurait été l'exemple privilégié de ces discussions.

11. Entretien avec André Brassard par l'auteur, 25 juin 1990.

12. Michel Tremblay, après avoir écrit *les Belles-Sœurs*, avait envoyé le texte aux Éditions Parti pris.

13. Michel Tremblay, *En pièces détachées*, suivi de *la Duchesse de Langeais*, Montréal, Leméac, coll. «Répertoire québécois», n° 3, 1970, p. 60. Il est à noter que cette allusion au personnage de la duchesse a disparu de l'édition ultérieure d'*En pièces détachées* (Leméac, 1982, 93 p.), cette seconde édition étant conforme à la version télévisée de la pièce.

14. «À cette époque-là, je disais qu'il y avait deux institutions chez nous : les belles-sœurs et les *waitress*. Parce que nous nous tenions beaucoup dans les restaurants et que nous avions une grande affection pour les *waitress*. Elles étaient nos mères par procuration.» Entretien avec André Brassard par l'auteur, 25 juin 1990.

15. Cette série de courts métrages avait comme objectif de présen-
    ter au Canada anglais le Québec d'après la Révolution tran-
    quille.

16. Entretien avec André Brassard par l'auteur, 25 juin 1990. *Il était
    une fois dans l'Est* a été réalisé en 1973.

17. Entretien avec André Brassard par l'auteur, 25 juin 1990.

18. Roch Turbide, *loc. cit.*, p. 218.

19. Pierre Lavoie, *loc. cit.*, p. 66.

20. R. Cloutier, M. Laberge et R. Gignac, *loc. cit.*, p. 67.

21. Entretien avec André Brassard par l'auteur, 25 juin 1990.

22. Pierre Lavoie, *loc. cit.*, p. 67.

23. Entretien avec André Brassard par l'auteur, 25 juin 1990.

24. Pierre Lavoie, *loc. cit.*, p. 66.

25. Claude Lapointe, *André Brassard. Stratégies de mise en scène*,
    Montréal, VLB éditeur, 1990, p. 60.

26. Michel Tremblay, *l'Impromptu des deux «Presse»*, dans Centre
    d'essai des auteurs dramatiques, *20 ans*, Montréal, VLB éditeur,
    1985, p. 297.

27. Entretien avec André Brassard par l'auteur, 25 juin 1990.

28. Entretien téléphonique avec Gilles Renaud par l'auteur, 12 août
    1990.

29. Paul Lefebvre, «Tremblay/Brassard. Les beaux-frères», *MTL
    magazine*, septembre 1988, p. 72.

30. Consulter à ce sujet l'ouvrage précédemment cité de Claude
    Lapointe, en particulier le chapitre I: «Une approche de la
    pensée de Brassard», p. 17-40.

31. Michel Tremblay, *Albertine, en cinq temps*, Montréal, Leméac,
    coll. «Théâtre», n° 135, 1984, p. 100.

32. Entretien avec André Brassard par l'auteur, 25 juin 1990.

33. Gilbert David, «La mise en scène actuelle: mise en perspec-
    tive», *Études littéraires*, vol. 18, n° 3, hiver 1985, p. 62.

34. Entretien avec André Brassard par l'auteur, 25 juin 1990.

35. Roch Turbide, *loc. cit.*, p. 218.

36. On pourrait aussi dire que l'œuvre de Tremblay semble en ce
    moment en contraction après une longue expansion. L'œuvre-
    charnière serait *la Maison suspendue*, où Tremblay révèle les
    liens qui unissent les principaux personnages de son œuvre. Il

est encore tôt pour savoir si la tendance amorcée avec *Marcel poursuivi par les chiens* aura quelque écho, mais cette pièce donne l'impression de se situer à l'intérieur d'un cadre déjà solidement fixé, ajoutant une pièce à un *puzzle* dont l'image est somme toute presque entièrement définie. La pièce précise un point (pourquoi Marcel a-t-il choisi de demeurer fou?) au sein d'un plus vaste ensemble.

IV

Bio-bibliographie

Pierre Lavoie

Chronologie
de la vie et de l'œuvre
de Michel Tremblay

Toutes les œuvres de Michel Tremblay, publiées ou dont le texte est disponible sous une forme manuscrite ou audio-visuelle, figurent dans la bibliographie. Elles sont classées sous l'année de leur publication ou de leur rédaction, avec leurs rééditions et leurs traductions, selon le cas. Ne figurent pas dans la bibliographie la liste des chansons dont Michel Tremblay a été le parolier, non plus que les courts textes écrits pour des journaux et des revues.

Pour une théâtrographie et une bibliographie critiques détaillées (1964-1981), voir la «Bibliographie commentée» de Pierre Lavoie et Lorraine Camerlain, publiée dans *Voix & Images*, vol. VII, n° 2, hiver 1982, p. 225-306, ainsi que les dossiers de presse publiés par la bibliothèque du Séminaire de Sherbrooke, en deux volumes: *1966-1981*, 226 p.; *1974-1987*, 174 p., et les tomes IV (*1960-1969*), V (*1970-1975*) et VI *(1976-1980)* du *Dictionnaire des œuvres littéraires du Québec*, Montréal, Fides, 1984, 1987 et 1994.

Pour plus de détails, voir aussi la chronologie d'Aurélien Boivin, publiée dans *le Cœur découvert*, Montréal, Bibliothèque québécoise, coll. «Littérature», [1986] 1992, p. 407-414.

REPÈRES CHRONOLOGIQUES DES TITRES D'ŒUVRES PAR ORDRE ALPHABÉTIQUE

À toi, pour toujours, ta Marie-Lou : 1971
Albertine, en cinq temps : 1984
Anciennes Odeurs (les) : 1981
Au pays du dragon : 1972
Au tour de Nana : 2002

Belles-Sœurs (les) : 1968
Bonbons assortis : 2002
Bonjour, là, bonjour : 1974

C't'à ton tour, Laura Cadieux : 1973
Camino Real : 1979
Cinq : 1966
Cité dans l'œuf (la) : 1969
Cœur découvert (le). Roman d'amours : 1986
Cœur éclaté (le) : 1993
Contes pour buveurs attardés : 1966

Damnée Manon, Sacrée Sandra : 1977
Demain matin, Montréal m'attend : 1972
Des nouvelles d'Édouard : 1984
Douze Coups de théâtre : 1992
Duchesse de Langeais (la) : 1970
Duchesse et le Roturier (la) : 1982

Effet des rayons gamma sur les vieux-garçons (l') : 1970
En circuit fermé : 1994
En pièces détachées : 1966
Encore une fois, si vous permettez : 1998
…Et mademoiselle Roberge boit un peu… : 1971
État des lieux (l') : 2002
Ex-Femme de ma vie (l') : 1994

Françoise Durocher, waitress : 1972

Gars de Québec (le) : 1985
Grace et Gloria : 1998

Grand Jour (le) : 1988
Grandes Vacances (les) : 1981

Héros de mon enfance (les) : 1976
Hosanna : 1973
Hôtel Bristol New York, N.Y. : 1999

Il était une fois dans l'Est : 1973
Impératif présent : 2003
Impromptu d'Outremont (l') : 1980
Impromptu des deux «Presse» (l') : 1985

J'ramasse mes p'tits pis j'pars en tournée : 1981

L'homme qui entendait siffler une bouilloire : 2001
La grosse femme d'à côté est enceinte : 1978
Le soleil se lève en retard : 1977
Leçons de Maria Callas (les) : 1996
Les loups se mangent entre eux : 1990
Lysistrata : 1969

Mademoiselle Marguerite : 1975
Maison suspendue (la) : 1990
Mambo Italiano : 2000
Marcel poursuivi par les chiens : 1992
Messe solennelle pour une pleine lune d'été : 1996
Mistero Buffo : 1973

Nelligan : 1990
Nous affichons complet : 2004
Nuit des princes charmants (la) : 1995

Oncle Vania d'Anton Tchekhov : 1983

Paons (les) : 1969
Parlez-nous d'amour : 1976
Passé antérieur (le) : 2003
Picasso au Lapin Agile : 1997
Piège pour un homme seul : 2002
Premier Quartier de la lune (le) : 1989
Premières de classe : 1992

Quarante-Quatre Minutes, quarante-quatre secondes : 1997
Qui a peur de Virginia Woolf? : 1988

Pierre LAVOIE

Rien à voir avec les rossignols : 2000

Sainte Carmen de la Main : 1976
Six Heures au plus tard : 1986
Six Monologues en forme de mots d'auteur : 1977
Socles (les) : 1979
Spot idéal (le) : 2001
Surprise! Surprise! : 1977

Thérèse et Pierrette à l'école des Saints-Anges : 1980
Train (le) : 1964
Trois Petits Tours... : 1971
Trompettes de la mort (les) : 1991

Un ange cornu avec des ailes de tôles : 1994
Un objet de beauté : 1997

Ville Mont-Royal ou «Abîmes» : 1972
Vrai Monde? (le) : 1987
Vues animées (les) : 1990

CHRONOLOGIE

BIBLIOGRAPHIE

1942

Naissance de Michel Tremblay, le 25 juin, à Montréal (rue Fabre, sur le Plateau Mont-Royal), fils de Rhéauna Rathier et d'Armand Tremblay, pressier.

1948-1959

Études primaires et secondaires jusqu'à la onzième année. En 1955, il reçoit une bourse d'études de la Province de Québec.

1959-1968

Livreur au Ty-Coq B.B.Q., il s'inscrit à 18 ans à l'Institut des Arts graphiques, où il apprend le métier de linotypiste. Typographe à l'Imprimerie judiciaire de Montréal, il exerce son métier de linotypiste jusqu'en 1966. De septembre 1966 à décembre 1967, il est magasinier au département des costumes de Radio-Canada.

1964

Drame en un acte, écrit en 1959 et télédiffusé à Radio-Canada (CBFT) le 7 juin 1964, dans une réalisation de Charles Dumas.

Création sur scène par le Théâtre de la Place, à la Place Ville-Marie, avec *le Triangle et le Hamac* d'André Ricard et *la Sortie* de Jacques Ferron, sous le titre général de *Canapés*, le 14 septembre 1965, dans une mise en scène de Pascal Desgranges.

1964

Le Train

Montréal, Société Radio-Canada, Concours des jeunes auteurs, 1964.

Montréal, Leméac, coll. «Théâtre», n° 187, 1990, 50 p. [«Ma toute première pièce...», par Michel Tremblay, p. 9-10; Texte, p. 11-50.]

CHRONOLOGIE

Premier prix du Concours des jeunes auteurs de Radio-Canada pour *le Train*.

Rencontre d'André Brassard, partenaire artistique privilégié et metteur en scène de la quasi-totalité de son théâtre.

1965
Écriture des *Belles-Sœurs*.

1966

Créée au Patriote par le Mouvement Contemporain, le 16 décembre 1966, dans une mise en scène d'André Brassard.

Créée au Théâtre de Quat'Sous, le 22 avril 1969, dans une mise en scène d'André Brassard.

Télédiffusée à Radio-Canada (CBFT), dans la série «les Beaux Dimanches», le 7 mars 1971, dans une réalisation de Paul Blouin.

BIBLIOGRAPHIE

1966

Cinq

Ottawa, Bibliothèque nationale du Canada, Division des manuscrits. Six pièces en un acte : *Solo, Duo, Trio, Quatuor 1, Quatuor 2, Quintette.*

En pièces détachées
[nouvelle version de *Cinq*]

Montréal, Leméac, coll. «Répertoire québécois», n° 3, 1970, 94 p., suivi de *la Duchesse de Langeais*. [«Michel Tremblay, un an après *les Belles Sœurs...*» [*sic*], préface de Jean-Claude Germain, p. 7-9 ; Texte : p. 11-63.]

Montréal, Leméac, coll. «Répertoire québécois», n° 22, [1972] 1976, 92 p. [Version pour la télévision.]

Montréal, Leméac, coll. «Français langue seconde», n° 4, 1972, 92 p. [Édition scolaire pour l'enseignement du français langue seconde, préparée et annotée par Lucie Desaulniers.]

CHRONOLOGIE	BIBLIOGRAPHIE

Montréal, Leméac, coll. «Français langue seconde – série théâtre», [1972] 1974, 109 p., ill.

Montréal, Leméac, coll «Théâtre», nº 116, [1972] [1982] [1989] [1994] 1999, 92 p., ill.

Création de la cinquième version, en 1994, au Théâtre du Nouveau Monde, dans une mise en scène de René Richard Cyr.

Like Death Warmed Over, Toronto, Play-wrights Co-op, 1973, 49 p. Traduction d'Allan Van Meer.

Montreal Smoked Meat, Vancouver, Talonbooks, 1975, 110 p. Traduction d'Allan Van Meer.

Broken Pieces, Vancouver, Talonbooks, 1975, 110 p. Traduction d'Allan Van Meer.

Counter Service, traduction de John Van Burek.

Ȋn Cioburi, traduction en roumain de Petre Bokor, dans *Tremblay în cinci timpi*, Bucarest, Ed. Viitorul Românesc, 1999, 447 p.

Contes pour buveurs attardés

Quatre contes faisaient partie du spectacle *Messe noire*, créé en 1965 par le Mouvement Contemporain, au Théâtre des Saltimbanques, dans une mise en scène d'André Brassard: *Angus*; *Wolfgang, à son retour*; *Les Noces* [non édité]; *Maouna*.

Montréal, Éditions du jour, coll. «les Romanciers du jour», nº R-18, 1966, 158 p.

Montréal, Éditions du jour, coll. «le Petit Jour», nº 84, 1979, 158 p.

Montréal, Éditions Alain Stanké, coll. «10/10», nº 75, 1985, 172 p. [Première partie: Histoires racontées par des buveurs: *Le Pendu*; *Circé*; *Sidi bel Abbes ben Becar*; *L'Œil de l'idole*; *Le Vin de Gerblicht*; *Le Fantôme de Don Carlos*; *Le Soûlard*.

CHRONOLOGIE	BIBLIOGRAPHIE

Deuxième partie: Histoires racontées pour des buveurs: *La Dernière Sortie de Lady Barbara*; *Angus ou la Lune vampire*; *Maouna*; *La Treizième Femme du baron Klugg*; *Monsieur Blink*; *La Danseuse espagnole*; *Amenachem*; *Les Escaliers d'Erika*; *Le Warugoth-Shala*; *Wolfgang, à son retour*; *Douce Chaleur*; *Les Mouches bleues*; *Jocelyn, mon fils*; *Le Dé*; *La Femme au parapluie*; *La Dent d'Irgak*; *La Chambre octogonale*; *Le Diable et le Champignon*. Dossier: *Contes pour buveurs attardés* (texte inédit de Michel Tremblay), p. 161; «Extraits de la critique», p. 163-164; «Études sur l'œuvre de Michel Tremblay», p. 165.]

Montréal, la Littérature de l'oreille, 1987, 31 p. [Avec une cassette de soixante minutes sur laquelle on trouve les contes suivants: *Le Pendu*; *Circé*; *Amenachem*; *Le Diable et le Champignon*.]

Montréal, Bibliothèque québécoise [1966] 1996, 184 p. [«Avant-propos» de Michel Tremblay, p. 7-9; Texte: p. 11-164; Chronologie et Bibliographie, par Aurélien Boivin, p. 165-183.]

Stories for Late Night Drinkers, Vancouver, Intermedia, 1977, 123 p. Traduction de Michael Bullock.

Traduction en russe.

1967-1968

Boursier du Conseil des Arts du Canada, il se rend au Mexique, en janvier 1968, où il écrit *la Cité dans l'œuf* et *la Duchesse de Langeais*.

CHRONOLOGIE

BIBLIOGRAPHIE

1968

Les Belles-Sœurs

Écrite en 1965, cette pièce fut créée le 28 août 1968, au Théâtre du Rideau Vert, à Montréal, dans une mise en scène d'André Brassard.

Montréal, Holt, Rinehart et Winston, coll. «Théâtre vivant», n° 6, 1968, 70 p. [«J'ai eu le coup de foudre», préface de Jean-Claude Germain, p. 3-5; «Quand le metteur en scène...», par André Brassard, p. 6; Texte: p. 7-70 (pour la première édition), p. 7-71 (pour la deuxième édition).]

Télédiffusée à Radio-Canada (réseau anglophone), en mars 1979.

Montréal, Leméac, coll. «Théâtre canadien», n° 26, 1972, VII, 156 p., ill. [«Les *Belles-Sœurs* de Michel Tremblay cinq ans après», préface d'Alain Pontaut, p. I-VII; Texte: p. 9-109; «Les personnages dont on parle, mais qu'on ne voit pas dans "les Belles-Sœurs"», par André Brassard, p. 111-117; «J'ai eu le coup de foudre», par Jean-Claude Germain, p. 119-125; «Quand le metteur en scène...», par André Brassard, p. 127-130; «La pièce devant la critique», p. 131-156.]

Télédiffusée à la télévision polonaise (Cracovie) en octobre 1993, dans une traduction de Jozef Kwaterko et une réalisation de Barbara Saa-Zdort.

Long métrage produit par Cité-Amérique, en 2002, en coproduction avec l'Angleterre. Scénario: Chris Mandby; réalisation: John N. Smith.

Théâtre I, Montréal/Paris, Leméac/Actes Sud-Papiers, 1991, 439 p. [*Les Belles-Sœurs* (1965), p. 7-76.]

Montréal, Leméac, coll. «Théâtre», n° 26, [1972] 1992, VII, 156 p., ill.

Vancouver, Talonbooks, 1974, 114 p. Traduction anglaise de John Van Burek et de Bill Glassco.

CHRONOLOGIE	BIBLIOGRAPHIE

The Guid-Sisters, traduction de l'écossais par William Findley et Martin Bowman, Glasgow, Tron Theatre, 1989, 121 p.

Vancouver, Talonbooks, 1991, 111 p. Traduction anglaise de John Van Burek et de Bill Glassco.

The Guid Sisters and Other Plays, London, Nick Hern Books, 1991, XV, 154 p. [«Introduction», par Annika Bluhm, p. VII-XV; *The Guid Sisters*, p. 1-68, traduction écossaise de William Findlay et Martin Bowman; *Manon/Sandra*, p. 69-100, traduction anglaise de John Van Burek; *Albertine, in Five Times*, p. 101-147, traduction anglaise de John Van Burek et de Bill Glassco; «Stage Histories and Chronology», p. 149-154.]

Traduction en tamoul par K. Madanagobalane, Suda Mahalingam, R. Kichenamourty, C. Rajeswary, R. Venguattaramane, S. Pannirselvame, Pondicherry, Samhita Publications, 1998, 177 p.

Les Cunyades, traduction du catalan par Antoni Navarro, Alzira, Edicions Bromera, 1999, 158 p.

Édition critique des *Belles-Sœurs* par Rachel Killick, London, Bristol Classical Press, 2000.

Autres traductions: *Jam* par Ayshe Raif (anglais, Londres); *Hen Night* par Ayshe Raif (adaptation anglaise, Londres); *The Good Sisters*, par Noel Greig (northern

CHRONOLOGIE

BIBLIOGRAPHIE

dialect, Londres); *Las Cunadas* par Morgan Desmond et Jose Fuster Retalli (espagnol); *Schwesterherzchen* par Hanspeter Plocher (allemand, dans *Canadiana Romanica*, vol. 2, Max Niemeyer Verlag, 1987, 83 p.); *Cumetrele* par Petre Bokor (roumain, dans *Tremblay în cinci timpi*, Bucarest, Ed. Viitorul Românesc, 1999, 447 p.); *Siostrzyezki* par Jozef Kwaterko (polonais, dans *Dialog*, n° 8, 1990); *Di Shvegerins* par Pierre Anctil (yiddish); *Le Cognate* par Jean-René Lemoine et Francesca Moccagatta (italien, dans *Il Teatro del Québec*, Milano, Ubulibri, 1994, p. 25-74); *Tripotay* par Marie-Yardly Kavanagh (créole haïtien); traduction en hongrois par Nagy Lajos; traduction en slovène (Théâtre municipal de Ljubljana); traduction franco-judéo-arabe du Maroc par Solly Lévy; *De Schoonzusters* par Brigitte De Man (néerlandais); adaptation française pour la Belgique, par Gudule Zuyten.

1969

Créée au Centre national des Arts, à Ottawa, le 2 juin 1969, dans une mise en scène d'André Brassard.

1969

Lysistrata

D'après Aristophane. Montréal, Leméac, coll. «Répertoire québécois», n° 2, 1969, 93 p. [Adaptation d'André Brassard et de Michel Tremblay.]

Montréal, Leméac, coll. «Traduction et adaptation», 1994, 99 p.

CHRONOLOGIE	BIBLIOGRAPHIE

Les Paons

Créée le 11 février 1970, par l'Atelier, au Studio du Centre national des Arts, à Ottawa, dans une mise en scène de Jean Lefebvre.

Montréal, [Centre d'essai des auteurs dramatiques, 1969], 55 p. [non publié]. [Pièce écrite en 1967.]

La Cité dans l'œuf

Montréal, Éditions du jour, coll. «les Romanciers du jour», n° R-38, 1969, 177 p.

Montréal, Éditions Alain Stanké, coll. «10/10», n° 74, 1985, 191 p. [Dossier: *La Cité dans l'œuf* (texte inédit de Michel Tremblay), p. 185; «Extraits de la critique», p. 186-187; «Études sur l'œuvre de Michel Tremblay», p. 188.]

Montréal, Bibliothèque québécoise, [1969] 1997, 206 p. [«Un travestissement étrangement révélateur» de Michel Lord, p. 7-14; Texte: 15-184; Chronologie et Bibliographie par Aurélien Boivin, p. 185-203.]

The City in the Egg, traduction anglaise de Michael Bullock, Vancouver, Ronsdale Press, 1999, 160 p.

1970

1970

La Duchesse de Langeais

Créée par les Insolents de Val d'Or , au printemps 1969, dans une mise en scène d'Hélène Bélanger.

Montréal, Leméac, coll. «Répertoire québécois», n° 3, 1970, 94 p., précédée d'*En pièces détachées*. [«Michel Tremblay, un an après *les Belles Sœurs...*» [*sic*], préface de Jean-Claude Germain, p. 7-9; Texte: 65-94.]

CHRONOLOGIE	BIBLIOGRAPHIE
Production télévisuelle, en anglais, Toronto, Sleeping Giant Productions, 1994.	Montréal, Leméac, coll. «Répertoire québécois», n°s 32-33, 1973, 106 p., ill., précédée d'*Hosanna*. [Texte: p. 77-106.]
	Montréal, Leméac, coll. «Théâtre», n° 137, [1973] 1984, 106 p., précédée d'*Hosanna*. [Texte: p. 77-106.]
Trophée Méritas pour la meilleure pièce de l'année: *les Belles-Sœurs*.	*Théâtre I*, Montréal/Paris, Leméac/Actes Sud-Papiers, 1991, 439 p. [*La Duchesse de Langeais* (1968), p. 77-95.]
	La Duchesse & Other Plays, Vancouver, Talonbooks, [1976] 1993, 125 p. Traduction anglaise de John Van Burek. [Texte: p.7-30; *Berthe*, p.31-40; *Johnny Mangano and His Astonishing Dogs*, p.41-70; *Gloria Star*, p.71-91; *Surprise, Surprise*, p. 93-125.]
	Traduction anglaise de John Van Burek, dans *Solo*, Jason Sherman Ed., Toronto, Coach House Press, 1994, p. 213-230.

L'Effet des rayons gamma sur les vieux-garçons

Créée au Théâtre de Quat'Sous, le 18 septembre 1970, dans une mise en scène d'André Brassard.	Montréal, Leméac, coll. «Traduction et adaptation», n° 1, 1970, 71 p. Traduction et adaptation du texte de Paul Zindel, *The Effect of Gamma Rays on Man-in-the-Moon Marigolds*. [«Béatrice, Corneille et nous...», préface d'Alain Pontaut, p. 7-8; Texte: p. 9-71.]

CHRONOLOGIE

1971

Télédiffusée à Radio-Canada (CBFT), dans la série «les Beaux Dimanches», le 21 décembre 1969, dans une réalisation de Paul Blouin.

Boursier du Conseil des Arts du Canada, il se rend à Paris, où il commence la rédaction de *C't'à ton tour, Laura Cadieux.*

Reçoit un Etrog pour le meilleur scénario, catégorie court métrage, pour *Françoise Durocher, waitress.*

Reçoit un Etrog (avec André Brassard) pour la meilleure œuvre, catégorie télévision, pour *Françoise Durocher, waitress.*

BIBLIOGRAPHIE

1971

Trois Petits Tours...

Montréal, Leméac, coll. «Répertoire québécois», nº 8, 1971, 64 p. Tryptique composé de *Berthe*, p. 9-17; *Johnny Mangano and His Astonishing Dogs*, p. 19-46; *Gloria Star*, p. 47-64. [Pièces écrites en 1969.]

Montréal, Leméac, coll. «Théâtre», nº 151, [1986] 1994, 85 p. [*Berthe*, p. 11-20; *Johnny Mangano and His Astonishing Dogs*, p. 21-58; *Gloria Star*, p.59-85.]

La Duchesse & Other Plays, Vancouver, Talonbooks, [1976] 1993, 125 p. Traduction anglaise de John Van Burek. [*La Duchesse de Langeais*, p. 7-30; *Berthe*, p. 31-40; *Johnny Mangano and His Astonishing Dogs*, p. 41-70; *Gloria Star*, p.71-91; *Surprise, Surprise*, p.93-125.]

Autre traduction: *Johnny Mangano...* en allemand, par Hubert Von Bechtolsheim; *Johnny Mangano...* en anglais, par Arlette Francière, sous le titre *Cues and Entrances*, publiée par Henry Beissel en 1977.

Adaptation liégeoise [non disponible].

CHRONOLOGIE

Créée au Théâtre de Quat'Sous,
le 29 avril 1971, dans une mise
en scène d'André Brassard.

BIBLIOGRAPHIE

À toi, pour toujours,
ta Marie-Lou

Montréal, Leméac, coll. «Théâtre
canadien», n° 21, 1971, 94 p.,
ill. [«À toi, pour toujours, ta
Marie-Lou ou quand Michel
Tremblay se permet d'espérer»,
préface de Michel Bélair, p. 5-
31; Texte: p. 33-94.] [Pièce
écrite en 1970.]

Montréal, Leméac, coll. «Théâtre»,
n° 21, [1971] [1991] 1992, 94
p., ill.

Théâtre I, Montréal/Paris,
Leméac/Actes Sud-Papiers,
1991, 439 p. [*À toi, pour*
toujours, ta Marie-Lou (1970),
p. 97-139.]

Forever Yours, Marie-Lou,
Vancouver, Talonbooks, 1975,
86 p. Traduction anglaise de
John Van Burek et de Bill
Glassco.

A ta pe veci, ta Marie-Lou
(traduction roumaine de Petre
Bokor, dans *Tremblay în cinci*
timpi, Bucarest, Ed. Viitorul
Românesc, 1999, 447 p.)

Autres traductions: *Für dich,*
ewig, deine Luise (allemand);
Forever Yours, Marie-Lou par
Merwan P. Mehta (anglais);
Forever Yours, Marie-Lou par Jill
Morris (anglais, Londres); *Din*
for evigt Marie Louise par Lars
Willum (danois); *Tua para*
semple, Marie-Lou par Roger
Ramalhete et Carole Galaise
(portugais); *Twoja na zawsze*

CHRONOLOGIE

BIBLIOGRAPHIE

Marie-Lou par J. Lagowska et A. Zakrzewski; *Tua per sempre Maria-Luisa* (italien); *Per a tu, per sempre, de la Teve, Emparives* (catalan, par Antoni Navarro); *Forever Yours, Marie-Lou* (écossais, par Martin Bowman et Bill Findlay).

...Et mademoiselle Roberge boit un peu...

Créée par la Compagnie des Deux Chaises, le 14 septembre 1971, au Théâtre Maisonneuve de la Place des Arts, à Montréal, dans une mise en scène d'André Brassard.

Montréal, Leméac, coll. «Traduction et adaptation», n° 3, 1971, 95 p. Traduction et adaptation du texte de Paul Zindel, *And Miss Reardon Drinks a Little*.

1972

1972

Créée au Théâtre de Quat'Sous, le 13 janvier 1972, dans une mise en scène d'André Brassard, et précédée d'un extrait de *Berthe*.

Au pays du dragon

Traduction et adaptation de Michel Tremblay de quatre pièces en un acte de Tennessee Williams: *Talk to Me Like the Rain and Let Me Listen*; *Hello from Bertha*; *The Lady of Larkspur Lotion*; *I Can't Imagine Tomorrow*. [*J'peux pas m'imaginer demain*, Montréal, École nationale de théâtre du Canada, 41 p.; *La Dame aux longs gants gris*, Montréal, École nationale de théâtre du Canada, 19 p.; *Parle-moi comme la pluie, pis laisse-moi écouter*, 15 p.; *Hello from Bertha*, 30 p.] [non publié]

Trophée Méritas pour la meilleure pièce de l'année, *À toi, pour toujours, ta Marie-Lou.*

Chalmers Award pour *À toi, pour toujours, ta Marie-Lou.*

CHRONOLOGIE

Comédie musicale créée au Jardin des étoiles de Terre des Hommes, le 4 août 1970, dans une musique de François Dompierre et une mise en scène d'André Brassard.

Nouvelle version créée le 5 décembre 1995 au Théâtre Saint-Denis I par Sortie 22, dans une mise en scène de Denise Filiatrault.

Créée dans *l'Immaculée-Création*, le 8 décembre 1972, une production du Centre d'essai des auteurs dramatiques pour protester contre la politique du ministère des Affaires culturelles.

Télédiffusé à Radio-Canada (CBFT), le 8 octobre 1972.

1973

Créée au Théâtre de Quat'Sous, le 10 mai 1973, dans une mise en scène d'André Brassard.

Télédiffusée à Radio-Québec (CIVM-TV) en 1991, dans une réalisation de Lorraine Pintal.

BIBLIOGRAPHIE

Demain matin, Montréal m'attend

Montréal, Leméac, coll. «Répertoire québécois», n° 17, 1972, 90 p. [Deuxième version.]

Montréal, Leméac, coll. «Théâtre», 1995, 89 p. [Nouvelle version pour la scène.]

Disque 33 tours, sous étiquette «Les Belles-Sœurs».

Ville Mont-Royal ou «Abîmes»

«Une belle pièce d'un acte en bon français dédicacée à Madame Claire Kirkland-Casgrain.» *Le Devoir*, 28 octobre 1972, p. XVII.

Françoise Durocher, waitress

Office national du film, 1972, 29 minutes. Scénario de Michel Tremblay, réalisation d'André Brassard.

1973

Hosanna

Montréal, Leméac, coll. «Répertoire québécois», n°s 32-33, 1973, 106 p., ill., suivi de *la Duchesse de Langeais*. [Texte: p. 7-75.] [Pièce écrite en 1971-1972.]

Montréal, Leméac, coll. «Théâtre», n° 137, [1973] 1984, 106 p., ill., suivi de *la Duchesse de Langeais*. [Texte: p. 7-75.]

CHRONOLOGIE	BIBLIOGRAPHIE
	Théâtre I, Montréal/Paris, Leméac/Actes Sud-Papiers, 1991, 439 p. [*Hosanna* (1971), p. 141-185.]
Chalmers Award pour *les Belles-Sœurs*.	Vancouver/Los Angeles, Talonbooks, 1974, 102 p. Traduction anglaise de John Van Burek et de Bill Glassco.
	Vancouver, Talonbooks, 1991, 87 p. Traduction anglaise (révisée) de John Van Burek et de Bill Glassco.
	Autres traductions : *Stuck in zwei Akten* par Reiner Escher (en allemand) ; en allemand par Kurt Schwabel ; en portugais par Maria Pompeu ; en néerlandais ; en hébreu ; en japonais par Yoshi Yoshihara ; *Hoosianna* (en finlandais, par Suomennos Reita Lounatvuori) ; en italien par Alessandro Clericuzio.

C't'à ton tour, Laura Cadieux

CHRONOLOGIE	BIBLIOGRAPHIE
Adaptation théâtrale réalisée par Claude Poissant et créée par l'Atelier Contemporain, à l'Université de Montréal, en janvier 1974.	Montréal, Éditions du jour, coll. « les Romanciers du jour », n° R-94, 1973, 137 p.
	Montréal, Éditions Alain Stanké, coll. « 10/10 », n° 73, 1985, 149 p. [Dossier : *C't'à ton tour, Laura Cadieux* (texte inédit de Michel Tremblay), p. 141 ; « Extraits de la critique », p. 143 ; « Études sur l'œuvre de Michel Tremblay », p. 144.]
Télédiffusée à Radio-Québec (CIVM-TV), le 24 septembre 1978, dans une adaptation de Pierre Fortin et de Guy Leduc.	Montréal, Bibliothèque québécoise, [1973] 1997, 149 p. [« Les beautés de Laura Cadieux », introduction de Manon Gauthier,

CHRONOLOGIE

Montréal, Cinémaginaire, 1998, (long métrage). [Scénario: Michel Tremblay; réalisation: Denise Filiatrault.]

C't'à ton tour, Laura Cadieux... la suite, Montréal Cinémaginaire, 1999, (long métrage). [Scénario: Michel Tremblay; réalisation: Denise Filiatrault.]

It's your Turn, Now, Laura Cadieux, traduction anglaise du scénario de Denise Filiatrault par Kathleen Fleming.

Le Petit Monde de Laura Cadieux, série de sept émissions d'une heure, scénarisée et réalisée par Denise Filiatrault. Montréal, Cinémaginaire, diffusée à compter du 5 avril 2003 sur les ondes de Séries + et de TVA, au cours de la saison 2003-2004.

Créée au Théâtre du Nouveau Monde, à Montréal, le 14 décembre 1973, dans une mise en scène d'André Brassard.

BIBLIOGRAPHIE

p. 7-10; Texte: p. 11-129; Chronologie et Bibliographie par Aurélien Boivin, p. 131-149.

It's your Turn, Now, Laura Cadieux, traduction anglaise de John Van Burek.

Mistero Buffo

Traduction et adaptation de Michel Tremblay du texte original de Dario Fo [non publié]. [Manuscrit disponible à la Division des manuscrits des Archives nationales du Canada, à Ottawa.]

Il était une fois dans l'Est

Montréal, Ciné/Art, les Productions Carle-Lamy, 1973, 100 minutes. [Scénario d'André Brassard et Michel Tremblay; dialogues de Michel Tremblay; réalisation d'André Brassard.]

CHRONOLOGIE	BIBLIOGRAPHIE
	Montréal, l'Aurore, coll. « les Grandes Vues », 1974, 108 p., ill. [Synopsis, p. 11; 102 séquences.]
1974	**1974**
	Bonjour, là, bonjour
Créée par la Compagnie des Deux Chaises, le 22 août 1974, au Centre national des Arts, à Ottawa, dans une mise en scène d'André Brassard.	Montréal, Leméac, coll. «Théâtre canadien», n° 41, 1974, 105 p., ill. [«Pour l'amour du bonjour», préface de Laurent Mailhot, p. 9-19; Texte: p. 21-105.]
	Montréal, Leméac, coll. «Théâtre», n° 41, [1987] 1992, 105 p., ill. [Les prénoms d'Albertine et de Gabriel ont été changés pour ceux de Gilberte et d'Armand.]
Télédiffusée à Radio-Canada (CBFT), en 1993, dans une réalisation de Jean-Yves Laforce.	*Théâtre I*, Montréal/Paris, Leméac/Actes Sud-Papiers, 1991, 439 p. [*Bonjour, là, bonjour* (1974), p. 187-240.]
	Vancouver/Los Angeles, Talonbooks, 1975, 93 p. Traduction anglaise de John Van Burek et de Bill Glassco.
Prix Victor-Morin de la Société Saint-Jean-Baptiste de Montréal pour l'ensemble de son œuvre.	Vancouver, Talonbooks, 1988, 86 p. Traduction anglaise de John Van Burek et de Bill Glassco.
Chalmers Award pour *Hosanna*.	Autres traductions: japonais; turc; portugais (par Maria Pompeu); letton (revue *Avots*); suédois (par Lennart Harrysson).

CHRONOLOGIE

1975

Créée au Théâtre du Nouveau Monde, le 2 septembre 1975, dans une mise en scène de Jean Dalmain.

Bourse du Conseil des arts du Canada pour un séjour d'un an à Paris.

Chalmers Award pour *Bonjour, là, bonjour.*

1976

Comédie musicale créée au Théâtre de Marjolaine, à Eastman, le 26 juin 1976, dans une mise en scène de Gaétan Labrèche et une musique de Sylvain Lelièvre.

Créée par la Compagnie Jean-Duceppe, le 20 juillet 1976, au Théâtre Maisonneuve de la Place des Arts, à Montréal, dans le programme «Arts et Culture» des Jeux Olympiques, dans une mise en scène d'André Brassard.

Télédiffusée à Radio-Québec (CIVM-TV), le 7 avril 1980, dans une réalisation d'André Brassard.

BIBLIOGRAPHIE

1975

Mademoiselle Marguerite

Montréal, Leméac, coll. «Traduction et adaptation», n° 6, 1975, 96 p. Traduction et adaptation du texte de Roberto Athayde, *Aparaceu a Margarida.*

1976

Les Héros de mon enfance

Montréal, Leméac, coll. «Théâtre», n° 54, [1976] 1992, 101 p., ill. [«Avant-propos», par Michel Tremblay, p. 7-8 ; Texte : p. 11-101.] [Pièce écrite en 1975.]

Sainte Carmen de la Main

Montréal, Leméac, coll. «Théâtre», n° 57, 1976, XVIII, 83 p. [«Sainte Carmen de la Main de Michel Tremblay», préface d'Yves Dubé, p. VII-XVIII ; Texte : p. 1-81.] [Pièce écrite en 1975.]

Montréal, Leméac, coll. «Théâtre», n° 57, [1976] [1989] [1991], 1999, 89 p. [Dans les rééditions de 1989, de 1991 et de 1999, la préface a été supprimée.]

Théâtre I, Montréal/Paris, Leméac/Actes Sud-Papiers, 1991, 439 p. [*Sainte Carmen de la Main* (1975), p. 241-281.]

CHRONOLOGIE	BIBLIOGRAPHIE

Adaptée par Michel Ouimet, sous le titre *Sainte Carmen de Montréal*, pour les Ateliers de Lyon, 1989.

Sainte-Carmen of the Main, Vancouver, Talonbooks, [1978] 1981, 77 p. Traduction anglaise de John Van Burek.

Prix du lieutenant-gouverneur de l'Ontario pour l'ensemble de son œuvre.

Autres traductions: adaptation anglaise pour un opéra par Lee Devin et Sydney Hodkinson; version radiophonique anglaise par Caroline Raphael Hodkinson; *Heilege Carmen Van de Kaap* par Gerard Willegers (en néerlandais); *Main Kadun Pyha Carmen*, en finlandais.

Parlez-nous d'amour

Montréal, Films 16, 1976, 122 minutes. [Scénario: Michel Tremblay; réalisation: Jean-Claude Lord.]

1977

1977

Six Monologues en forme de mots d'auteur

Créée par les étudiants de l'École nationale de théâtre, à Montréal, le 16 février 1977.

Montréal, École nationale de théâtre du Canada, [1977], 43 p. [non publié]. [Texte disponible sous le titre: *Six Personnages en quête de mots d'auteur: Thomas Pollock Nageoire*, p. 1-6; *Phèdre*, p. 7-12; *Méphistophélès*, p. 13-20; *Jeanne d'Arc*, p. 21-28; *Néron*, p. 29-35; *Martha*, p. 36-43.]

CHRONOLOGIE	BIBLIOGRAPHIE

Damnée Manon, Sacrée Sandra

Créée au Théâtre de Quat'Sous, le 24 février 1977, dans une mise en scène d'André Brassard.

Montréal, Leméac, coll. «Théâtre», n° 62, 1977, 120 p., suivi de *Surprise! Surprise!* [«La fin de la nuit», préface de Pierre Filion, p. 7-21; Texte: p. 25-66.]

Théâtre I, Montréal/Paris, Leméac/Actes Sud-Papiers, 1991, 439 p. [*Damnée Manon, Sacrée Sandra* (1976), p. 283-306.]

Vancouver, Talonbooks, 1981, 43 p. Traduction anglaise de John Van Burek.

The Guid Sisters and Other Plays, London, Nick Hern Books, 1991, XV, 154 p. [«Introduction», par Annika Bluhm, p. VII-XV; *The Guid Sisters*, p. 1-68, traduction écossaise de William Findlay et de Martin Bowman; *Manon/Sandra*, p. 69-100, traduction anglaise de John Van Burek; *Albertine, in Five Times*, p. 101-147, traduction anglaise de John Van Burek et de Bill Glassco; «Stage Histories and Chronology», p. 149-154.]

Autres traductions: en anglais pour la Nouvelle-Zélande; traduction et adaptation par Renate Usmiani et John Brown (en anglais).

CHRONOLOGIE	BIBLIOGRAPHIE

Surprise! Surprise!

Créée au Théâtre du Nouveau Monde, le 15 avril 1975, dans le cadre du Théâtre-Midi du Maurier, dans une mise en scène d'André Brassard.

Montréal, Leméac, coll. «Théâtre», n° 62, 1977, 120 p., précédé de *Damnée Manon, Sacrée Sandra*. [«La fin de la nuit», préface de Pierre Filion, p. 7-21; Texte: p. 67-115.] [Pièce écrite en 1974.]

La Duchesse & Other Plays, Vancouver, Talonbooks, [1976] 1993, 125 p. Traduction anglaise de John Van Burek. [*La Duchesse*, p. 7-30; *Berthe*, p. 31-40; *Johnny Mangano and His Astonishing Dogs*, p.41-70; *Gloria Star*, p. 71-91; *Surprise, Surprise*, p. 93-125.]

Autre traduction: coréen (par Todd Stones).

Le soleil se lève en retard

Télédiffusé à Radio-Canada (CBFT), au printemps 1979.

Montréal, Films 16, 1977, 111 minutes. [Scénario: Michel Tremblay; réalisation: André Brassard.]

1978

Est nommé, par la Ville de Montréal, le Montréalais le plus remarquable des deux dernières décennies dans le domaine du théâtre.

Chalmers Award pour *Sainte Carmen de la Main*.

1978

La grosse femme d'à côté est enceinte

Montréal, Leméac, coll. «Roman québécois», n° 28, 1978, 329 p. «Chroniques du Plateau Mont-Royal»/1.

Paris, Éditions Robert Laffont, [1978] 1979, 329 p.

[S.l. n.d.], Éditions du Club Québec Loisirs, 329 p.

CHRONOLOGIE	BIBLIOGRAPHIE

Montréal, Leméac, coll. «Poche Québec», n° 5, 1986, 329 p.

Montréal, Bibliothèque québécoise, coll. «Littérature», [1978] 1990, 303 p. [«Une journée chez le monde de la rue Fabre», introduction d'Alain Pontaut, p. 7-12; Texte: p. 13-289; Chronologie et Bibliographie, par Aurélien Boivin, p. 291-303.]

Montréal/Arles, Leméac/Actes Sud/Labor/L'Aire, coll. «Babel», n° 179, 2001, 286 p.

The Fat Woman Next Door Is Pregnant, London, Serpent's Tail [1981] 1991, 204 p. Traduction de Sheila Fischman. [«First published in English 1981 by Talonbooks. This revised edition first published 1991 by Serpent's Tail.»]

1979

Créée par les étudiants de l'École nationale de théâtre du Canada, au Monument National, à Montréal, le 27 mars 1979, dans une mise en scène d'André Brassard.

Présentée au Palais des congrès, à Montréal, le 3 décembre 1994, à l'occasion de la remise de la Médaille d'argent décernée par le Mouvement national des Québécoises et des Québécois.

1979

Camino Real

Traduction et adaptation de Michel Tremblay du texte de Tennessee Williams. [Montréal, École nationale de théâtre du Canada, 110 p.] [non publié].

Les Socles

The Pedestals (*Les Socles*), dans *Canadian Theatre Review*, n° 24, Toronto, automne 1979, p. 52-60. Traduction anglaise de Renate Usmiani, p. 53-56. [Pièce en huit scènes, non créée

CHRONOLOGIE

BIBLIOGRAPHIE

à la scène. Texte français, p. 58-60. Les personnages du père et de la mère sont inspirés de la pièce *les Paons*.]

1980

Créée au Théâtre du Nouveau Monde, le 11 avril 1980, dans une mise en scène d'André Brassard.

1980

L'Impromptu d'Outremont

Montréal, Leméac, coll. «Théâtre», n° 86, [1980] [1993], 2001, 115 p. [«Une certaine Révolution culturelle vécue par une (autre) Bande des Quatre», préface de Laurent Mailhot, p. 7-19; Texte: p. 21-114.] [Pièce écrite en 1979.]

The Impromptu of Outremont, Vancouver, Talonbooks, 1981, 86 p. Traduction anglaise de John Van Burek.

Autres traductions: *Dört Kizkardes* par Serge Sanli (en turc); *Requiem für Mama* (en allemand, par Hanspeter Plocher); en portugais par Maria Pompeu; en letton (revue *Avots*); *Outremont Rogtonzes* (en hongrois par Gabor (Zsigovics).

Thérèse et Pierrette à l'école des Saints-Anges

Adaptation théâtrale réalisée par Élise Bertrand et Sylvain Legris, dans une production de la Mise en Mots, créée au Restaurant-théâtre la Licorne, en janvier 1986, dans une mise en scène de Michel Forgues.

Montréal, Leméac, coll. «Roman québécois», n° 42, 1980, 368 p. «Chroniques du Plateau Mont-Royal»/2.

Paris, Éditions Grasset et Fasquelle, [1980] 1983, 368 p.

[S.l. n.d.], Éditions du Club Québec Loisirs, 368 p.

CHRONOLOGIE	BIBLIOGRAPHIE
	Montréal, Leméac, coll. «Poche Québec», n° 6, [1980] 1986, 368 p.
Adaptation théâtrale réalisée par Gil Champagne.	Montréal, Bibliothèque québécoise, coll. «Littérature», [1984] [1988] 1991, 327 p. [«Thérèse et Pierrette, et Simone, sont-elles "regardables"?», introduction de Francine Noël, p. 7-13; Texte: p. 15-311; Chronologie et Bibliographie, par Aurélien Boivin, p. 313-327.]
	Montréal/Arles, Leméac/Actes Sud, coll. «Babel», n° 180, 1995, 328 p.
	Thérèse and Pierrette and the Little Hanging Angel, Toronto, McClelland and Stewart, [1980] 1984, 262 p. Traduction anglaise de Sheila Fischman.
	Thérèse and Pierrette and the Little Hanging Angel, Vancouver, Talonbooks, 1996, 256 p. Traduction anglaise de Sheila Fischman.

1981

1981

J'ramasse mes p'tits pis j'pars en tournée

Créée par les productions Guy Latraverse/Kébec Spec, en collaboration avec le New York Shakespeare Festival, au Théâtre du Nouveau Monde, à Montréal, le 17 juin 1981, dans une mise en scène d'Olivier Reichenbach.

Traduction et adaptation de Michel Tremblay du texte de la comédie musicale de Gretchen Cryer, *I'm Getting My Act Together and Taking It on the Road*. [Manuscrit disponible à la Division des manuscrits des Archives nationales du Canada, à Ottawa.]

CHRONOLOGIE	BIBLIOGRAPHIE

Les Grandes Vacances

Créée par le Théâtre de l'Œil, à la Salle Fred-Barry du Théâtre Denise-Pelletier, à Montréal, le 10 septembre 1981, dans une mise en scène d'Olivier Reichenbach.

Montréal, [1981], 40 p. [non publié]. [Sept scènes. Texte disponible à l'École nationale de théâtre du Canada.]

Les Anciennes Odeurs

Créée au Théâtre de Quat'Sous, le 4 novembre 1981, dans une mise en scène d'André Brassard.

Montréal, Leméac, coll. «Théâtre» n° 106, 1981, 92 p. [«Les Anciennes Odeurs une carte olfactive du Tendre», préface de Guy Ménard, p. 7-24; Texte: p. 29-92.]

L'Avant-Scène Théâtre, n° 841, Paris, 1er janvier 1989, p. 5-23, ill. Adaptation de Christian Bordeleau.

Prix France-Québec pour *Thérèse et Pierrette à l'école des Saints-Anges*.

Théâtre I, Montréal/Paris, Leméac/Actes Sud-Papiers, 1991, 439 p. [*Les Anciennes Odeurs* (1981), p. 307-339.]

Remember Me, Vancouver, Talonbooks, 1984, 58 p. Traduction anglaise de John Stowe.

Adaptation de Roland Mahauden pour la Belgique; traduction en espagnol-Mexique lors de la foire de Guadalajara en 1996.

1982

La Duchesse et le Roturier

Montréal, Leméac, coll. «Roman québécois», n° 60, 1982, 387 p. «Chroniques du Plateau Mont-Royal»/3.

Paris, Éditions Grasset et Fasquelle, [1982] 1984, 385 p.

CHRONOLOGIE	BIBLIOGRAPHIE

Montréal, Leméac, coll. «Poche Québec», n° 27, [1982] 1988, 387 p.

Montréal, Bibliothèque québécoise, coll. «Littérature», [1982] [1988] 1992, 343 p. [«Présentation», par Laurent Mailhot, p. 7-13; Texte: p. 15-328; Chronologie et Bibliographie, par Aurélien Boivin, p. 329-343.]

The Duchess and the Commoner, Vancouver, Talonbooks, 1999, 253 p. Traduction anglaise de Sheila Fischman.

1983

Créée par le Théâtre Français du Centre national des Arts, à Ottawa, le 11 mars 1983, en coproduction avec le Théâtre du Nouveau Monde, dans une mise en scène d'André Brassard.

Sélection de *Thérèse et Pierrette à l'école des Saints-Anges* par les lectrices françaises du magazine *Elle*.

1983

Oncle Vania d'Anton Tchekhov

Montréal, Leméac, coll. «Traduction et adaptation», n° 10, 1983, 123 p. Traduction de Michel Tremblay, avec la collaboration de Kim Yaroshevskaya.

1984

Créée par le Théâtre Français du Centre national des Arts, à Ottawa, le 12 octobre 1984, en coproduction avec le Théâtre du Rideau Vert, dans une mise en scène d'André Brassard.

1984

Albertine, en cinq temps

Montréal, Leméac, coll. «Théâtre» n° 135, [1984] [1992], 1997, 103 p. [Pièce écrite en 1983.]

Théâtre I, Montréal/Paris, Leméac/Actes Sud-Papiers, 1991, 439 p. [*Albertine, en cinq temps* (1983), p. 341-388.]

CHRONOLOGIE

Télédiffusée à Radio-Canada (CBFT), en 2000, dans une réalisation de Martine Beaulne et d'André Melançon.

Est fait Chevalier de l'Ordre des Arts et des Lettres de France pour l'ensemble de son œuvre.

BIBLIOGRAPHIE

Adaptation de Michel Ouimet pour la France.

Albertine, in Five Times, Vancouver, Talonbooks, 1986, 76 p. Traduction anglaise de John Van Burek et de Bill Glassco.

The Guid Sisters and Other Plays, London, Nick Hern Books, 1991, XV, 154 p. [«Introduction», par Annika Bluhm, p. VII-XV; *The Guid Sisters*, p. 1-68, traduction écossaise de William Findlay et de Martin Bowman; *Manon/ Sandra*, p. 69-100, traduction anglaise de John Van Burek; *Albertine, in Five Times*, p. 101-147, traduction anglaise de John Van Burek et de Bill Glassco; «Stage Histories and Chronology», p. 149-154.]

Autres traductions: *Albertina, in cinco tiempos* par Gerardo Sanchez (en espagnol-Chili); *Albertine, fem gange* par Lars Willum (en danois); en indi; en tchèque; *Albertine in cinco tiempos* par Rafael Segovia (en espagnol-Mexique); *Albertina en cinco tiempos* (en espagnol-Argentine); *Albertina, en cinco tiempos* par Lidia Vasquez (en espagnol-Espagne); en japonais par Toyoshi Yoshihara; en hébreu par Joyce Livingstone; *Albertine en cinc temps* par Jaume Melendres (en catalan); *Albertine in vijftijden* par Frans Vandershueren (en néerlandais); *Albertine, in cinci timpi* par Petre

Pierre LAVOIE

CHRONOLOGIE

BIBLIOGRAPHIE

Bokor, dans *Tremblay in cinci timpi*, Bucarest, Ed. Viitorul Românesc, 1999, 447 p.; traduction en arabe-Syrie, par Mohammad Najari, Damas, éd. Al-Hassad, 2002.

Des nouvelles d'Édouard

Montréal, Leméac, coll. «Roman québécois», n° 81, 1984, 312 p. «Chroniques du Plateau Mont-Royal»/4.

Montréal, Leméac, coll. «Poche Québec», n° 28, [1984] 1988, 312 p.

Montréal, Bibliothèque québécoise, coll. «Littérature», [1984] [1988] 1991, 313 p. [«Introduction», par Gabrielle Poulin, p. 7-13 ; Texte : p. 15-298 ; Chronologie et Bibliographie, par Aurélien Boivin, p. 299-313.]

Montréal/Arles, Leméac/Actes Sud, coll. «Babel», n° 284, 1997, 322 p.

News from Édouard, Vancouver, Talonbooks, 2000, 223 p. Traduction anglaise par Sheila Fischman.

CHRONOLOGIE

1985

Créée par la Compagnie Jean-Duceppe, le 30 octobre 1985, au Théâtre Port-Royal de la Place des Arts, à Montréal, dans une mise en scène de Gilbert Lepage.

Présentée en lecture publique au Théâtre d'Aujourd'hui, à l'occasion des vingt ans du CEAD, le 27 janvier 1986.

Prix Québec-Paris pour *la Duchesse et le Roturier* et pour *Des nouvelles d'Édouard*.

Prix de la meilleure production pour la saison 1984-1985, décerné par l'Association québécoise des critiques de théâtre, pour *Albertine, en cinq temps*.

1986

Créée au Théâtre d'Aujourd'hui, le 13 novembre 1986, dans une mise en scène de Roland Laroche. Télédiffusée à Radio-Canada (CBFT), en 1988, dans une réalisation de Louis-Georges Carrier.

BIBLIOGRAPHIE

1985

Le Gars de Québec
d'après *le Revizor* de [Nicolas] Gogol

Montréal, Leméac, coll. «Traduction et adaptation», n° 11, 1985, 171 p. Adaptation de Michel Tremblay.

The Guy from Québec, traduction anglaise par John Van Burek; *The Government Guy*, traduction anglaise par John Van Burek (nouvelle version).

L'Impromptu des deux «Presse»

Centre d'essai des auteurs dramatiques, 20 ans, Montréal, VLB éditeur, 1985, p. 285-297.

1986

Six Heures au plus tard

Montréal, Leméac, coll. «Traduction et adaptation», [1986], 1991, 128 p., ill. Adaptation du texte de Marc Perrier par Michel Tremblay.

CHRONOLOGIE

BIBLIOGRAPHIE

Le Cœur découvert.
Roman d'amours

Téléfilm télédiffusé à Radio-Canada (CBFT) le 15 novembre 1987, dans une réalisation de Jean-Yves Laforce.

Montréal, Leméac, coll. «Roman québécois», n° 105, [1986] 1991, 318 p.

Montréal, Bibliothèque québécoise, coll. «Littérature», [1986] 1992, 421 p. [«Introduction», par Irène Oore, p. 9-16; Texte: p. 17-405; Chronologie et Bibliographie, par Aurélien Boivin, p. 407-421. «La première édition de ce roman parue en 1986 n'avait pas été publiée en intégralité. La présente édition est conforme au manuscrit original.»]

Téléroman de treize émissions d'une heure, produites en 2000 et diffusées sur les ondes de Radio-Canada (CBFT), à compter du 9 janvier 2003, dans une réalisation de Gilbert Lepage.

Montréal/Arles, Leméac/Actes Sud/Labor, coll. «Babel», n° 167, 1995, 412 p.

Chalmers Award pour *Albertine, en cinq temps*.

The Heart Laid Bare, Toronto, McClelland & Stewart, 1989, 249 p. Traduction anglaise de Sheila Fischman.

Making Room, London, Serpent's Tail, 1990, 249 p. Traduction anglaise de Sheila Fischman.

The Heart Laid Bare, Vancouver, Talonbooks, 2002, 258 p. Traduction anglaise de Sheila Fischman.

Der Mann in Papis Bett [*L'Homme dans le lit de papa*], Berlin, Bruno Gmünder Verlag, 1990. Traduction allemande de Thomas Plaichinger.

CHRONOLOGIE

BIBLIOGRAPHIE

1987

1987

Le Vrai Monde?

Créée par le Théâtre Français du Centre national des Arts, à Ottawa, le 2 avril 1987, en coproduction avec le Théâtre du Rideau Vert, dans une mise en scène d'André Brassard.

Télédiffusée à Radio-Canada (CBFT), en 1991, dans une réalisation de Jean-Yves Laforce.

La première édition de *la Bibliothèque idéale*, publiée par Bernard Pivot, directeur du mensuel français *Lire* et animateur de la célèbre émission télévisée *Apostrophes*, classait *les Belles-Sœurs* parmi les quarante-neuf pièces de la bibliothèque théâtrale idéale.

Montréal, Leméac, coll. «Théâtre», nᵒ 161, [1987] [1992], 2001, 106 p. [Pièce écrite en 1986.]

Théâtre I, Montréal/Paris, Leméac/Actes Sud-Papiers, 1991, 439 p. [*Le Vrai Monde?* (1986), p. 389-436.]

The Real World?, Vancouver, Talonbooks, 1988, 75 p. Traduction anglaise de John Van Burek et de Bill Glassco.

Autres traductions : en anglais par Lisa Forrell et Alison Kean ; en écossais par Martin Bowman et William Findlay ; *Overdadeiro Mundo?* par Katia Grumberg (en portugais) ; *W Najlepszej Wierze*, en polonais par Jozef Kwaterko, dans *Dialog*, nᵒ 11, p. 47-72 ; en allemand par Piet Defraeye ; *Het Ware Leven?* (en néerlandais, par Paul Goris) ; *Il mondo vero?* (en italien, par Jean-René Lemoine ; en grec, par Georges Pyrorolou ; *Lumea Adevarata?*, en roumain, par Petre Bokor, dans *Tremblay în cinci timpi*, Bucarest, Ed. Viitorul Românesc, 1999, 447 p. ; en espagnol-Mexique, lors de la foire de Guadalajara en 1996.

CHRONOLOGIE	BIBLIOGRAPHIE

1988

Créée au Théâtre du Rideau Vert, à Montréal, le 3 mars 1988, dans une mise en scène de Michèle Magny.

Prix Athanase-David, la plus haute distinction du Gouvernement du Québec, pour l'ensemble de son œuvre.

Télédiffusé à Radio-Canada (CBFT), le 9 octobre 1988, dans une réalisation de Jean-Yves Laforce.

1989

Sélection par le public du *Cœur découvert*, meilleur long métrage au San Francisco Lesbian and Gay Festival.

Chalmers Award pour *le Vrai Monde?*

Grand Prix du livre de la Ville de Montréal pour *le Premier Quartier de la lune.*

1988

Qui a peur de Virginia Woolf?

Traduction et adaptation de Michel Tremblay du texte d'Edward Albee, *Who's Afraid of Virginia Woolf?* [Montréal, École nationale de théâtre du Canada, 418 p. Trois actes intitulés : «Farces et attrapes»; «La Nuit de Walpurgis»; «Exorcismes».] [non publié]

Le Grand Jour

Téléfilm.

1989

Le Premier Quartier de la lune

Montréal, Leméac, coll. «Roman», 1989, 283 p. «Chroniques du Plateau Mont-Royal»/5.

Montréal, Bibliothèque québécoise, coll. «Littérature», [1989] 1993, 304 p. [«La même âme», introduction de Yolande Villemaire, p. 7-15; Texte : p. 17-286; Chronologie et Bibliographie, par Aurélien Boivin, p. 287-304.]

Montréal/Arles, Leméac/Actes Sud, coll. «Babel», n° 369, 1998, 311 p.

The First Quarter of the Moon, Vancouver, Talonbooks, 1994, 240 p., traduction anglaise par Sheila Fischman.

CHRONOLOGIE	BIBLIOGRAPHIE

1990

Créé par l'Opéra de Montréal, le 24 février 1990, à la Salle Louis-Fréchette du Grand Théâtre de Québec, dans une mise en scène d'André Brassard.

Créée par la Compagnie Jean-Duceppe, le 12 septembre 1990, au Théâtre Port-Royal de la Place des Arts, à Montréal, dans une mise en scène d'André Brassard.

Télédiffusée en anglais, en 1993, dans une production de Primedia Releasing Productions.

Prix du public au Festival de Bruxelles pour *le Cœur découvert*.

Grand Prix du public au Salon du livre de Montréal pour *le Premier Quartier de la lune*.

Reçoit un Doctorat *Honoris causa* de l'Université Concordia (Montréal) pour l'ensemble de son œuvre.

1990

Nelligan

Montréal, Leméac, coll. «Théâtre», n° 181, 1990, 90 p. Livret d'opéra : Michel Tremblay ; musique : André Gagnon.

La Maison suspendue

Montréal, Leméac, coll. «Théâtre», n° 184, [1990], 2001, 119 p. [Pièce écrite en 1989.]

Vancouver, Talonbooks, 1991, 101 p. Traduction anglaise de John Van Burek.

Autres traductions : en écossais, par Martin Bowman et William Findlay ; *La Casa Suspendida* (espagnol-Mexique, par Rafael Segovia).

Les Vues animées suivi de Les loups se mangent entre eux

Montréal, Leméac, coll. «Récits», 1990, 187 p. [*Orphée*, p. 11-17 ; *Cendrillon*, p. 19-38 ; *Bambi*, p. 39-41 ; *Blanche-Neige et les sept nains*, p. 43-56 ; *La Fille des marais*, p. 57-76 ; *La Parade des soldats de bois*, p. 77-90 ; *Cœur de maman*, p. 91-100 ; *Vingt mille lieues sous les mers*, p. 101-113 ; *Mister Joe*, p. 115-123 ; *Les films d'horreur des années '50*, p. 125-134 ; *The King and I*, p. 135-145 ; *Les Visiteurs du soir*, p. 147-152 ; *Les loups se mangent entre eux*, p. 153-187. «Ce petit roman, écrit par

CHRONOLOGIE	BIBLIOGRAPHIE

Michel Tremblay à l'âge de 16 ans, est présenté ici dans sa version intégrale [...].»]

[S.l. n.d.], Éditions du Club Québec Loisirs, 189 p.

Montréal/Arles, Leméac/Actes Sud, coll. «Babel», n° 389, 1999, 231 p.

Bambi and Me, Vancouver, Talonbooks, 1998, 157 p. Traduction anglaise par Sheila Fischman.

1991

Créée au Théâtre du Café de la Place, à la Place des Arts, à Montréal, le 4 septembre 1991, dans une mise en scène de Marie Laberge.

Chalmers Award pour *la Maison suspendue*.

Reçoit un Doctorat *Honoris causa* de l'Université McGill (Montréal) pour l'ensemble de son œuvre.

Est fait Officier de l'Ordre des Arts et des Lettres de France pour l'ensemble de son œuvre.

Est fait Chevalier de l'Ordre national du Québec pour l'ensemble de son œuvre.

Prix Jacques-Cartier, Lyon (France), pour l'ensemble de son œuvre.

1991

Les Trompettes de la mort

Adaptation de Michel Tremblay du texte de Tilly. [Manuscrit disponible à la Division des manuscrits des Archives nationales du Canada, à Ottawa.]

Théâtre I, Montréal/Paris, Leméac/Actes Sud-Papiers, 1991, 439 p. [«Le Montréal de Michel Tremblay», préface de Pierre Filion, p. 5-6; *Les Belles-Sœurs* (1965), p. 7-76; *La Duchesse de Langeais* (1968), p. 77-95; *À toi, pour toujours, ta Marie-Lou* (1970), p. 97-139; *Hosanna* (1971), p. 141-185; *Bonjour, là, bonjour* (1974), p. 187-240; *Sainte Carmen de la Main* (1975), p. 241-281; *Damnée Manon, Sacrée Sandra* (1976), p. 283-306; *Les Anciennes Odeurs* (1981), p. 307-339; *Albertine, en cinq temps* (1983), p. 341-388; *Le Vrai Monde?* (1986), p. 389-436; «Lexique», par Pierre Filion, p. 437-439.]

CHRONOLOGIE	**BIBLIOGRAPHIE**
1992	1992

Créée par la Compagnie des Deux Chaises, le 4 juin 1992, au Théâtre du Nouveau Monde, en collaboration avec les Fêtes du 350ᵉ anniversaire de Montréal, dans une mise en scène d'André Brassard.

Télédiffusée à Télé-Québec, en 1995, dans une réalisation de Robert Desrosiers.

Auteur le plus aimé des Montréalais, à la suite d'un concours public organisé dans le cadre des festivités du 350ᵉ anniversaire de Montréal, pour l'ensemble de son œuvre.

Marcel poursuivi par les chiens

Montréal, Leméac, coll. «Théâtre», n° 195, 1992, 67 p.

Adaptation pour la Belgique par Daniel Henry; Théâtre musical, adaptation et livret de Michel Duchesne.

Marcel Pursued by the Hounds. Traduction anglaise de John Van Burek, Vancouver, Talonbooks, 1996, 80 p.

Créée au Théâtre de Marjolaine, à Eastman, le 27 juin 1992, dans une mise en scène de René Richard Cyr.

Premières de classe

Traduction et adaptation de Michel Tremblay du texte de Casey Kurtti, *Catholic School Girls.*

Montréal, Leméac, coll. «Traduction et adaptation», 1993, 99 p.

Meilleur scénario dramatique – Prix Gémeaux – pour *le Vrai Monde?*

Meilleure dramatique télévisée, «Coffre d'or», 18ᵉ festival international de télévision à Plovdiv, Bulgarie, pour *le Vrai Monde?*

Douze Coups de théâtre

Montréal, Leméac, coll. «Récits», 1992, 265 p. [*Babar le petit éléphant*, p. 9-37; *La Tour Eiffel qui tue*, p. 39-60; *Lady Moniaque*, p. 61-88; *Le Temps des lilas*, p. 89-108; *Un simple soldat*, p. 109-122; *Ma Carrière*

Pierre Lavoie

CHRONOLOGIE

Télédiffusée (*Douze Coups de théâtre*)à Radio-Canada (CBFT), en 1996, dans une réalisation de Jean-Yves Laforce.

Reçoit un doctorat *Honoris causa* de l'Université Stirling (Écosse) pour l'ensemble de son œuvre.

Lauréat du concours « La petite bibliothèque du parfait Montréalais » pour *les Belles-Sœurs*.

Prix « Mon Montréal à moi » pour *La grosse femme d'à côté est enceinte*.

Prix littéraire du *Journal de Montréal* pour *Marcel poursuivi par les chiens*.

1993

Banff National Center Award pour l'ensemble de son œuvre.

Reçoit un doctorat *Honoris causa* de l'Université Windsor (Ontario) pour l'ensemble de son œuvre.

Signe sa première mise en scène au Théâtre de Quat'Sous, en octobre 1993 (*Natures mortes* de Serge Boucher).

Est choisi l'auteur masculin le plus populaire au prix des Signets d'or, à Télé-Québec, pour l'ensemble de son œuvre.

BIBLIOGRAPHIE

d'acteur, p. 123-139; *Le Cid*, p. 141-151 (une version préliminaire est parue à l'été 1991 dans *Le Devoir* et dans *Avoir 17 ans*, chez Québec/Amérique, sous la direction de Robert Lévesque); *Tristan und Isolde*, p. 153-180; *Le Hockey*, p. 181-200; *L'Enlèvement au sérail*, p. 201-214; *L'Opéra de quat'-sous*, p. 215-227; *Le Train*, p. 229-265.]

Montréal/Arles, Leméac/Actes Sud/Labor, coll. « Babel », n° 254, 1992, 291 p.

[S. l.], Éditions du Club Québec Loisirs, 1993, 265 p.

Twelve Opening Acts, Vancouver, Talonbooks, 2002, 190 p. Traduction anglaise par Sheila Fischman.

1993

Le Cœur éclaté

Montréal, Leméac, coll. « Roman », 1993, 311 p.

Montréal/Arles, Leméac/Actes Sud, coll. « Babel », n° 168, 1995, 313 p.

CHRONOLOGIE

1994

Créée le 9 mai 1994, au Théâtre du Nouveau Monde, lors d'une lecture publique, dans une mise en lecture de René Richard Cyr.

Prix Molson dans les arts, décerné par le Conseil des arts du Canada. Prix de 50 000 $ en hommage à sa longue et exceptionnelle contribution à la vie culturelle du Canada.

Prix de la littérature de la Table de concertation des gais et des lesbiennes, pour *le Cœur éclaté*.

Prix Louis Hémon et Grand Prix du public au Salon du livre de Montréal, pour *Un ange cornu avec des ailes de tôle*.

Médaille d'argent décernée par le Mouvement national des Québécoises et des Québécois, le 3 décembre 1994.

BIBLIOGRAPHIE

1994

En circuit fermé

Montréal, Leméac, coll. «Théâtre», 1994, 124 p. Pamphlet précédé de «Piques, épique et anti-épique», par Pierre Filion, p. 7-8.

*Un ange cornu
avec des ailes de tôle*

Montréal/Arles, Leméac/Actes Sud, 1994, 249 p. Récit. [*En guise d'introduction*, p. 11-22; *L'Auberge de l'Ange-Gardien*, Comtesse de Ségur, p. 23-45; *Tintin au Congo*, Hergé, p. 47-64; *Les Enfants du capitaine Grant*, Jules Verne, p. 65-82; *Blanche-Neige et les sept nains*, les frères Grimm, p. 83-98; *Un poulet pour Noël*, Jo Hatcher, p. 99-109; *Worrals, Biggles, King*, Captain W. E. Johns, p. 111-132; *Patira*, Raoul de Navery, p. 133-147; *Bonheur d'occasion*, Gabrielle Roy, p. 149-164; *Agamemnon*, Eschyle, p. 165-178; *Bug-Jargal*, Victor Hugo, p. 175-192; *Orage sur mon corps*, André Béland, p. 193-203; *Vol de Nuit*, Antoine de Saint-Exupéry, p. 205-214; *Contes pour buveurs attardés*, Michel Tremblay, p. 215-241; *Note sur l'auteur*, Pierre Filion, directeur littéraire de Leméac éditeur, p. 243-246.]

Montréal/Arles, Leméac/Actes Sud/Labor, coll. «Babel», n° 221, 1996, 285 p.

CHRONOLOGIE	BIBLIOGRAPHIE
	L'Ex-Femme de ma vie
Créée au Théâtre des Cascades, à Dorion, le 10 juin 1994.	Adaptation d'un texte de Josiane Balasko. Non publiée.
1995	**1995**
	La Nuit des princes charmants
	Montréal/Arles, Leméac/Actes Sud, 1995, 221 p. Roman.
Grand Prix des lectrices *Elle Québec* et Signet d'or (Télé-Québec), pour *Un ange cornu avec des ailes de tôle*.	Montréal, Club Québec Loisirs, 1996, 221 p.
	Montréal/Arles, Leméac/Actes Sud, coll. «Babel», n° 415, 2000, 242 p.
1996	**1996**
	Messe solennelle pour une pleine lune d'été
Créée par la Compagnie Jean-Duceppe, le 14 février 1996, dans une mise en scène d'André Brassard.	Montréal, Leméac, coll. «Théâtre», 1996, 121 p.
	Barbican International Theatre Event, Traverse Theatre Company, 2000. Traduction écossaise par Martin Bowman et Bill Findlay.
	Solemn Mass for a Full Moon in Summer, traduction anglaise par John Van Burek.
	Les Leçons de Maria Callas
Créée au Théâtre Saint-Denis, à Montréal, au cours de l'été 1996, dans le cadre du Festival Juste pour rire, dans une mise en scène de Jacques Rossi.	Traduction et adaptation de *Masterclass* de Terrence McNally. Non publiée.

CHRONOLOGIE

BIBLIOGRAPHIE

1997

1997

Un objet de beauté

Montréal/Arles, Leméac/Actes Sud, 1997, 340 p. «Chroniques du Plateau Mont-Royal»/6. Roman

Montréal, Club Québec Loisirs, 1998, 340 p.

A Thing of Beauty, Vancouver, Talonbooks, 1998, 224 p. Traduction anglaise par Sheila Fischman.

Quarante-Quatre Minutes, quarante-quatre secondes

Montréal/Arles, Leméac/Actes Sud, 1997, 358 p. Roman.

Montréal, Club Québec Loisirs, 1997, 358 p.

Picasso au Lapin Agile

Créée au Théâtre Saint-Denis, à Montréal, à l'été 1997, dans le cadre du Festival Juste pour rire, dans une mise en scène de Denise Filiatrault.

Traduction et adaptation de *Picasso at the Lapin Agile* de Steve Martin. Non publiée.

1998

1998

Encore une fois, si vous permettez

Créée par le Théâtre du Rideau Vert, à Montréal, le 4 août 1998, dans une mise en scène d'André Brassard, sous le titre : *Encore une fois, si vous le permettez.*

Montréal, Leméac, coll. «Théâtre», 1998, 67 p. Comédie en un acte.

For the Pleasure of Seeing Her Again, Vancouver, Talonbooks, 1998, 96 p. Traduction anglaise par Linda Gaboriau.

Autres traductions : *If only I could see Her again* (traduction écos-

CHRONOLOGIE

BIBLIOGRAPHIE

saise par Martin Bowman et Bill Findlay; *Una Vez Mas, por favor* (traduction espagnole par Pilar Sanchez Navarro).

Grace et Gloria

Traduction et adaptation de *Grace and Glorie* de Tom Ziegler. Non publiée.

Créée par le Théâtre du Rideau Vert, à Montréal, en 1998, dans une mise en scène de Denise Filiatrault.

1999

Prix du Gouverneur général pour les arts de la scène et Prix Gascon-Thomas de l'École nationale de théâtre du Canada, pour l'ensemble de son œuvre.

1999

Hôtel Bristol New York, N. Y.

Montréal/Arles, Leméac/Actes Sud, 1999, 91 p. Roman.

2000

Série de huit émissions d'une heure, scénarisée par Gilles Desjardins, pour Sogestalt. [En développement]

Chalmers Award pour *Encore une fois, si vous permettez.*

Dora Award pour *For the Pleasure of Seeing Her Again.*

Créée par la Compagnie Jean-Duceppe, à Montréal, le 6 septembre 2000, dans une mise en scène de Louise Duceppe.

2000

Chroniques du Plateau Mont-Royal

Montréal/Arles, Leméac/Actes Sud, coll. «Thesaurus», 2000, 1179 p. [*La grosse femme d'à côté est enceinte*, p. 7-186; *Thérèse et Pierrette à l'école des Saints-Anges*, p. 187-392; *la Duchesse et le Roturier*, p. 393-600; *Des nouvelles d'Édouard*, p. 601-779; *le Premier Quartier de la lune*, p. 781-961; *Un objet de beauté*, p. 963-1175.]

Mambo Italiano

Traduction et adaptation d'un texte de Steve Galluccio. Non publiée.

CHRONOLOGIE	**BIBLIOGRAPHIE**
	Rien à voir avec les rossignols
Créée par la Compagnie Jean-Duceppe, à Montréal, en novembre 2000, dans une mise en scène de Serge Denoncourt.	Traduction et adaptation de *Not about Nightingales* de Tennessee Williams. Non publiée.
2001	**2001**
	L'homme qui entendait siffler une bouilloire
	Montréal/Arles, Leméac/Actes Sud, 2001, 179 p. Roman.
	Le Spot idéal
Créée par le Théâtre de Rougemont, à Rougemont, en juin 2001, dans une mise en scène de Serge Denoncourt.	Traduction et adaptation de *The Perfect Pitch* de John Godber. Non publiée.
2002	**2002**
	L'État des lieux
Créée par le Théâtre du Nouveau Monde, à Montréal, le 23 avril 2002, dans une mise en scène d'André Brassard.	Montréal, Leméac, coll. «Théâtre», 2002, 91 p. Comédie dramatique.
	Impromptu on Nuns' Island, Vancouver, Talonbooks, 2002, 128 p. Traduction anglaise par Linda Gaboriau.
	Bonbons assortis
Grand Prix littéraire Archambault, prix du public en avril 2003.	Montréal/Arles, Leméac/Actes Sud, 2002, 179 p. Récits. [*Le cadeau de noces*, p. 11-48; *Sturm und Drang*, p. 49-69; *La Passion Teddy*, p. 71-80; *La Preuve irréfutable de l'existence du Père Noël*, p. 81-95; *Nouvelle Preuve irréfutable de l'existence du Père Noël*, p. 97-121; *Le*

CHRONOLOGIE	BIBLIOGRAPHIE

Chanteur de Mexico, p. 123-139; *Le Soulier de satin*, p. 141-162; *Petits Chinois à vendre*, p. 163-175.]

Piège pour un homme seul

Créée par le Théâtre de l'Escale, à Saint-Marc-sur-Richelieu, en juin 2002, dans une mise en scène de Peter Batakliev.

Adaptation de la pièce de Robert Thomas. Non publiée.

Au tour de Nana

Radiodiffusée à la Première Chaîne de Radio-Canada (95,1 MF), de septembre à décembre 2002, du lundi au vendredi.

Radio-feuilleton de Michel Tremblay et Gilbert Lepage. Extraits de l'œuvre dramatique et romanesque de Michel Tremblay. Scénario: Gilbert Lepage; réalisation: Marie-Hélène Copti et Jean Gagnon.

2003

2003

Le Passé antérieur

Créée par la Compagnie Jean-Duceppe, à Montréal, le 19 février 2003, dans une mise en scène d'André Brassard.

Montréal, Leméac, coll. «Théâtre», 2003. 72 p. «Genèse de la genèse»: Albertine à vingt ans.

Impératif présent

Créée par le Théâtre de Quat' Sous, à Montréal, le 13 octobre 2003, dans une mise en scène d'André Brassard.

Claude (55 ans) et Alex (77 ans), le fils et le père dans *Le Vrai Monde?*, s'affrontent une dernière fois.

CHRONOLOGIE	BIBLIOGRAPHIE
2004	**2004**
	Nous affichons complet
Sera créée en 2004 par Zone 3, dans une mise en scène de Serge Denoncourt.	Traduction et adaptation de *Fully Committed* de Becky Mode. Non publiée.

NOTICES BIOGRAPHIQUES
DES COLLABORATEURS ET DES COLLABORATRICES

MICHELINE CAMBRON

Micheline Cambron est professeure titulaire au Département d'études françaises de l'Université de Montréal et directrice du Centre d'études québécoises (CETUQ). Elle a publié *Une société, un récit. Discours culturel au Québec (1967-1976)* (L'Hexagone, 1989) et *Le Journal* Le Canadien. *Littérature, espace public et utopie 1836-1845* (Fides, 1999). Elle est aussi l'auteure de nombreux articles sur la littérature québécoise des XIXe et XXe siècles, sur l'enseignement de la littérature et sur l'épistémologie des sciences humaines (dont des textes sur l'œuvre de Fernand Dumont). Témoignant d'une réflexion sur le pouvoir radical de la lecture, ses travaux sont largement inspirés de l'œuvre de Paul Ricœur et se veulent une contribution à la réflexion actuelle sur l'historiographie de la littérature. Elle prépare actuellement l'édition critique de la pièce *Une partie de campagne*, de Pierre Petitclair.

LORRAINE CAMERLAIN

Rédactrice en chef des *Cahiers de théâtre Jeu* de 1983 à 1998, Lorraine Camerlain est cofondatrice, avec Pierre Lavoie et Michel Vaïs, des Éditions *Jeu* et a signé de nombreux articles, comptes rendus et entretiens, parus pour la plupart entre 1975 et 1998. En 1989, elle a réalisé, avec Diane Pavlovic, l'exposition itinérante de photographies *Cent Ans de théâtre à Montréal*, dont le catalogue a été publié la même année. Actuellement directrice du Centre de communication écrite de l'Université de Montréal, Lorraine Camerlain a précédemment occupé divers postes administratifs à la Faculté de l'éducation permanente, où elle donne des cours de rédaction depuis une vingtaine d'années.

JACQUES CARDINAL

Jacques Cardinal est professeur au Département de littérature comparée de l'Université de Montréal. Outre une étude sur Hubert Aquin (*Le Roman de l'histoire*, Balzac, 1993), il a publié plusieurs articles sur la littérature québécoise, canadienne et française. Ses travaux ont pour cadre théorique la poétique, la psychanalyse et la philosophie. Il prépare actuellement un ouvrage sur Tremblay, dont la problématique est celle de la filiation.

JEAN-FRANÇOIS CHASSAY

Jean-François Chassay est professeur au Département d'études littéraires de l'UQÀM depuis 1991. Il est entré à la rédaction de la revue *Spirale* en 1984, revue dont il a été codirecteur de 1986 à 1991. Il a aussi été directeur de *Voix et Images* de 1998 à 2001. Collaborateur à plusieurs émissions littéraires à la radio de Radio-Canada de 1986 à 2001, il a publié de nombreux articles dans des revues nationales et internationales, ainsi qu'une douzaine de livres. Parmi les plus récents, *Fils, lignes, réseaux. Essai sur la littérature américaine* (Liber, 1999), ainsi que deux collectifs qu'il a codirigés : *Edgar Allan Poe, une pensée de la fin* (avec Jean-François Côté et Bertrand Gervais, Liber, 2000) et *Les lieux de l'imaginaire* (avec Bernard Gervais, Liber 2002). Il vient également de publier son troisième roman, *L'Angle mort* (Boréal, 2002). Il a remporté en 2002 le grand prix d'excellence en recherche de l'Université du Québec dans le secteur « Arts et lettres ».

GILBERT DAVID

Critique et essayiste, Gilbert David a écrit de nombreux articles sur le théâtre dans divers périodiques québécois et étrangers, et il a contribué à plusieurs ouvrages de référence comme le *Dictionnaire encyclopédique du théâtre* (2ᵉ édition, Paris, Bordas, 1995), *The World Encyclopedia of Contemporary Theatre*, Vol. 2 : The Americas (London & New York, Routledge, 1996) et *Le Théâtre québécois 1975-1995* (Fides, 2001). Il a été président de la Société québécoise d'études théâtrales (SQET) de 1997 à 2000. En 1993, il est devenu membre de la rédaction de *L'Annuaire théâtral*, dont il fut le rédacteur en chef de 1997 à 1999. En juin 1999, il a organisé à Montréal le colloque international «Théâtres d'ici vus d'ailleurs: Diffusion, traduction et réception du théâtre québécois dans le monde depuis 1968» sous l'égide de la SQET et du Centre d'études québécoises (CÉTUQ). Il a été co-responsable de l'exposition *Théâtres au programme* à la Bibliothèque nationale du Québec et co-auteur du catalogue publié à cette occasion (BNQ et CÉTUQ, 2002). Gilbert David enseigne la dramaturgie, l'histoire et la théorie du théâtre au Département d'études françaises de l'Université de Montréal depuis juin 1998.

JEAN CLÉO GODIN

Professeur émérite de l'Université de Montréal, Jean Cléo Godin a publié trois ouvrages sur le théâtre québécois: *Théâtre québécois I* et *II* (en collaboration avec Laurent Mailhot) et *Dramaturgies québécoises des années quatre-vingt* (en collaboration avec Dominique Lafon). Collaborateur occasionnel des *Cahiers de théâtre Jeu* et de *l'Annuaire théâtral*, où il a publié plusieurs articles. Il a été membre fondateur de l'Association d'histoire du théâtre du Canada et de la Société d'histoire du théâtre du Québec.

MADELEINE GREFFARD

Professeure au Département de théâtre de l'Université du Québec à Montréal de 1969 à 1997, Madeleine Greffard a publié *Alain Grandbois* (Fides, 1995), *Passé dû* et *Pour toi je changerai le monde*, théâtre (*La Grande Réplique*, nᵒˢ 8 et 11), *L'histoire de la lutte que quelques-unes ont menée pour obtenir le droit de vote pour toutes*, en collaboration avec J. Beaulieu, J. Couillard et L. Guilbault, théâtre (VLB, 1990), *Le Théâtre québécois*, en collaboration avec Jean-Guy Sabourin (Boréal, coll. «Boréal express») et *Portes ouvertes à l'École de la rue* (Boréal, 2001).

YVES JUBINVILLE

Professeur à l'École supérieure de théâtre de l'UQÀM depuis 1999, Yves Jubinville enseigne la dramaturgie, l'histoire et la théorie du théâtre. Il a publié des articles dans plusieurs revues savantes et des ouvrages collectifs au Québec et à l'étranger. Il est l'auteur d'une monographie sur *les Belles-Sœurs* de Michel Tremblay, publiée chez Boréal en 1998.

RACHEL KILLICK

Professeure de littérature française et québécoise, Rachel Killick s'intéresse depuis bientôt dix ans au rayonnement international de la culture et de la littérature québécoises. Elle est titulaire de la Chaire d'études québécoises à l'Université de Leeds (Royaume-Uni) et codirectrice du Centre d'études francophones du Département de français. Elle codirige *The Modern Language Review* et, parmi ses publications récentes, elle a fait paraître une édition critique des *Belles-Sœurs* (London, Bristol Classical Press, 2000).

JÉRÔME LANGEVIN

Après un baccalauréat en art dramatique à l'UQÀM, le théâtre demeure pour lui une véritable «profession de foi» prenant différentes formes. D'abord comédien pour Zoopsie (1985), puis critique à Radio Centre-Ville et pour différents périodiques (de 1987 à 1993), il signe ensuite un spectacle comme metteur en scène et dramaturge pour la troupe Montserrat (*Les Oiseaux du paradis*, 1995), tout en poursuivant depuis 1985 son travail d'animateur en théâtre auprès d'élèves du primaire.

JEAN-MARC LARRUE

Jean-Marc Larrue est professeur de théâtre au Collège de Valleyfield. Membre du Groupe GRAFICS, dont il dirige le secteur théâtre, et du Centre de recherche sur l'intermédialité (CRI), il travaille principalement sur le théâtre au Québec. Auteur de divers ouvrages sur la question, seul ou en collaboration, il a notamment écrit *le Théâtre yiddish à*

Montréal (Éditions Jeu), *les Nuits de la «Main»* (en collaboration avec André-G. Bourassa, VLB), *le Monument inattendu* (HMH-Hurtubise), *le Théâtre à Montréal à la fin du XIXᵉ siècle* (Fides). Il a été secrétaire général francophone de la Fédération internationale pour la recherche (FIRT/IFTR, 1994-1999) et est vice-président de l'Association internationale du théâtre à l'Université (AITU/IUTA) depuis 1999. Il bénéficie de subventions du CRSH et du FCAR.

PIERRE LAVOIE

Membre de la rédaction des *Cahiers de théâtre Jeu* de 1980 à 1998, Pierre Lavoie en a assumé la direction de 1982 à 1993. Il a été responsable de la Théâtrothèque de l'Université de Montréal, de 1978 à 1986, et a publié le *Répertoire analytique de l'activité théâtrale au Québec 1978-1979* avec Raymond-Louis Laquerre, aux Éditions Leméac, ainsi que *Pour suivre le théâtre au Québec: les ressources documentaires* (Institut québécois de recherche sur la culture, 1985). Depuis 1993, il occupe les fonctions de directeur général de l'Union des écrivaines et des écrivains québécois.

ALEXANDRE LAZARIDÈS

Professeur retraité du Département de français du cégep du Vieux Montréal, Alexandre Lazaridès est l'auteur de *Valéry. Pour une poétique du dialogue* (Presses de l'Université de Montréal, 1978). Il collabore depuis une quinzaine d'années aux *Cahiers de théâtre Jeu* dont il est membre de la rédaction depuis 1997.

PAUL LEFEBVRE

Metteur en scène, traducteur et professeur de théâtre, Paul Lefebvre est adjoint du directeur artistique au Théâtre français du Centre national des arts à Ottawa, après avoir été pendant une dizaine d'années le directeur littéraire du Théâtre Denise-Pelletier. Il a publié de nombreux articles sur le théâtre québécois contemporain et enseigne régulièrement à l'École nationale de théâtre du Canada.

STÉPHANE LÉPINE

Réalisateur et animateur d'émissions littéraires sur les ondes de la Chaîne culturelle de Radio-Canada, de 1987 à 2002, Stéphane Lépine a signé de nombreux articles sur le théâtre et la littérature et œuvré à titre de conseiller littéraire auprès des metteurs en scène Denis Marleau et Brigitte Haentjens sur plusieurs productions théâtrales marquantes des dernières années, parmi lesquelles *Maîtres anciens*, *Les Trois Derniers Jours de Fernando Pessoa*, *La Nuit juste avant les forêts*, *Malina*, *Quartett* et *Hamlet-machine*. Il est actuellement programmateur du Studio littéraire de la Place des arts.

LAURENT MAILHOT

Professeur émérite de l'Université de Montréal (Études françaises), Laurent Mailhot a publié une douzaine d'ouvrages, dont plusieurs anthologies, sur la littérature et le théâtre québécois. Les plus récents sont *Ouvrir le livre* (1992) et *la Littérature québécoise depuis ses origines* (1997).

JOSEPH MELANÇON

Joseph Melançon est professeur émérite à l'Université Laval. Ses recherches ont porté sur la didactique de la littérature, la sémiotique, l'axiologie et les pratiques culturelles. Il a collaboré à plusieurs revues littéraires, au Canada et à l'étranger, où il a publié plus de soixante articles. Il a dirigé des équipes de recherche sur le statut et le discours de l'enseignement littéraire dont les résultats ont fait l'objet de trois livres : *Le discours d'une didactique* (Nuit blanche, 1988) ; *La littérature au cégep* (Nuit blanche, 1993) ; *Le discours de l'université sur la littérature québécoise* (Nuit blanche, 1996). Il a participé à dix-huit ouvrages collectifs. Il a dirigé la revue *Études littéraires* et il a été titulaire de la Chaire de recherches sur la culture d'expression française en Amérique du Nord (CEFAN). Un essai sur *Les sciences de la culture* est sous presse aux éditions Nota bene. Il est membre de la Société Royale du Canada.

JEAN-PIERRE RYNGAERT

Jean-Pierre Ryngaert est professeur (Études théâtrales) à l'Université de Paris-III Sorbonne Nouvelle. Metteur en scène occasionnel, il s'intéresse aux relations entre le théâtre et la formation et a dirigé beaucoup de stages de jeu. Dans ce domaine, il avait publié *Le jeu dramatique en milieu scolaire* et *Jouer, représenter* (Cedic-Nathan, nouvelle édition De Boeck, Bruxelles) ainsi que de nombreux articles. Plus récemment, il a écrit des ouvrages qui s'interrogent sur notre approche du texte de théâtre : *Introduction à l'analyse du théâtre*, *Lire En attendant Godot* et *Lire le théâtre contemporain*, aux éditions Dunod, puis Nathan. En collaboration avec Joseph Danan, *Éléments pour une histoire du texte de théâtre*. Il est actuellement responsable de la formation au festival de théâtre contemporain *La Mousson d'été*.

LOUISE VIGEANT

Professeure au Département de français du Collège Édouard-Montpetit à Longueuil, Louise Vigeant est membre de la rédaction des *Cahiers de théâtre Jeu* depuis 1988 ; elle a été rédactrice en chef de décembre 1998 à septembre 2002, moment où elle a été nommée directrice de la revue. Elle a publié de nombreux articles dans *Voix et Images*, *L'Annuaire théâtral*, *Spirale*, *Canadian Theatre Review*, *Québec français*, et deux ouvrages, *La Lecture du spectacle théâtral* (Mondia, 1989) et *Une étude de À toi, pour toujours, ta Marie-Lou* (Boréal, 1998). Louise Vigeant est active au sein de l'Association québécoise des critiques de théâtre et de l'Association internationale des critiques de théâtre, pour lesquelles elle anime des stages de jeunes critiques.